高野街道を歩く

森下恵介
Morishita Keisuke

東方出版

はじめに

江戸時代の街道というと、幕府が江戸と各地を結ぶ道として整備した五街道（東海道・中山道《なかせんどう》・甲州街道・奥州街道・日光街道）がよくあげられるが、近畿地方に住む我々にとっては、京都と江戸を結ぶ東海道、中山道以外はほとんど馴染みがない。近畿の街道は古代からの道を踏襲しているものが多く、都であった奈良や京都と各地を結ぶ七道（東海道・東山道《とうさんどう》・北陸道・山陰道・山陽道・南海道・西海道）のうち、九州の西海道以外は都を基点にしている。長い歴史の中で近畿地方には都を中心に細かな道路網が発達し、これらの道は物流経済だけでなく、信仰の道としても発達した。

高野山は、平安時代の弘仁七（八一六）年に弘法大師空海が修行の道場として開創した仏教聖地である。平安時代中期以降には藤原道長、藤原頼通、白河上皇、鳥羽上皇、後白河上皇などの高野参詣があり、高野詣による功徳を説く遊行者、「高野《こうや》聖《ひじり》」の全国的な勧化、唱導によって、高野詣は貴賤衆庶に広がっていった。

高野街道とはこの高野山へ向かう参詣道、信仰の道である。東の伊勢神宮を目指す伊勢街道が近畿地方東西横断の旅であれば、南の高野山を目指す高野街道は近畿地方南北縦断の旅ということになる。

高野街道と呼ばれる街道は都である京都から生駒山西麓を南へ河内国を縦断して高野山をめざす「東高野街道」、堺から東南へ行く「西高野街道」、大阪から平野を通って南へ向かう「中高野街道（上高野街道）」、大阪天王寺から南に向かう「下高野街道」がよく知られており、これらはすべて大阪府内を通過している。下高野街道は狭山で中高野街道と合し、中高野街道は西高野街道に合した後、河内長野で東高野街道とも合してひとつの「高野街道」となり、和泉山脈の紀見峠を越え、紀ノ川を渡って、高野山に通じていた。また、古くは京都からは、奈良を経由、奈良盆地を縦貫し、吉野川（紀ノ川）筋へ出る道も利用された。この道は奈良時代以前の南海道であり、沿道の巨

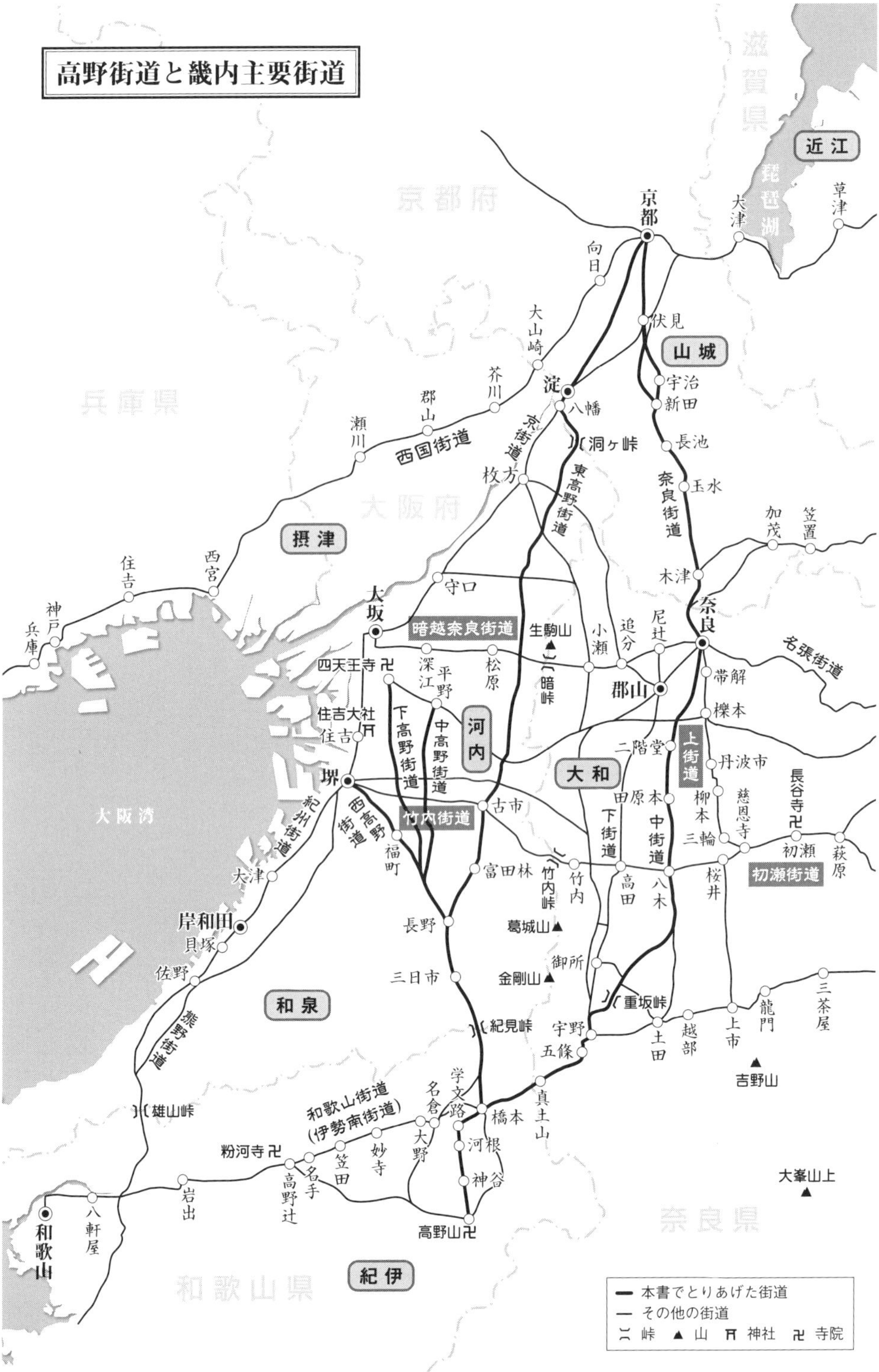

高野街道と畿内主要街道
滋賀県
近江
琵琶湖
京都府
京都
大津
草津
向日
伏見
山城
宇治
新田
大山崎
淀
八幡
兵庫県
芥川
郡山
瀬川
西国街道
京街道
洞ヶ峠
長池
東高野街道
奈良街道
枚方
玉水
大阪府
摂津
加茂
笠置
住吉
西宮
神戸
兵庫
守口
大坂
木津
奈良
暗越奈良街道
生駒山
小瀬
追分
尼辻
名張街道
四天王寺
深江
平野
松原
暗峠
郡山
帯解
住吉大社
住吉
下高野街道
中高野街道
河内
櫟本
二階堂
上街道
丹波市
堺
大和
田原本
柳本
慈恩寺
長谷寺
大阪湾
紀州街道
西高野街道
竹内街道
古市
下街道
中街道
三輪
初瀬
萩原
福町
富田林
竹内峠
竹内
高田
八木
桜井
初瀬街道
大津
岸和田
長野
葛城山
貝塚
佐野
御所
三日市
金剛山
和泉
重坂峠
三茶屋
龍門
熊野街道
紀見峠
宇野
五條
土田
越部
上市
吉野山
雄山峠
和歌山街道
(伊勢南街道)
学文路
名倉
橋本
真土山
大野
妙寺
河根
粉河寺
名手
笠田
高野辻
神谷
岩出
八軒屋
高野山
大峯山上
和歌山
奈良県
紀伊
和歌山県
本書でとりあげた街道
その他の街道
峠
山
神社
寺院

勢谷、宇智野、真土山などを詠った万葉歌も数多い。

高野山へは現在は、南海難波駅から南海電鉄高野線を利用すれば、終点の極楽橋駅まで一時間三十分、ケーブルカーに乗り換えて五分で高野山駅に着くのだが、旅は目的地に着けば良いというものでもない。その行程、道中を楽しむことこそが旅なのである。大阪近郊を行く高野街道は、鉄道駅も近く、気軽に沿線ウオーキングが楽しめる。街道は計画的に全行程を歩くのも良いし、一部を歩くのもよい。歩くと、さまざまな発見があり、大阪は近郊がおもしろいのである。

かつての旅人と同じように歩いてみれば、今まで気づかなかった街道の名残、人々の信仰や地域の歴史と文化が発見できる。歩くからこそ見えてくるものがある。たまにはのんびりと近場を気ままに旅し、かつての旅を追体験し、新しい発見をしていただきたい。

本書は歴史の現場に立ってみたいという欲求に駆られ、古い道をたどって高野まで歩き、見たもの、見つけたものを書きまとめた。現代版「高野街道 独案内《ひとりあんない》」として、街道歩きの手助けになれば幸いである。それでは高野山へ向かって歩くことにしよう。

●目次

一　東高野街道——京都から河内を南へ

東高野街道は、京都から高野山へ向かう道で、京都から、八幡《やわた》を経て国境《くにざかい》の洞ヶ峠《ほらがとうげ》を越えて山城国から河内国《かわちのくに》へと入る。枚方《ひらかた》、交野《かたの》、寝屋川《ねやがわ》、四條畷《しじょうなわて》、大東《だいとう》、東大阪、八尾《やお》と生駒山西麓を南下し、柏原《かしわら》で大和川を渡り、藤井寺、羽曳野《はびきの》、富田林《とんだばやし》、河内長野と河内を縦断し、大阪、平野《ひらの》、堺からの高野街道と合流し、国境の紀見《きみ》峠を越え、紀伊国へと入る。

大阪平野には古く淀川や大和川が流れ込む「河内湖」と呼ばれる低湿地が広がっていたため、河内国内では、長らくこの生駒山西麓に通じる東高野街道が唯一の南北道であり、東高野街道を掌握することが河内を支配することであり、中世にはたびたび合戦の場ともなった。平安時代後期の念仏聖、安助上人が白河上皇の高野御幸の際に開いた道だと伝えるが、これは改修整備であろう。道はより古くからあり、平城京から平安京に都が遷ると、奈良盆地西南の巨勢《こせ》道に替り、都から河内国府《かわちこくふ》、紀伊国府へとつながる官道、「南海道」になったとみられ、この道が「紀ノ路」、「大道」、「京道」とも呼ばれるようになる。平安時代前期には京からの高野参詣は奈良、大和を経由していたようだが、中世以降、高野山へ向かうにはこの東高野街道がもっぱら使われ、都と高野山を結ぶ表参道となった。長い歴史の蓄積をものがたる事物が沿道には数多く残る。大阪府下を縦貫する最長の街道、ロングコースではあるが、京阪電鉄、ＪＲ、近鉄などを利用し、一日の大阪近郊散策を繋いでいけば、高野山に到着することができる。

京都から淀、八幡へ（鳥羽街道）

京都の出入口を表す言葉として「口」という言葉がある。鎌倉時代後半から使われていたようで、「京七口」と呼ばれるが、七か所が特定されるわけでなく、東海道や山陽道など都から七道に通じる多数の出入口と理解されている。「東寺口」は西国街道（山崎街道・山陽道）につながり、「鳥羽口」は平安京の京城門である羅城門《らじょうもん》から鳥羽離宮や淀津《よどのつ》に通じる「鳥羽街道（鳥羽作り道）」の基点になる。この道は八幡で伏見から枚方、守口にむかう大坂街道（京街道、東海道の延長）や洞ヶ峠を越える東高野街道と繋がっている。京から高野へ向かうには、東寺口（鳥羽口）を出て、まずこの鳥羽街道をとることになる。

東寺《とうじ》は東寺真言宗の総本山。「教王護国寺《きょうおうごこくじ》」（写真1）、京都の代表的な名所のひとつである。平安京鎮護のため平安京左京九条一坊に官寺として建立され、嵯峨天皇より空海（弘法大師）に下賜され、真言密教の根本道場となった。大師の命日とされる二十一日には「弘法さん」の縁日が開かれ、弘法大師に対する庶民の信仰を集め、「お大師《だいし》さんの寺」として知られている。東高野街道は弘法大師が都での拠点としたこの東寺と高野山を結ぶ道であり、

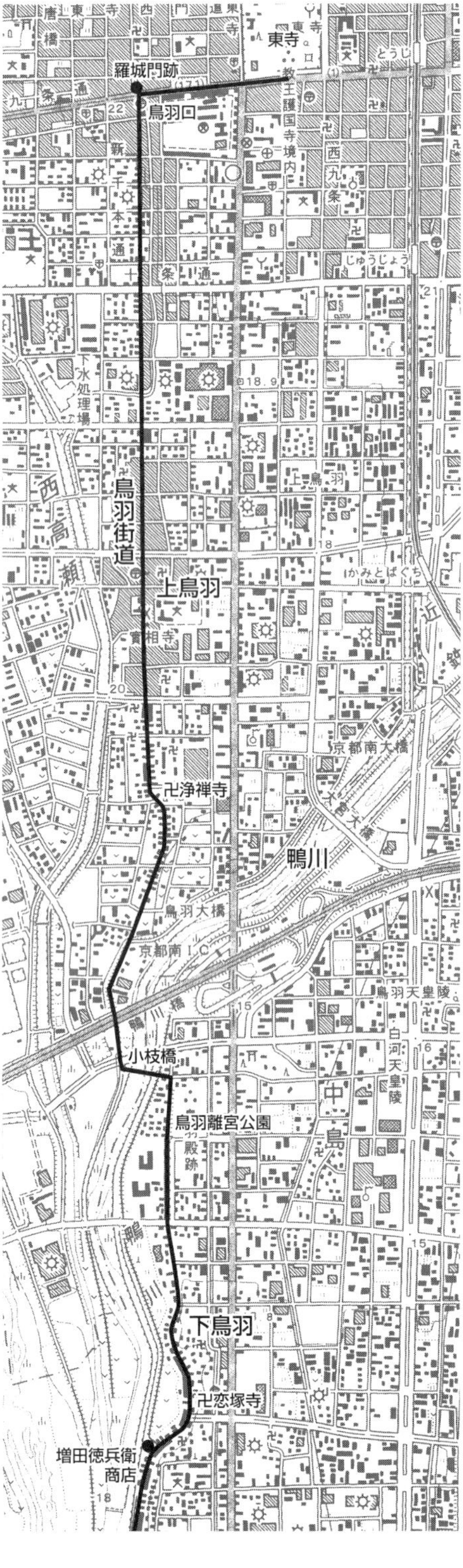

地図1　東寺から下鳥羽へ

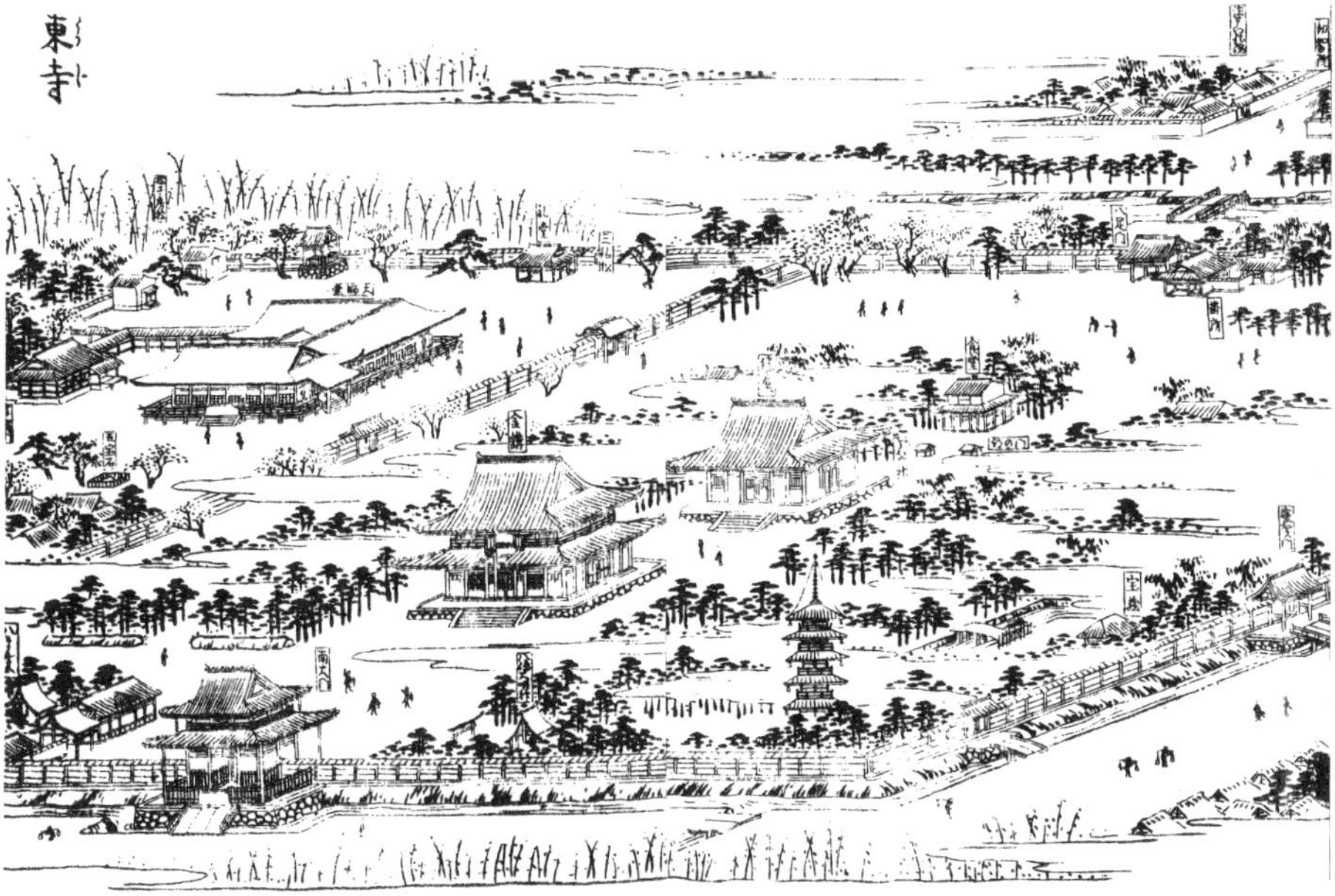

図１　東寺（『都名所図会』安永９年）

見方によれば、東高野街道こそが高野街道の本道だとも言える。

なお、東寺と対になるように右京九条一坊に営まれた西寺は唐橋小学校と唐橋西寺公園がその跡で、発掘調査によって金堂・回廊・僧坊・食堂院・南大門等の遺構が確認されている。

平安京の南正門である羅城門《らじょうもん》《（らせいもん）》は、七間五戸の重層門とされるが、天元三（九八〇）年の暴風雨で大破してからは放置され、渡辺綱《わたなべのつな》が門に住みついた鬼（茨木童子）を退治する謡曲の「羅生門《らしょうもん》」や『今昔物語』、芥川龍之介の小説などで荒れ果てた様子が語られている。児童公園に石碑と案内板が立ち、発掘調査も行われているが、近世に池が造られていることもあって、残念ながら、門の遺構は未だ発見されていない。

羅城門跡の南、空海の身替りに矢を受けたという矢取地蔵（写真２）から千本通りを南へと下る。このあたりが豊臣秀吉が京都を囲う土塁として造った「御土居」の西南の角になる。矢取地蔵堂には周辺の区画整理で移設されたものらしい「右はやなぎ谷　観世音菩薩」「左　やわた八幡宮　往来安全」とした嘉永七（一八五四）年の上部に方孔をあけた「常夜燈型」の道標がある。右へ柳谷観音（長岡京市）に向かうのが西国街道、左へ八幡の石清水八幡宮に向かうのが鳥羽街道である。

鳥羽通り（十条通り）、久世橋通りを越えると、上鳥羽。浄禅寺は京都六地蔵のひとつ「鳥羽地蔵」で、「袈裟御前《けさごぜん》塔」という五輪塔（写真３）と恋塚碑がある。

図２　下鳥羽恋塚寺（『都名所図会』）

北面の武士、遠藤盛遠《えんどうもりとお》は同僚の渡辺《わたなべ》渡《わたる》の妻、袈裟御前に恋慕し、夫殺しをもちかけられた袈裟御前は夫と入れ替わって殺され、世の無常を感じた盛遠は出家して、文覚《もんがく》と名乗る。この話は『源平盛衰記』の中で語られるが、浄禅寺の塚は江戸時代には大鯉を埋めた鯉塚が本来だという説もあった。

名神高速道路をくぐり、鴨川を渡る。この鴨川に架かる「小枝橋《こえだ》」が慶応四（一八六八）年一月三日の鳥羽伏見の戦い勃発の地（写真４）である。三日の夕刻、鳥羽街道を封鎖していた薩摩藩兵が強引に押し通ろうとする幕府軍先鋒に発砲したのが、戦いの発端となった。日没後も戦闘は続いたが、薩摩藩兵の優勢な銃撃の前に幕軍は下鳥羽へと退却した。現在の小枝橋の南にある開戦地には安政六（一八五九）年の「城南離宮　右よど／やハた」「左り　京ミち」の道標がある。

街道の東側は鳥羽離宮公園。鳥羽離宮は平安末期から鎌倉時代まで代々の上皇により使用された院御所である。公園は南殿御所（鳥羽殿）とそれに付属する白河上皇発願の御堂《みどう》、証金剛院跡。公園内の「秋の山」に明治四十五（一九一二）年、「鳥羽伏見戦跡碑」が建てられている。

下鳥羽は淀、山崎、大坂への港津、「鳥羽津《とばのつ》」があった地。丹波橋通りの北にある恋塚寺（写真５）にも袈裟御前の墓という宝篋印石塔が立つ恋塚がある。街道の東にある下鳥羽小学校には「西　左　東寺　西本願寺　五十丁／千本通　北野へ　二り半」「北　すく　大坂道　淀へ壱り／八はたへ　一り」「東　右　恋塚寺　是より　北へ半丁／よと　八はた　大阪みち」「南　右　東洞院　東本願寺通／いなりへ三十丁　三条大橋二り半」と下鳥羽からの詳しい距離を記した道標が移設されている。幕末頃のものとみられ、「大坂」と「大阪」が混用されている。

街道沿いにある増田徳兵衛商店（写真６）は延宝三（一六七五）年創業の「月の桂」の醸造元。鳥羽伏見の戦いでは開戦翌日の一月四日、幕府軍はこの酒屋の酒樽を積み上げて陣地を作り、薩長軍に抵抗したが、伏見からの薩摩兵に側面を突かれ富ノ森へと撤退したという。この四日には、仁和寺宮《にんなじのみや》嘉彰《よしあきら》親王が征討総督に就任し、錦旗《きんき》（錦の御旗）が出現し、薩長軍は「官軍」となり、幕軍は「朝敵」となった。堤防下の法傳寺には明治三十（一八九七）年の「戊辰東軍戦死之碑」（慰霊碑・写真7）が立っている。京都外環状線羽束橋手前で鴨川は桂川に合流する。

横大路、富ノ森と過ぎる。鳥羽伏見の戦いでは一月五日、富ノ森まで下がった幕軍は、狭い地形に構築した陣地を有効に使い、一時、薩長軍を食い止めたが、小銃突撃に突破され、老中稲葉《いなば》正邦《まさくに》の淀藩を頼り、淀城に入って体勢の立て直しを図ろうとした。これに対して、淀藩は城門を閉じて入城を拒絶し、幕軍は八幡、橋本へと撤退することになる。伏見方面でも京都競馬場の北側、千両松付近で激戦があり、伏見奉行所から退いた新撰組は隊士の三分の一をここで失い、官軍（薩長軍）は淀を占領した。富ノ森と納所《のうそ》の間、愛宕茶屋には「戊辰役東軍戦死者埋骨地」碑があり、愛宕茶屋南の堤防上にあった「戊辰役戦場址」の標石（三宅安兵衛碑）が納所会館に移設されている。「三宅安兵衛碑」は京都の織物商、三宅安兵衛（一八四二―一九二〇年）の京都のために資産を使えという遺言によって、長男の三宅清治郎が京都府内に建立した史跡・名所案内石碑で、京都府内に現在、約四百基が確認されるという。

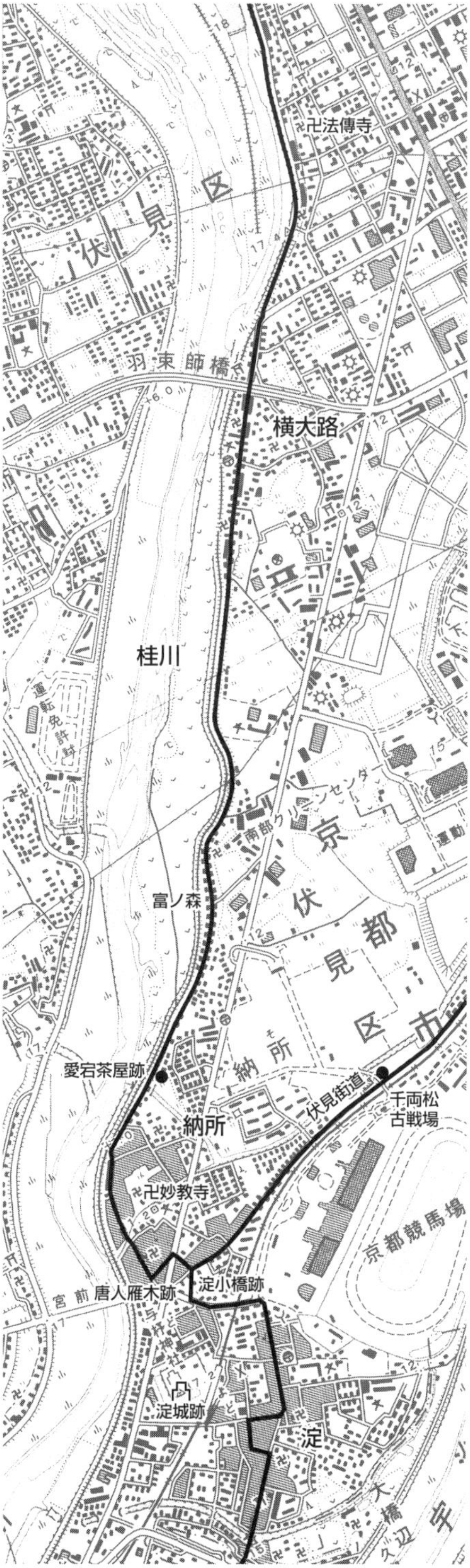

地図2　横大路から淀へ

図３　淀（『都名所図会』）淀の水車と大坂へ下る三十石船。くらわんか船がこぎ寄せる

淀は木津川、宇治川、桂川の三川合流地、淀津《よどのつ》は京の外港としての機能をもっていた。秀吉が茶々（淀君）のために建てた淀城は納所にあり、これは文禄三（一五九四）年に廃され、近世の淀城は新しく宇治川の南、淀島につくられている。秀吉時代の淀城跡とされる納所の妙教寺境内には榎本武揚《えのもとたけあき》筆「戊辰之役東軍戦死者之碑」が立ち、本堂には「砲弾飛込口」や砲弾が貫通した柱が保存されている。

旧宇治川は納所の南を流れ、納所交差点付近が朝鮮通信使が上陸した船着場「唐人雁木《とうじんがんぎ》」跡になる。かつてはこの東方の宇治川にかかる淀小橋を渡り、淀城下に入っていた。淀城は元和九（一六二三）年、二代将軍徳川秀忠の命で松平定綱が入部し、城は幕府の援助によって築城され、城内の用水を汲み上げる水車が設けられていた。淀の水車は「淀の川瀬の水車　誰を待つやらくるくると」と唄われて、古くから有名であった。淀城は京阪電鉄淀駅の西北に本丸跡と内堀の一部が残るが、その石垣は元和期を代表するもの（写真8）。寛永十六（一六三九）年に木津川が美豆《みず》との間に流れるよう改修され、淀大橋が架けられた。淀小橋と淀大橋は、その修造、架け替えを幕府が行う公儀橋であった。美豆から御幸橋で宇治川、木津川を渡ると、八幡《やわた》。約一・四キロメートルの堤に約二五〇本の桜が植えられた宇治川と木津川との間の背割堤（淀川河川公園）は、花見の名所である。

八幡から洞《ほら》ヶ峠へ

石清水八幡宮（写真9）は「我、都に近き男山の峯に移座して国家を鎮護せん」との大安寺僧行教への託宣によって貞観二（八六〇）年に男山（鳩ヶ峰、標高一四三メートル）の山上に社殿が造営されたのがその起り。「石清水」の社名は山腹から湧き出す清水による。都の裏鬼門（南西）を守護する社として重視され、天皇、上皇、法皇などの行幸啓は二五〇余を数えたという。中世以降は伊勢神宮と並び、「二所宗廟」とされ、武家源氏の氏神としても崇敬され、放生会は大祭として葵祭、春日祭とともに三大勅祭とされた。明治までは石清水八幡宮護国寺と称し、本宮のある山上の上院と山下《さんげ》の下院の間には「男山四十八坊」と呼ばれる院坊が建ち並んでいた。「寛永の三筆」の一人、「松花堂弁当」にその名を残す松花堂昭乗《しょうかどうしょうじょう》も八幡宮に仕える社僧であった。一の鳥居に掛かる八幡宮の額は藤原行成が書いたものをもとに元和五（一六一九）年にこの昭乗が書いたと伝え、「八」の字が向かい合う鳩の形につくられる。

八幡から南へは奈良時代の山陽・山陰道と推定される木津川西岸を行く奈良街道が通じ、橋本からは淀川沿いに

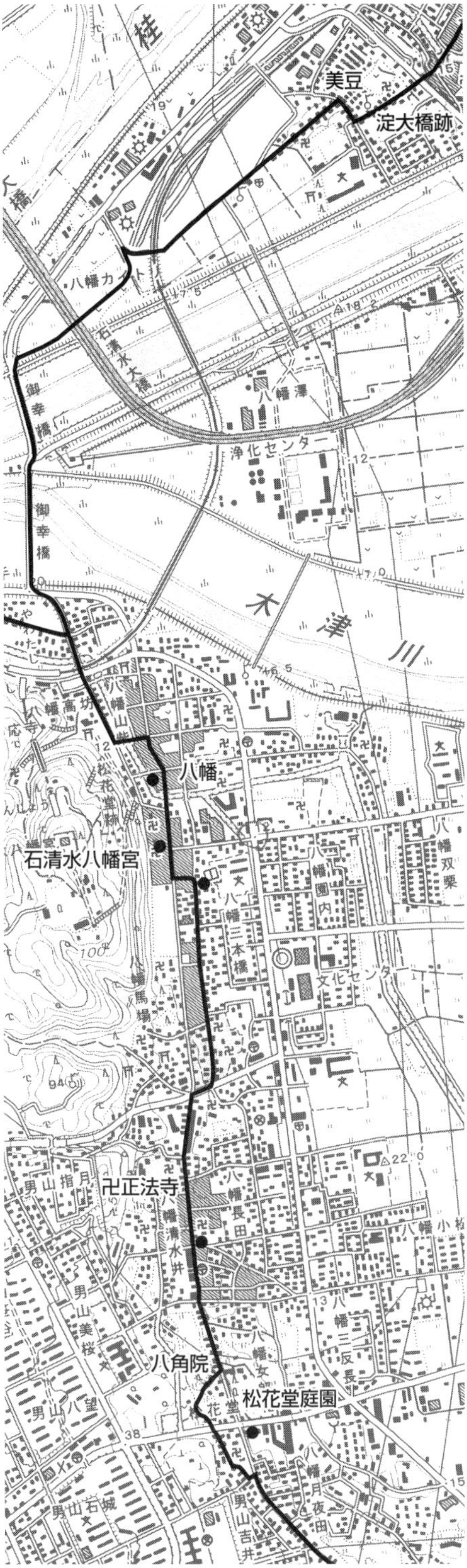

地図3　美豆から八幡へ

写真１　東寺（教王護国寺）

写真５　下鳥羽の恋塚寺

写真３　上鳥羽浄禅寺の恋塚

写真２　矢取地蔵堂燈籠道標

写真７　法傳寺「戊辰東軍戦死之碑」

写真４　鳥羽伏見の戦い開戦地

写真６　「月の桂」醸造元

写真８　淀城跡

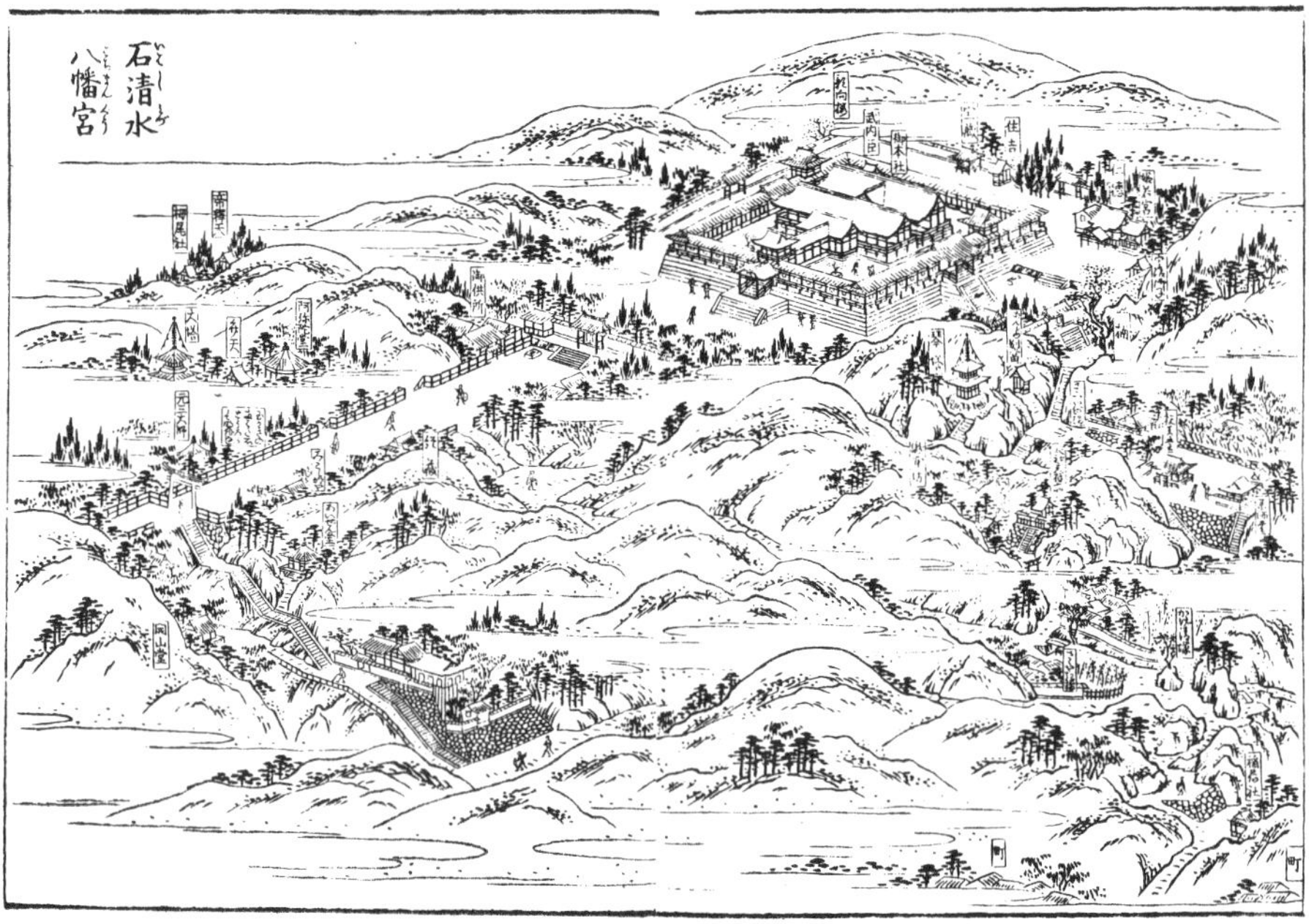

図4　石清水八幡宮（『都名所図会』）

樟葉、枚方へと向かう京街道（東海道の延長）、南西へ洞ヶ峠を越える高野街道（東高野街道）が通じており、八幡は交通の要所でもある。町中を南下し、八幡市民図書館方向に左折し、和菓子屋の「志ばん宗」横の路地を入ると、「男塚」とも呼ばれる頼風《よりかぜ》塚の五輪塔がある。付近はかつて小野上町（尾上町）と呼ばれ、平城天皇の時代、小野頼風の家があり、ここで頼風が他の女と暮らしていることを知った妻が泪《なみだ》川に身を投げ、頼風も自責の念から放生川に身を投げて後を追った。これを哀れみ、築かれた塚だとされる。妻のほうの塚は「女郎花《おみなえし》塚」と呼ばれ、松花堂庭園内にある。また、頼風塚の周辺の葦の葉は女郎花塚の方になびいて片方にしか生えない「片葉の葦」だと伝えている。

市民図書館前には「金剛律寺故址　京都元標四里三十二丁」と「正平役　園殿口古戦場　左　本妙寺半丁　右　法園寺二丁」とする「三宅安兵衛碑」がある。正平七（観応三＝一三五二）年三月に足利義詮《あしかがよしあきら》が男山の後村上天皇の行宮を攻撃した八幡合戦の古戦場とされ、近くの本妙寺の門前にも、「正平役　城之内古跡」の「三宅安兵衛碑」が立つ。

街道を南下して行くと、「巡検道」や「寝物語古蹟　国分橋」の碑などの「三宅安兵衛碑」が立っている。「三宅安兵衛碑」は八幡市内に多く、市内には約一四〇基が確認できるという。神原《かみはら》交差点から西の道を南下すると、正法寺がある。

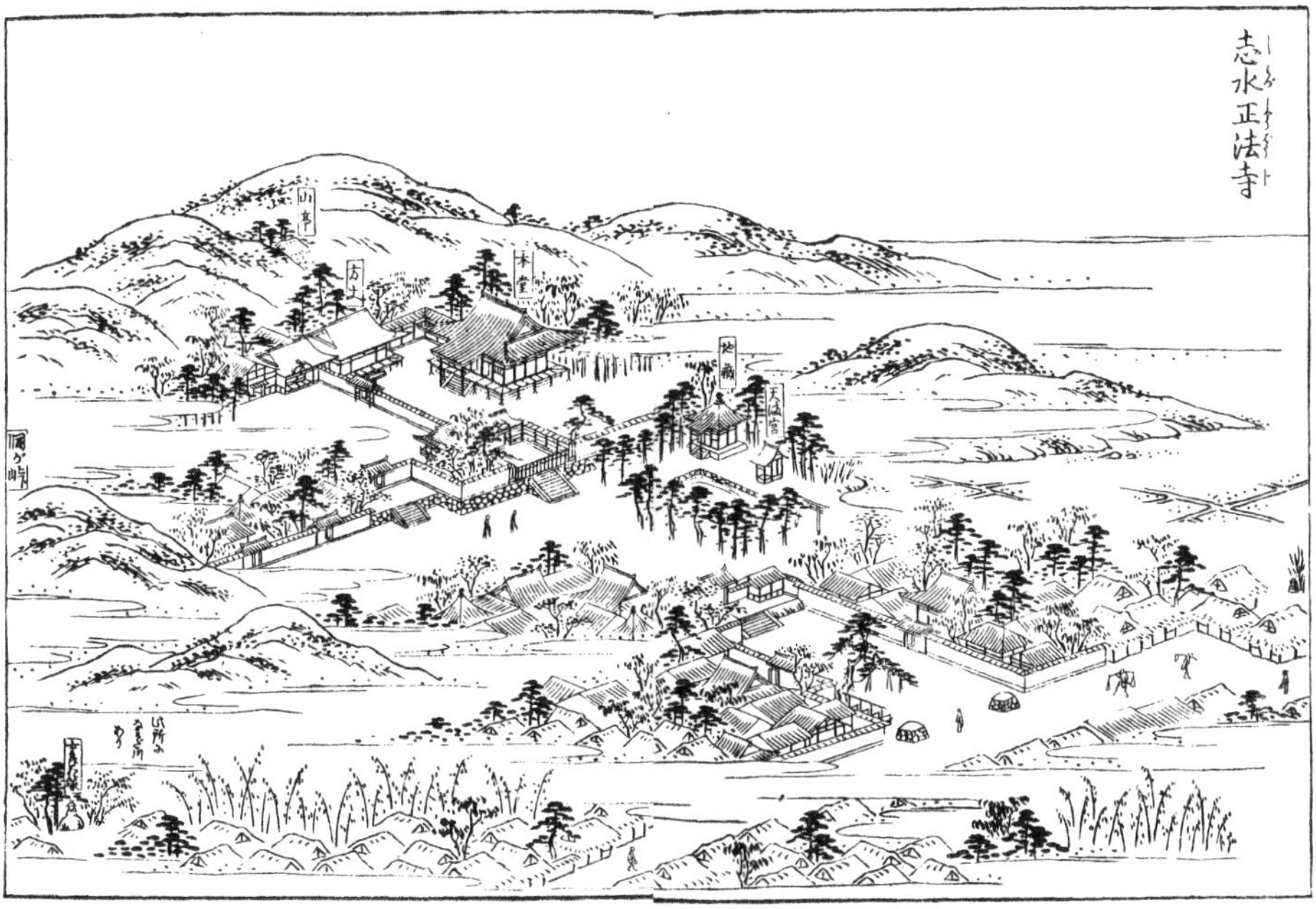

図5　志水正法寺（『都名所図会』）

徳川家康の側室で、尾張大納言義直《よしなお》の母、相應院（お亀の方）の墓所がある。実家である石清水八幡宮社家、志水氏一族の菩提寺であった。寺領五百石。唐門、本堂、大方丈は重要文化財に指定される。

道を進むと、精肉店前に「左　東　在所道　戸津八丁　内里十五丁　岩田渡船場廿五丁　寺田一里半　下奈良渡船場廿二丁　宇治二里」「左　京街道　御幸橋廿丁　鳥羽三里　淀一里半　伏見二里半　東寺四里廿丁」とする「三宅安兵衛碑」がある。さらに進むと。右手の分岐に「水月庵」を示す「三宅安兵衛碑」があり、「向て左　美濃山八丁／長尾停留所一里／四條畷三里」「向て右　北　八幡宮本社十丁一□／西幣原水月庵八丁／京阪八幡停留所廿丁／招堤十八丁／枚方三里」としている。水月庵（水月寺）は八幡市福禄谷にある皇女和宮の菩提を弔った尼寺で、本来の東高野街道はここを右へ入り、左折して南へ進んでいたらしい。右に入れば、丘の上に八角院がある（写真10）。四隅を切り取った隅切八角の堂で、慶長十二（一六〇七）年に豊臣秀頼が石清水八幡宮の山上に再建したものと伝え、明治の神仏分離でここに移建されている。堂は古墳時代前期（四世紀後半）の全長一一五メートルの前方後円墳、西車塚古墳の上に建っており、明治三十五年に偶然に石室（竪穴石槨）が掘り当てられ、銅鏡五面や腕輪形石製品が出土し、出土遺物は東京国立博物館で所蔵されている。街道の東側、八幡市立松花堂庭園には、もと石清水八幡にあった松花堂昭乗が隠居後に住んだ草庵、「松花堂」が移築されており、庭園の西南隅に東車塚古墳の後円部だけが残る。

松花堂庭園前の月夜田《つきよだ》交差点角には「正平七年役神器奉安所　岡の稲荷社」とする「三宅安兵衛碑」が立っている。京都帝国大学教授の西田直二郎の揮毫で、「右　高野街道峠十五丁　野崎四里　津田二里　柏原六里　従是高野山至ル」「左　奈良街道　美の山十丁　大住一里　松井廿□　薪一休寺□」としており、ここが東高野街道と奈良街道の分岐であることを示す。「岡の稲荷」は、正平七年の八幡合戦で後村上天皇が、大和賀名生へ落ちる際に、この地に三種の神器を隠し置いたと伝え、それを狐が守護していたため、後に稲荷社が建てられたという。八幡中ノ山にある「正平塚」は、この八幡合戦の戦死者を祀った塚とされる。

洞ヶ峠から郡津《こおづ》へ

京都府（山城国）と大阪府（河内国）との境が「洞ヶ峠」。天正十（一五八二）年六月十三日の山崎合戦の際、羽柴秀吉と明智光秀の双方から加勢を依頼された筒井順慶《つついじゅんけい》がこの地から合戦を望見、日和見《ひよりみ》した地だとされるが、筒井順慶は合戦前に秀吉に味方する誓紙を出していながら、大和国内の動向を見た上、十五日に出陣しており、合戦当日には未だ大和に居た。この参陣の遅れが、「日和見」伝説を生むことになったようだ。洞ヶ峠は京や山崎を遠望できる戦略上の要地で、合戦を望見するにはいかにもふさわしい地ではある。鳥羽伏見の戦いではここまで出兵した高槻藩兵が、ここで「洞ヶ峠をきめ込み」、幕府軍の敗色が強いのを見て、引き返したという。現在は国道1号線と周辺の宅地造成で地形そのものが変わり、このあたりの旧街道はまったく残っていない。

峠近くにある円福寺は臨済宗妙心寺派の禅寺。天明三（一七八三）年に禅道場として開かれ、達磨堂で知られる。鎌倉時代の達磨大師坐像はもと片岡達磨寺（奈良県王寺町）にあったと伝える像で重要文化財。寺の前を南に行けば、大阪府に入り、枚方市「高野道」となり、街道がこのあたりを通っていたことがわかる。

「高野道一丁目」を過ぎ、国道1号線の枚方企業団地前交差点に出て、国道を行く。船橋川を渡り、招提《しょうだい》の交差点を過ぎる。「招提」の地名は真宗の「招提道場」が起源。出屋敷北交差点から国道と離れる。南へ山田池公園まで行き、西に折れ、出屋敷に入る。出屋敷は街道沿いに形成された田口村の分村で、旧街道らしい家並が続く。円通寺前には「東高野街道　壹里」「距　京都府綴喜郡八幡町貳里拾貳間」「距　北河内郡里山停車場壹里廿六丁四十九間」とする明治三十三（一九〇〇）年の大阪府の里程石標（写真11）が立っている。府境の洞ヶ峠から一里の地点に建てられたもので、役所の建てた近代の里程標石は〇里だけでなく、〇丁、〇間と細かい。一里（約三・九二七キロメートル）は三十六丁、一丁（町・約一〇九メートル）は六十間、一間は約一・八一八メートルである。明治は正確さを要求する時代なのである。円通寺の本堂扁額は隠元禅師の揮毫と伝え、境内にあった「楠松《くすのきまつ》」は四條縄手合戦で討死した和田賢秀《わだけんしゅう》の胴塚だと伝えていた。和田賢秀は楠木正成の弟、正季《まさすえ》の子で、正行の従兄弟である。

街道は府道18号枚方交野寝屋川線に合流して、府道を行く。村野浄水場の北端あたりは「一里山」と呼ばれ、このあたりに一里塚があったことがわかるが、その痕跡はまったく残っていない。東高野街道には「一里塚」が設置されていたのであるが、垣内《かいち》（八尾市）や錦織（富田林市）の一里塚以外は地名が残るだけである。一里塚は、旅人の目印として主要な街道の側《かたわら》に約一里ごとに設置した塚（土盛り）で、古くからあったようだが、慶長九（一六

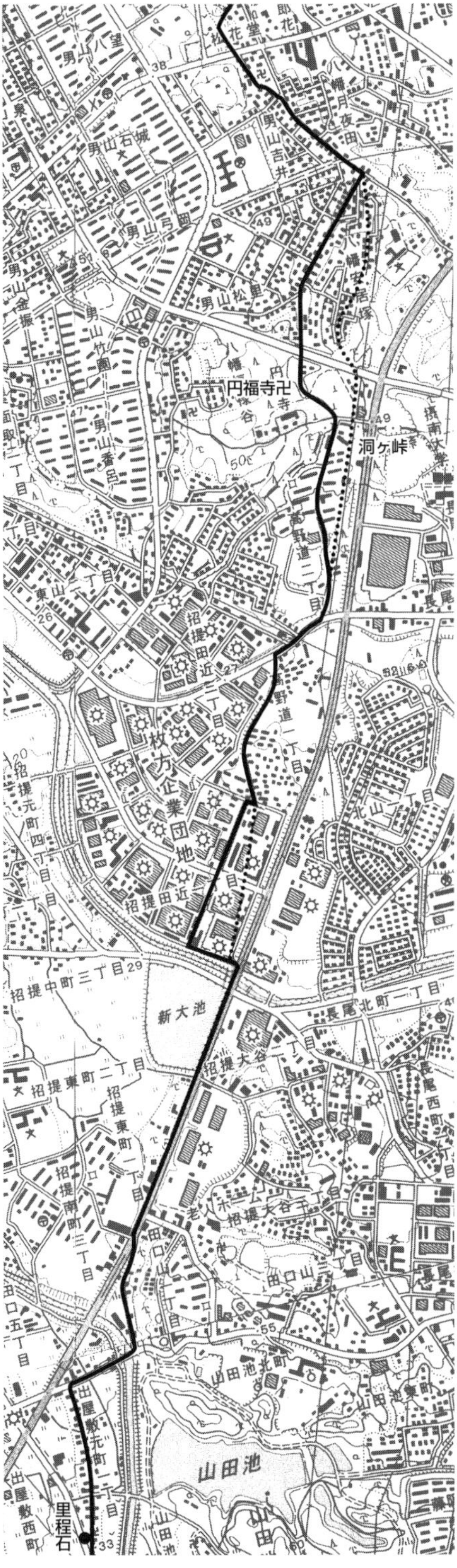

地図4　洞ヶ峠

○四）年に徳川家康が全国的に整備させ、塚の大きさ五間（約九メートル）四方、高さ一丈（約一・七メートル）とされ、エノキ、マツなどの木が植えられていた。本来、街道の両側に対で設置されるものであるが、現存する一里塚の多くは、道路拡幅などから道の片側にのみ残っていることが多い。エノキを植えているのは、織田信長が一里塚を設置した時、マツやスギ以外の「余の木」を植えよと命じたのを「えのき」と聞き間違えたという話があるが、これは笑い話であろう。「くたびれたやつが見つける一里塚」という川柳があり、旅人にとっては、行程の目安にもなる良い休憩地でもあった。ちなみに一里は約一時間で歩くことのできる距離でもある。

　交野市に入り、出鼻橋を渡ると、ここから郡津《こおづ》の京阪電鉄交野線までは府道の東側に旧道が残る。郡津は古代の交野《かたの》郡衙《ぐんが》の所在に由来する地名で、郡津小学校付近からは七世紀後半の軒丸瓦も発見されている。

郡津から星田へ

　京阪交野線線路の手前で旧道は無くなり、西側の府道18号に入って、天野川を渡る。天野川の右岸（東岸）で交差する国道１６８号線は北大和へ通じる「磐船《いわふね》街道」である。橋の西詰めに「やわた道」と「右　高野道／左　大和道」とする二体の「道標地蔵」がある。国道１６８号線の新道を渡り、国道から右へ離れると、枚方市茄子作《なすづくり》東町。茄子作遺跡は弥生時代後期から古墳時代の集落址、古墳時代の初期須恵器や韓式土器が多く出土している。茄子作の地名はナスビの名産地であったというが、これはあまり根拠は無いようだ。道を進むと、「本尊掛松《ほんぞんかけまつ》（上人松）」遺跡がある（写真12）。元享元（一三二一）年、霊夢により石清水八幡に向かった大念仏宗の中祖、法明上人がこの地で八幡宮の使者から阿弥陀如来（十一尊天得如来）の絵像を授かり、喜びのあまり、松の木に絵像を掛け、念仏を唱えて踊り廻った松だといい、「踊り念仏」の発祥地ともされる。「本尊カケタカ」ということで「ホトトギス松」とも呼ばれた。弘化二（一八四五）年の地蔵石仏は法明上人の姿だともされる。

　その先には北河内を中心にした大峯役講の光明講中が世話人として建てた安政二（一八五五）年の「大峰山／右宇治／左　京　八幡／道」「すぐ　高野　大坂道」の道標と明治三十七（一九〇四）年に大阪府が建てた「右　山

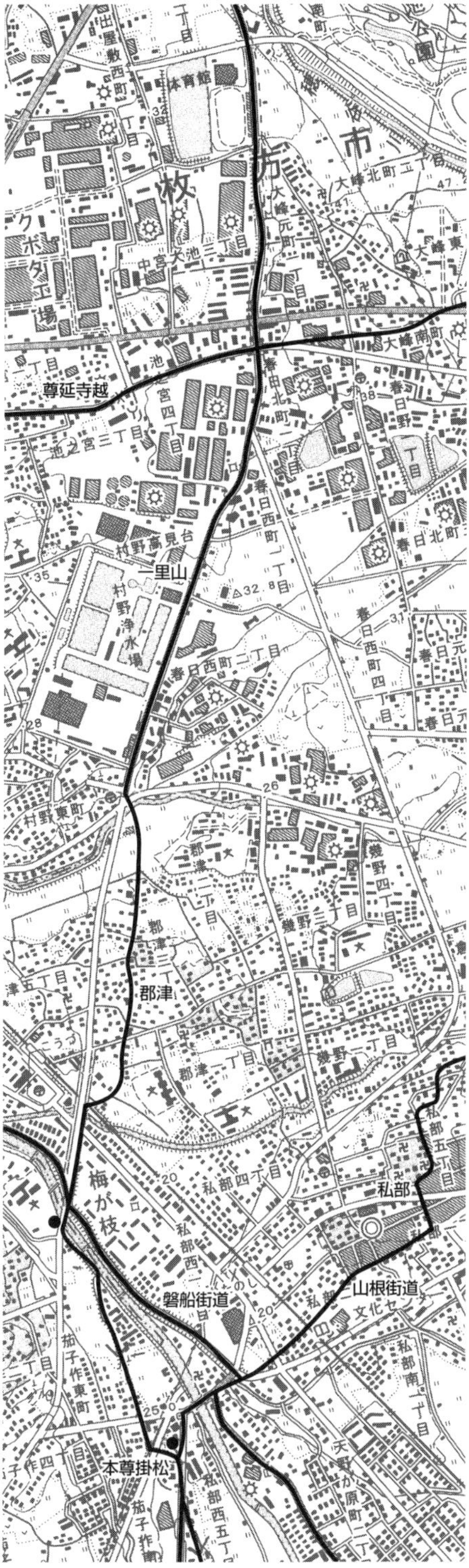

地図５　郡津から星田へ

根街道　私部□津田　山城道／すぐ東高野街道　京道」「すぐ　東高野街道　星田停車場　□」とする道標がある。「山根街道」はここから私部、倉治、津田、藤坂、長尾峠を通る山沿いの道で、ここがその分岐になる。道標の「すぐ」は「真っ直ぐ」の「すぐ」であり、「高野　大坂」にすぐ着くわけではないし、東高野街道にすぐ合流するわけでもない。また、星田駅が近いわけでもない（写真13）。

第二京阪道路をくぐる。この地点では道路建設に伴い、上の山遺跡の発掘調査が実施され、平安時代～中世の高野街道とみられる道路の側溝跡と車の轍《わだち》の痕跡が発見されている。

コンビニエンスストアーのところから南下している旧街道は工場敷地で消えており、府道20号枚方富田林泉佐野線を行き、交野市に入る。タイヤ店の手前から西へ旧道に入る。畑の中の一本道に「星田一里塚跡」の碑がある（写真14）。ＪＲ学研都市線（片町線）の高架をくぐると、ＪＲ星田駅。星田は北斗七星が三つに分かれ、星田妙見宮、降星山光林寺、星ノ森に降ったというのが、地名の起源。慶長二十（一六一五）年、大坂夏の陣の際、星田の平井家が家康の陣所となった。星田駅の西には、「鉢かづき姫」の「寝屋の長者屋敷跡」伝説地もある。「寝屋長者」は鎌倉時代、弘安二（一二七九）年頃に実在した備中守藤原実高のことだともいう。

星田から打上へ

星田駅の南の旧道を行くと、傍示川の手前に安政三（一八五六）年の「すぐ　京　八はた　道」とする大井川万吉の自然石道標がある。大井川万吉は、河内相撲から江戸相撲に出世したこの付近出身の相撲取りだという。寝屋川市との境を歩き、府道20号に出る。ＪＲ線の西にある寝屋川公園には北河内最大の横穴式石室をもつ寝屋古墳がある。

府道から離れ、打上元町の旧道を進む。街道の東の丘の上にある明光寺には石棺の側石を転用した「雷神石」、市内最古の十三仏碑（弘治三＝一五五七年）、鉢かづき姫の身替りとなったという首無地蔵がある。寺からさらに東へ上ると、石宝殿古墳がある。七世紀後半の槨室付石室（石槨式石室）をもつ終末期古墳として有名な古墳である。石室は「天の岩戸」に見立てられていた。街道に戻り、弘法井戸から府道を渡り、寝屋川公園駅に近づくと、「打上の四辻」（写真15）。明治十四（一八八一）年の秋葉燈籠と安政四（一八五七）年の「南／かうや／のさ紀／大坂みち」「東　なら　いせ　ミち」「北　京／八はた／柳谷／星田／妙見道」を示す道標がある。このあたりはＪＲ駅や駅前開発によって街道はほとんど失われている。駅前には、寝屋川市埋蔵文化財資料館があり、立ち寄りたい。

打上から四條畷へ

寝屋川公園駅から線路西側の府道に出る。明和小学校前にある石は打上古墳の石室の残石だという。『河内名所図会』は「八十塚」として打上村には多くの塚（古墳）があったとしており、高塚、堀塚、呉塚、唐塚、中塚などの地名が残る。高倉一丁目には天保十四（一八四三）年の二月堂燈籠が立っている。北河内は古くから二月堂の観音信仰が盛んで「柳谷、二月堂両観音講」があり、今も「お水取り」には、奈良東大寺二月堂に参詣するという。燈籠から南へ折れ、讃良《さきら》川を渡り、四條畷市に入る。

ＪＲ忍ヶ丘駅の西にある忍陵神社は、古墳時代前期の前方後円墳（全長八七メートル）、忍岡古墳の墳丘上に建っ

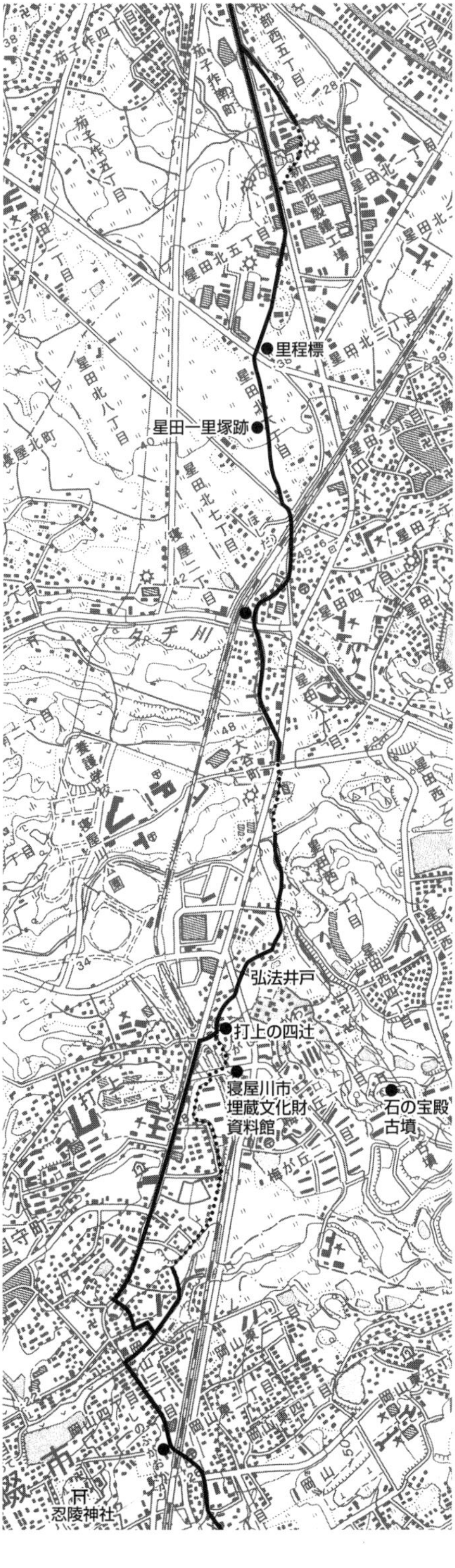

ている。昭和九（一九三四）年の室戸台風で倒壊した社殿の再建時に竪穴石槨が発見され、現在も石槨が格子戸越しに見学できるようになっている。駅前付近からは馬、水鳥、人物などの形象埴輪が出土しており、周辺には、中後期の古墳も存在したことがわかる。

忍ケ丘駅前から旧街道を南下して行くと、四條畷市市民総合センターの南で、清滝川の北岸に通じる「清滝街道」と交差する。交差点角には「右　清滝街道／すぐ　東高野街道」の道標、鶴沢亀窠の門弟中が建てた「東　いせ　なら」「南　かうや」とする「供養碑道標」、「右／なら／いせ／道／左／京／やわた／道」とする寛政十（一七九八）年の「道標地蔵」がある。交差点の東、清滝川の北岸の山麓は七世紀後半の古代寺院、正法寺跡で、街道の交点に位置するその立地が注目される。中野交番、三坪橋と進み、左折して国道１６３号線をくぐる。右へ進み、道の東側にある中野墓地は墓の堂古墳、全長一〇〇メートルを越える古墳時代中期の前方後円墳とみられている。墓地には天文二十四（一五五五）年の十三仏碑がある。十三仏碑は北河内に多く、ここにもその信仰がうかがえる。街道右手に四條畷市歴史民俗資料館がある。四條畷市内の遺跡出土品を旧石器時代から室町時代まで時代別に紹介している。四條畷市を中心とした河内国讃良《ささら（さらら）》郡は、古代の「河内馬飼《かわちのうまかい》」の地で、馬の埋葬や犠牲馬などが発掘調査で発見されており、古代朝鮮の陶質《とうしつ》土器の出土も多く、馬飼育の技術は古墳時代に渡来した人々によって伝えられ

地図６　星田から打上へ

たことなどを実物資料からうかがうことができる。

国道170号線に出ると、左手に和田賢秀墓がある（写真16）。賢秀は、四條縄手合戦で討死する際、敵の頸に噛みつき、睨んで離さなかったということから、「歯噛《はがみ》（歯神）さま」として祀られている。墓石は天保二（一八三一）年のもの。

正平三（一三四八）年、楠木正行《くすのきまさつら》と高師直《こうのもろなお》の「四條縄手の戦い」については東大阪市四条町とする説もあるが、「河州佐良々北四条所」が「四条御合戦」の地とする説は有力。河内国を縦貫する東高野街道を掌握することが河内国を支配することであったのである。明治二十三（一八九〇）年に創建された四條畷神社の祭神は小楠公楠木正行。JR線の西側にある正行の墓所は「楠塚」と呼ばれていたが、明治十一（一八七八）年に大久保利通の揮毫による「贈従三位楠正行朝臣之墓」の巨碑が建てられ、神社との間を直線道路がつないでいる。なお、細かいことだが、市の名は「四條畷市」だが、JRの駅名は「四条畷」、またJR四条畷駅は大東市（大東市学園町一-五〇）にあり、駅の北側が四條畷市である。街道の東には戦国時代に三好長慶《ながよし》の居城であった飯盛山城跡がある飯盛山（標高三一五・九メートル）が聳える。

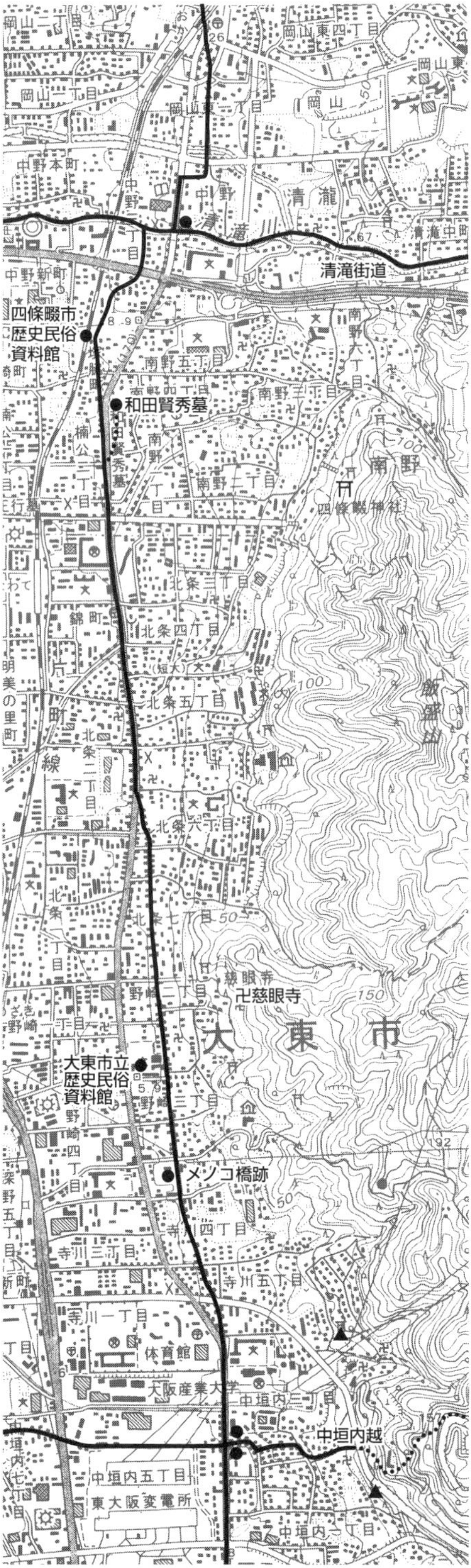

地図7　打上から野崎へ

四條畷から野崎へ

楠木正行の菩提寺とする北条の十念寺で国道170号線と分かれ、左の旧道に入る。五百メートルほどで「♪野崎参りはぁ〜　屋形船で参ろぅ〜」という野崎小唄で有名な「野崎観音」慈眼寺前である（写真17）。旧四月一日からの法要、本尊開扉に伴う「野崎参り」は大坂から春の行楽を兼ねた日帰り参詣として賑わい、徳庵堤を歩いたり、寝屋川を屋形舟に乗って参詣したのだが、「どこを向いても菜の花盛り」といった風情は、今は無い。浄瑠璃『新版歌祭文《うたさいもん》』のお染・久松や上方落語「のざき参り」の「船に乗る舟代も持たんのか」、「歩く力も無いのんか」といった屋形船と徳庵堤を行く参詣人のやりとりもよく知られる。

寺は行基の開基、本尊の十一面観音は長谷観音と同木といい、平安時代中頃、遊女の江口の君（光相比丘尼）が寺を中興、慶長、元和の頃、曹洞宗の禅僧、青厳（青嵓）和尚が再興したとする。境内には永仁二（一二九四）年の九重石塔、「お染久松の塚」、大坂力士「楠岩五郎の墓」などもある。羅漢堂は「野崎かんのん　十六らかん　うちのおやじは働かん」という戯れ歌で有名。

野崎から石切へ

野崎から南へ進むと、街道の西側に大東市立歴史とスポーツふれあいセンター（歴史民俗資料館）がある。ここも見学に立ち寄りたいところ。街道にもどると、大東消防署東分署横に明治三十七（一九〇四）年の「メノコ橋」の欄干石が保存されている（写真18）。弘法大師が修行時代この地を訪れ、十日ほど、ここにあった橋を寝床にし、橋の欄干を枕に休んだと伝わる。寝床が訛った「ネロコ橋」がさらに訛って「メノコ橋」になったのだという。高野街道にはいろいろと弘法大師の伝説地が多い。

寺川で阪奈道路を越え、四条中学校前で国道170号線に出る。中垣内の「中垣内越道」（古堤《ふるづつみ》街道）との交差点には「龍間山／不動尊／たつまの／コレヨリ東十八丁」と「右　大峯山上道」「すぐ　京／のざき／やわた／柳

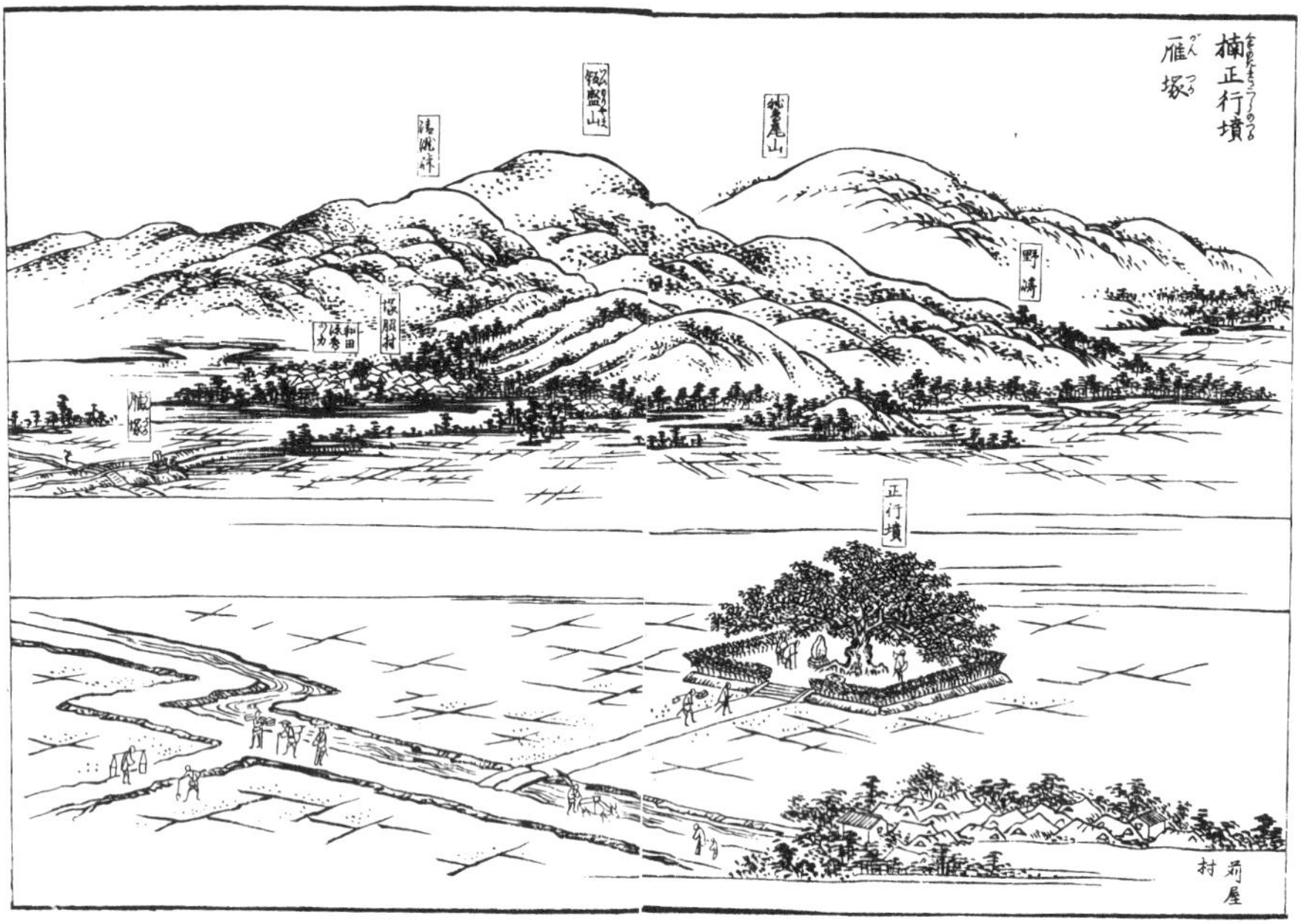

図６　楠正行墳、雁塚（『河内名所図会』享和元年）

谷／道」「すぐ　大峯山上」とする嘉永二（一八四九）年に光明講が建てた道標が立っている（写真19）。東へ行けば、龍間から生駒山を越えて、奈良に行くことができるのであるが、吉野大峰へは東高野街道を南下することを示している。周辺は弥生時代前期から始まる集落遺跡、中垣内遺跡である。中垣内の街道沿いには、竿に「奈ら／木津」「北　京」「南高野山」「西　大坂」と刻し、「おかげ年」の文政十三（一八三〇）年に「御影踊連中《おかげおどりれんちゅう》」が建てた太神宮燈籠があったが、この燈籠は、東方にある須波麻神社に移設されている。

東大阪市に入るこのあたりの標高は五メートル前後、東高野街道では最も低い地点である。現在では想像できないが、東高野街道の西側には河内湖の入り江が迫っていたのである。善根寺町の入口に「楯津浜」の自然石の石碑があり、孔舎衙《くさか》小学校東には昭和十五（一九四〇）年、紀元二千六百年奉祝会が建てたりっぱな顕彰碑が立っている（写真20）。記紀にいう神武天皇の上陸地である「草香邑の白肩之津」で、長髄《ながすね》彦《ひこ》に敗れて盾を立て並べ防いだことから「盾津」の名になったとする。古代の「孔舎衛（衙《か》）坂」、「日下《くさか》の直越《ただごえ》」はこの「草香江（日下江）」と呼ばれた河内湖の入り江から生駒山を越える「善根寺越」だともみられている。

善根寺の足立氏館跡は、安土桃山時代に織田信長、豊臣秀吉に仕えた足立昌成が大坂城築城に際し、石奉行に任じられ、

図7　野崎参り（『河内名所図会』）

河内善根寺村に住いしたという館跡。二代宗佐も普請奉行として徳川幕府のもとに大坂城修築用石材を生駒山から切り出した。方形の居館跡の水堀や石垣が残る。街道の大川手前が「一里塚跡」（善根寺一里塚）で、その東側には金毘羅燈籠が立っている。

日下の旧河澄家住宅は日下村の庄屋屋敷で、内部見学できる（写真21）。日下貝塚は、日下川の北岸にある縄文時代晩期から古墳時代のセタシジミを中心とした貝塚で、この付近まで河内湖の水面が広がっていたことを実証している。河内湖対岸にある森ノ宮貝塚（大阪市中央区）が発見されるまで、大阪府下唯一の縄文時代貝塚として知られていた。また、日下墓地の南側には行基四十九院のひとつ石凝院《いしごりいん》が推定されている。

石切中学校から旧道に入る。音川の手前に「大峰登山百二度供養塔」が立っている（写真22）。大正のものだが、百二度というのはすごい。中石切町あたりは古くは芝村、辻子谷《ずしだに》越え道が分かれる。石切劔箭《つるぎや》神社は式内社で、祭神は饒速日《にぎはやひ》命《みこと》とその子である可美真手《うましまで》命、江戸時代は木積明神と呼ばれ、日下から額田に及ぶ五か村の惣産土《うぶすな》神である。「できもの（でんぱ）の神さん」が「腫瘍・癌の治癒」にも拡大し、お百度を踏む人は今も多い。街道の西、三〇〇メートルにある塚山古墳は直径四五メートル、古墳時代中期の円墳である。

写真９　石清水八幡宮

写真 11　出屋敷の里程標

写真 10　八角院

写真 13　山根街道との分岐

写真 12　本尊掛松

写真 16　和田賢秀の墓

写真 14　星田一里塚跡

写真 17　野崎観音慈眼寺

写真 15　打上四つ辻の道標

写真 18　「メノコ橋」の欄干石

石切から瓢箪山へ

けいはんな新線をくぐったあたりは弥生時代後期の「西ノ辻式」土器で知られた西ノ辻遺跡。「箱殿東」交差点で「暗越奈良街道」と交差する。大師堂の横に「東江　すぐ　なら／いせ道」「是ヨリ北江　すぐ　京　八《や》者《は》た／柳谷観世音菩薩道／淀　ふしミ」「南江　すぐ／かうや／大ミ祢　道」「西江　すぐ／大坂／金ひら／道」とする観音像のある道標がある（写真23）。付近は縄文時代晩期の船橋式から弥生時代前期へと継続する鬼塚遺跡である。河内の弥生時代はこの遺跡から始まる。

鳥居町には街道に面して枚岡神社の「一の鳥居」がある（写真24）。元春日、河内一宮とされる枚岡神社は豊浦から横小路まで九か村の物産土神である。喜里川町南で街道は西へカーブする。その手前の大師堂の横には、安政六（一八五九）年の「（指印）京／平岡／のざき／や者た」「すぐ　高野／大ミ年／ふぢゐ寺／（ひょうたん）山」とする道標があり、旧国道１７０号線と合流する派出所横に同じ年の「左　高野／大ミ年／ふぢゐ寺／（ひょうたん）山」「右　京／平岡／のざき／や者た」とする道標がある。瓢箪山の文字は画数が多いのでヒョウタンの図で代用

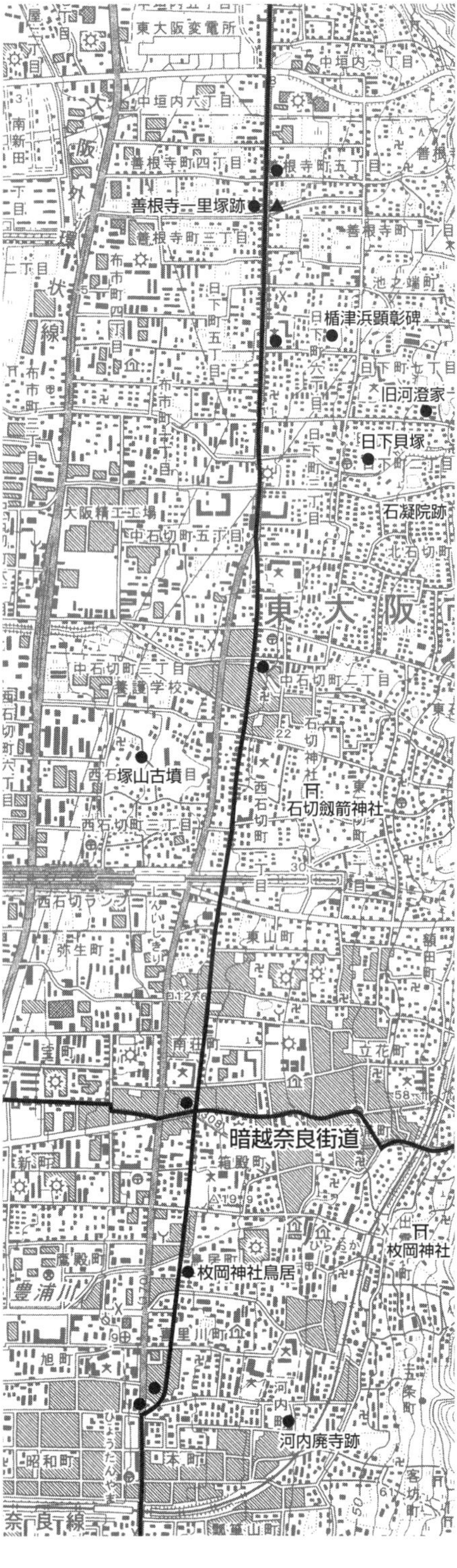

地図８　日下、石切を経て瓢箪山へ

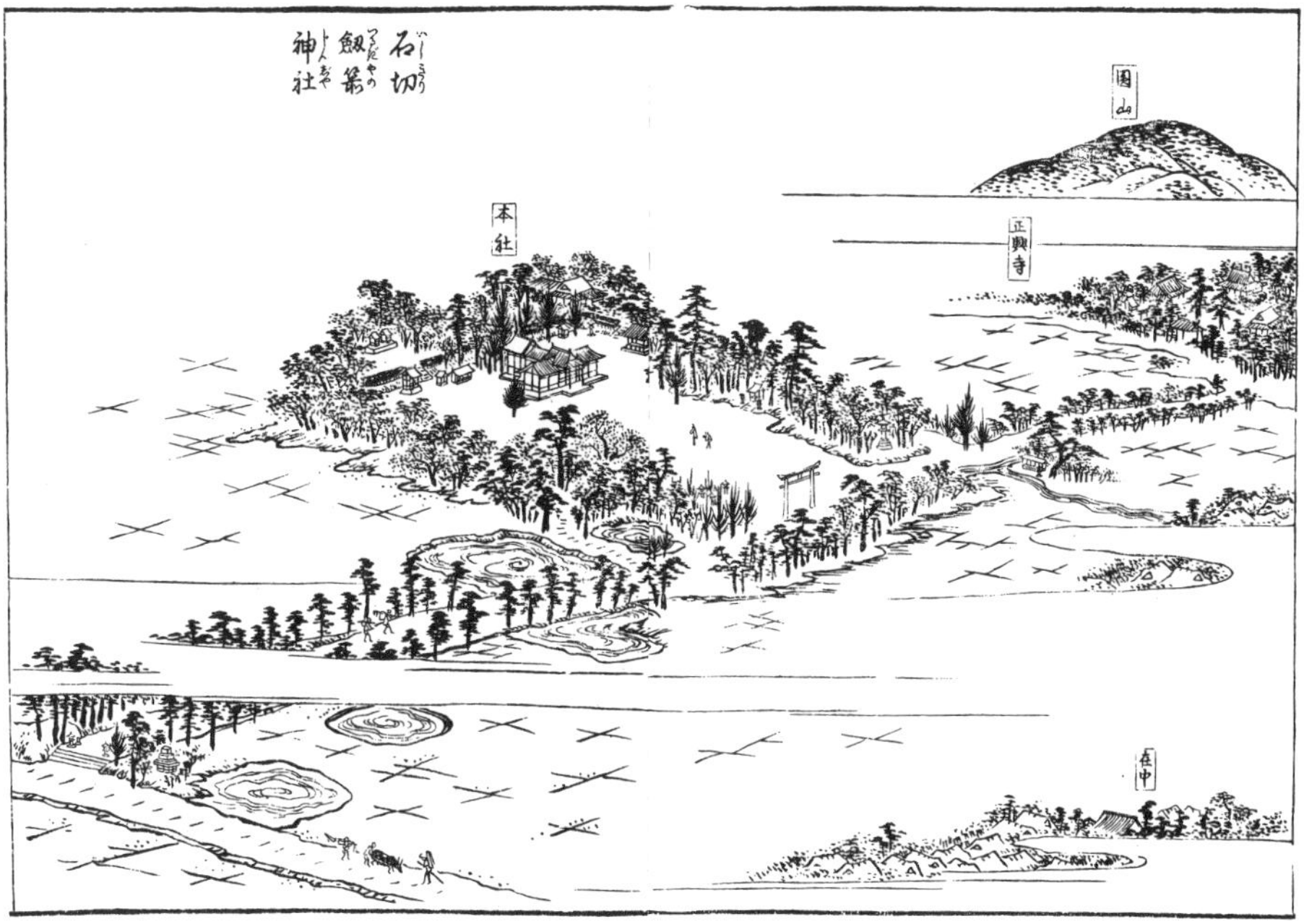

図８　石切劔箭神社（『河内名所図会』）

している。ここから東の山手へ行った河内町《かわちちょう》には七世紀中頃に創建された四天王寺式伽藍配置をもつ古代寺院跡「河内《かわち》廃寺跡《はいじ》（河内寺《こんでら》跡）」があり、史跡公園として整備されている。寺跡の北西には河内郡衙が推定され、渡来系氏族の「河《かわ》内直《ちのあたい》」の氏寺として建立され、後に河内郡の郡寺となったとみられている。周辺は古代遺跡が集中し、河内国河内郡の中心はこのあたりである。

国道はアーケードの商店街「サンロード瓢箪山」となって、街道は近鉄瓢箪山駅の東側の踏切を渡る。駅名は「瓢箪山」が正式だが、駅構内の広告看板や商店街では略字の「瓢箪山」が多く使われている。

瓢箪山から恩智《おんぢ》へ

街道東側にある瓢箪山神社の社殿は六世紀の双円墳である「瓢箪山古墳」の上にある。豊臣秀吉が大坂城築城の際、伏見城から「ふくべ稲荷」を勧請した社だという。日本三大稲荷のひとつとされ、北側の墳丘に開口していた横穴式石室にはキツネが棲んでいたと伝える。参道入口の東高野街道付近は「辻占の場」とされ、東高野街道を行く旅人の話の内容で占ったという。

四条図書館の北側付近には「一里山」の地名が残り、「一里塚（四条の一里塚）」の存在が推定されている。縄手中学校の南には東大阪市立埋蔵文化財センター（発掘ふれあい館）があって見学できる。周辺は縄文時代中期～後期の縄手遺跡である。楠木正行最後の地「四条縄手」はこの地だとする説があった。往生院六万寺への道の分岐には「是ヨリ東へ四丁　往生院道」とする道標があり、ここからは旧道が残る。横小路から箕後川を渡ると、八尾市に入る。

貴島病院北側の道は在原業平《ありわらのなりひら》の「高安《たかやす》通い」の話で知られる「十三峠越」道。神立《こうだち》茶屋の娘を見初めた業平が大和から峠越えして通った道とされ、大和側では「業平道」と呼ばれる。東高野街道の東側には鏡塚古墳（府史跡）。さらに東に心合寺山《しおんじやま》古墳（国史跡）がある（写真25）。全長約一三〇メートル、五世紀前半の中河内最大の前方後円墳である。古墳学習館もあって街道から少し離れるが、見学したい。さらに東にある愛宕塚古墳（大阪府史跡）は石室全長が一六・七メートル、河内最大の横穴式石室をもつ。このあたりの古墳や社寺は街道から離れた山手にある。大竹から垣内《かいち》まで付近十一か村の惣産土神である玉祖《たまのおや》神社の参道、高安「松の馬場」は街道に面した一の鳥居から約一・五キロも東へ続いている。

街道の東、千塚三丁目には八尾市歴史民俗資料館がある。東高野街道沿いには寝屋川市、四條畷市、大東市、東大阪市、八尾市と市の資料館や埋蔵文化財センターがあって、それぞれの地域の歴史と文化を知ることができる。

街道は近鉄信貴線の手前で「立石峠越道」と交差する。郡川《こおりがわ》交差点の南、街道の東西に西車塚古墳・東車塚古墳がある。古墳時代中期（五世紀）末から後期（六世紀）初頭とみられる古い横穴式石室をもつ前方後円墳で、西車塚からは隅田八幡鏡（和歌山県橋本市）の鏡の原鏡（母鏡）となったとみられる画像鏡が出土している。隅田八幡鏡銘文には「開中費直《かわちのあたい》」（河内直）という人名が見られ、高野街道を通じた河内と紀州の関係は古墳時代まで遡る可能性を考えて良いのかも知れない。

天理教高安大教会の南、教興寺の寺川酒店前で街道は「信貴越道」と交差する。宝永五（一七〇八）年の「和州信貴山道是四十…」と元治元（一八六四）年の「すぐ信貴山毘沙門天王」の道標が立っている。教興寺は街道の北東にある真言律の寺で、寺伝では聖徳太子が秦河勝《はたのかわかつ》に命じて建立したとされ、高安寺、秦寺《はたでら》とも呼ばれたという。鎌倉時代に、奈良・西大寺の叡尊《えいそん》が再興したが、戦国時代の永禄五（一五六二）年に畠山高政と三好義興、松永久秀の合戦によって焼亡、江戸時代に再興されたが、本堂は明治十八年の台風で倒壊してしまっている。

街道を南へ進むと、文化七（一八一〇）年の自然石の法華塔が立っており、街道を東へ入ったところに一里塚（垣内の一里塚・市史跡）がある（写真26）。

垣内の善光寺は本田善光が難波の堀江に捨てられた如来像を信濃へ運ぶ途中、一泊した地とされる。善光寺の西南には、戦時中に造られた飛行機を格納した掩体壕《えんたいごう》跡がある。八尾空港（大正飛行場）からは直線でも三キロ以上離れており、飛行機を格納するのはたいへんだと思うが、このくらい離れていないと、安全ではなかったのだろうか。

垣内と恩智《おんぢ》の境付近には、かつて「鉾立塚」（「白見塚」）と呼ばれる地があり、玉祖《たまのおや》神社と恩智神社の氏子地の境とされていたと伝わる。周防国から来た玉祖神が住吉の神の仲介で恩智神の氏子を分けてもらうことになり、朝、鉾を立てた所を氏子地分けの地とすることになった。玉祖神は早朝、空が白む頃、この地に鉾を立てたので、高安郡における玉祖神社の氏子は垣内より北の十一か村に及び、恩智神社の氏子は二村になってしまったという。ちなみに二つの神社はいずれも『延喜式』に記される式内社で、恩智神社が名神大社であるのに対し、玉祖神社は小社である。

地図９　瓢箪山から八尾市郡川へ

写真 20
神武天皇盾津顕彰碑

写真 21　旧河澄家住宅

写真 23　箱殿東の道標

写真 22　大峰登山百二度供養塔

写真 19　中垣内越分岐道標

写真 24　枚岡神社一の鳥居

写真 25　心合寺山古墳

写真 27　恩智の道標

写真 26　垣内の一里塚

恩智へは、やや登り坂となる。登りきると、街道に面して恩智神社の鳥居が立っている。神社はもと街道西の「天王の森」にあったが、南北朝時代に街道の東に恩智城が築かれたことから、城よりもさらに高い山手に神社が移されたという。楠木正成の八臣（和田和泉守正遠・安満了願・恩智左近満一・湯浅孫六入道定仏・八尾別当顕幸・宇佐美河内守正高・志貴右衛門朝氏・神宮寺太郎左衛門正師）の一人とされる恩智左近満一《みちかず》はこの恩智神社の社家とされるが、中世には在地豪族が産土神の神官を兼ねることは多い。参道口には明治六（一八七三）年の「東　信貴山／西大坂道」と大阪府の「右　道明寺柏原／東高野街道／左　瓢簞山　四條畷」「右　恩智街道　八尾停車場」とする道標が立っている（写真27）。道標の南にある「シュミイ地蔵」は天文十三（一五四四）年の阿弥陀如来石仏である。恩智神社旧社地の「天王の森」は弥生時代の恩智遺跡、付近からは銅鐸も出土している（垣内山銅鐸出土地）。垣内墓地や神宮寺墓地は「河内七墓」（長瀬・岩田・額田・神立・垣内・神宮寺・植松晒）のひとつ。盆の十四日にこの七墓参りをすると極楽往生は決定だという。墓地には室町時代以来の石造物も見られ、その歴史の古さをものがたっている。

恩智から安堂へ

街道は柏原市に入る。山麓の山ノ井町にある瑠璃光禅寺には家形石棺蓋の石棺仏、四天王の焼け仏（平安初）、大坂相撲の高田川音吉の碑などがある。大県《おおあがた》の手前、東方の山腹にある鐸比古《ぬでひこ》鐸比売《ぬでひめ》神社（高尾大宮・高尾大明神）の旧社地は背後の高尾山山頂と伝え、山頂には磐座《いわくら》とみられる巨岩がある。岩の周辺は弥生土器や土師器が出土する祭祀遺跡で、神奈備山《かんなびやま》となっている（写真28）。また、山頂下のブドウ畑からは我が国では七例の発見例しかない弥生時代の多鈕細文鏡《たちゅうさいもんきょう》が出土しており、高尾山の信仰との関りが興味深い。

東高野街道の東側には、天平勝宝八歳（七五六年）に孝謙天皇が行幸し、礼仏した「河内六寺」の寺院跡が並んでいる。智識寺（太平寺廃寺）・山下寺（大県南廃寺）・大里寺（大県廃寺）・三宅寺（平野廃寺）、家原寺（安堂廃寺）、鳥坂寺（高井田廃寺）であり、聖武天皇の大仏造営の契機となったとされる智識寺は、その東塔礎石が太平寺交差点東の石神社に残されている（写真29）。神社東の清浄泉（「浄井戸」）は弘法大師が掘った井戸とされ、これを竹原《たかはら》井《い》離宮の「竹原井」にあてる説もある。国道170号線に戻ると、すぐ近鉄安堂駅で、大和川の堤防に出る。

安堂から古市へ

近鉄道明寺線の西側、大和川の北堤斜面には、明治三十五（一九〇二）年に大阪府が建てた里程標石が立っている。「奈良街道　五里」「柏原停車場へ六丁十五間」「道明寺停車場へ十五丁三十四間」としており、もとは新大和橋の北詰め付近にあったものらしい。大和川は、古くは安堂で石川と合流後、枝分かれし、北流、淀川に合流していた。河内国は文字通り、この川と川の間、川の中（河内）の国であったのだが、江戸時代の宝永元（一七〇四）年に中甚兵衛《なかじんべえ》によって、この大和川の流路を西方向へ付け替える工事が行われ、現在の流路が開削された。日本史上有数の大工事である。

付け替えられた大和川を江戸時代には舟で渡っていたが、明治七（一八七四）年にこの大和川の東高野街道の延長上に橋が架けられた。これが新大和橋（全長二〇四・四メートル）で、現在は歩行者、自転車専用橋となっている。

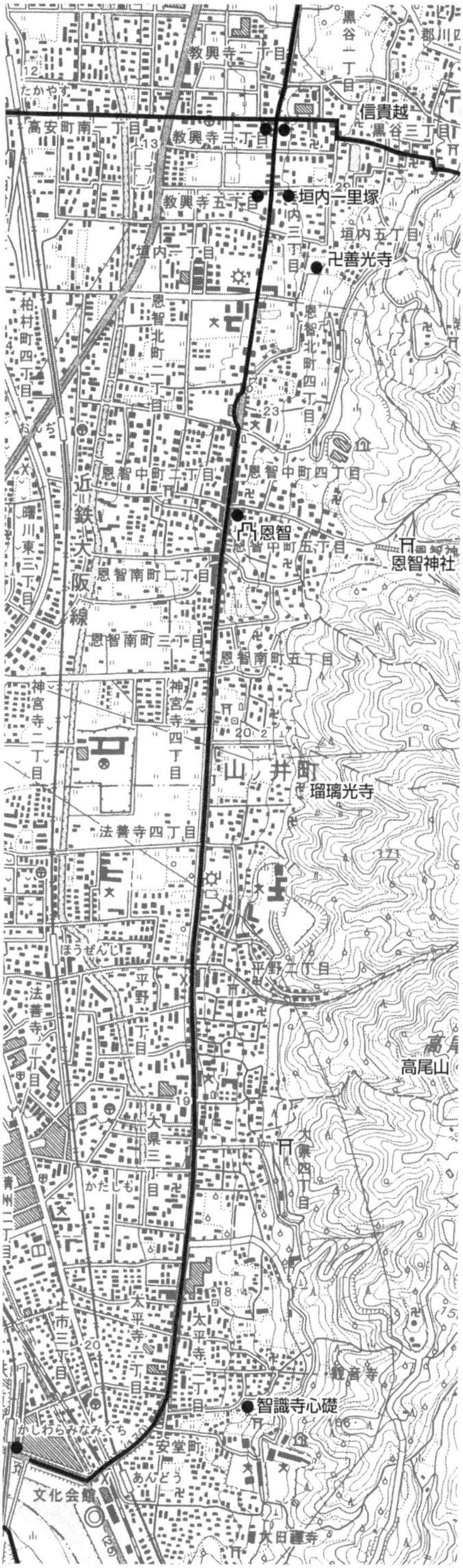

地図10　恩智を経て安堂へ

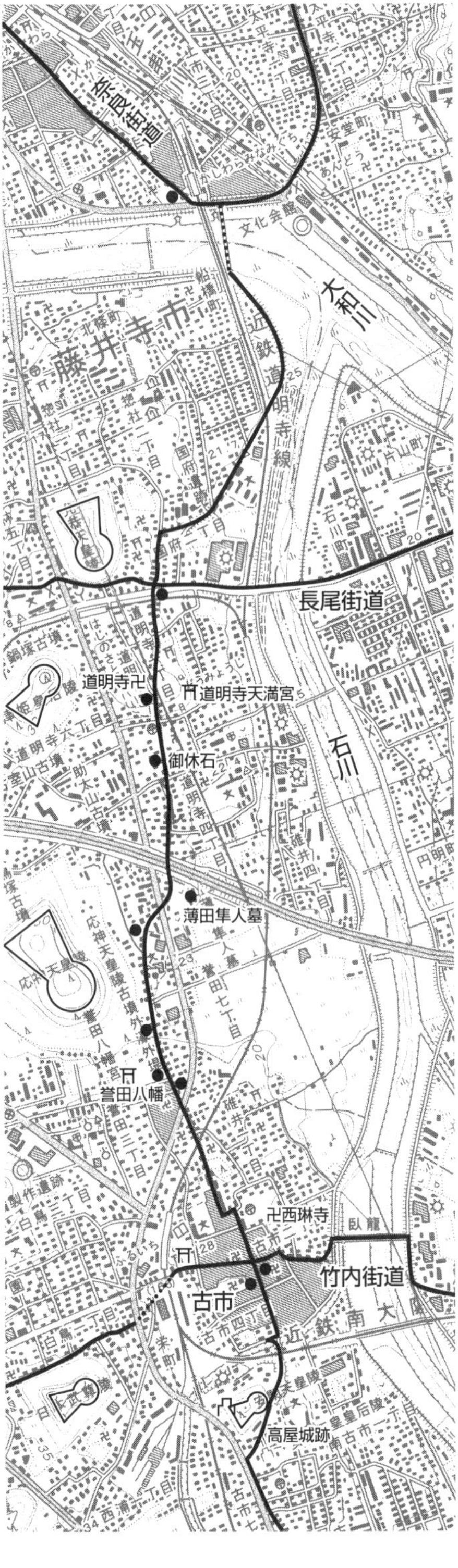

地図11　大和川を渡り古市へ

橋を渡ると、藤井寺市。橋の下流は縄文時代後期から中世に至る船橋遺跡で、飛鳥～奈良時代の出土遺物も多く、河内国府の有力な推定地となっている。石川の西岸を進むと、西側が国府《こう》遺跡、後期旧石器時代（約二万年前）の「国府型ナイフ」でも有名な遺跡。藤井寺市の市章は前方後円墳とこの国府遺跡から出土した縄文時代の玦状《けつじょう》耳飾りをモチーフにしている。衣縫《いぬい》廃寺と呼ばれる古代寺院跡も遺跡内に含まれ、国府遺跡に河内国府の存在を推定する説もある。いずれにせよ、古代の河内国の中心、河内国府は、このあたり東高野街道沿いにあったことは間違いない。

街道は国府八幡神社に突き当たり、南に折れる。背後の森は市野山古墳（允恭《いんぎょう》天皇陵古墳）。前方部を北面させた墳丘長二三〇メートル、五世紀後半の大型前方後円墳である。蓮休寺前には金銅地蔵仏と三尊石仏が祀られており、その南で堺から大和へと通じる「長尾街道」と交差する。南東角に「右　道明　□」の道標が立っている。

近鉄南大阪線を越え、道明寺天満宮の西側を進むと、道明寺前に出る。周辺は菅原道真の祖先、古代豪族、土師《はじ》氏の根拠地であり、近くの近鉄南大阪線の「土師ノ里駅」の名もこれに因むが、この名は駅名と「土師の里交差点」だけで地名としては存在しない。道明寺は、真言宗御室派の尼寺であるが、神仏分離以前は天満宮と一体で、天満宮の境内、本殿の横に本堂があった。桜餅など和菓子の材料「道明寺粉」は道明寺の覚寿尼が仏飯のお下がりを人々に分け与えたのがその始まりとされる。寒中に乾燥させた糯米《もち》「糒《ほしいい》」である。菅原道真が太宰府へ赴く際、一夜の暇を許され、伯母の覚寿尼に別れを告げるため、当寺に立ち寄り、翌朝、「鳴けばこそ 別れも憂けれ 鳥の音のなからん里のあかつきもかな」という歌を残し、九州へと赴いたと伝え、以後、道明寺付近では、夜明けを告げる鶏の声がせぬよう鶏を飼わなかったという。本尊の十一面観音菩薩立像は、道真の自刻と伝える平安前期の像、彫技が精巧で、檀像彫刻の優品として国宝に指定される。境内には弘化四（一八四七）年の「すく／道明寺／誉田《こんだ》八幡《はちまん》／高野山」「左　大坂　左海《さかい》　道」「右　柏原《かしわら》　京　道」とする道標、明治九年の「従是　一丁北　道明寺」の道標が移されている。

また、道明寺天満宮前には「土師八嶋冢道」や「土師《はじ》やし満《ま》つ可《か》　みち」とする道標、元文五（一七四〇）年の「八島君《やしまのきみ》之《の》廟窟《びょうくつ》碑」や由来碑が立っている。「土師八嶋塚」は仲津山古墳（仲姫命《なかつひめのみこと》陵古墳）の南東にある三ツ塚古墳のひとつ、東端の八島塚古墳（ろ号陪冢《ばいちょう》）のことで、土師寺（道明寺）を建てた土師八島《はじのやしま》の墓とされていたのであるが、明治の仲津姫陵陪冢の治定によって、ここに移されたものらしい。神社石段東側には道真が硯の水を汲んだ「夏水井《げすいのい》」や復原埴輪窯がある。神社前から南へ八〇メートルほど行った道路の西側には土師寺《はじでら》の五重塔の心礎と礎石群がある（写真30）。塔跡の西にある西宮神社は道真が夏水井の水を使って書写した大乗経を納めた経塚の地。埋納地を教示したという伊勢、春日、八幡の三神を祀る。ここに芽生えたのが謡曲「道明寺」で知られる「木槵樹《もくげんじゅ》」（ムクロジ科の落葉高木モクゲンジの別称）で、この木の種子で数珠を作り、百万遍の念仏を唱えると極楽往生できるとされた。大阪府指定天然記念物であったが、令和二年に倒れ、植え替えられている。

道明寺の門前から南へ二〇〇メートルほど行くと、「弘法大師御休石《おやすみいし》」という弘法大師が腰掛けて休んだという石を納めた堂がある（写真31）。この石は弘法大師が腰掛けたかどうかはともかく、紀ノ川付近でみられる緑色片岩で、東高野街道をはるばるここまで運んできた紀州の石である。

西名阪自動車道をくぐると、羽曳野市。街道から東へ入ったところに大坂夏の陣で討死した薄田隼人正兼相《すすきだはやとのかみかねすけ》の墓がある。薄田隼人の前半生は明らかでない部分が多く、諸国を武者修行し、狒々《ひひ》や大蛇を退治したとされる豪傑、岩見重太郎のモデルともされる（写真32）。

図９　大和川築留（『河内名所図会』）

国道170号線を横断すると、誉田山古墳《こんだやま》（応神天皇陵古墳）の木々が繁った森が見える。墳丘全長四二五メートル、堺の大山古墳《だいせん》（仁徳天皇陵古墳）に次ぐ規模をもつ二重濠を備えた五世紀中頃の巨大前方後円墳である。『日本書紀』には飛鳥戸郡《あすかべ》に住む田辺史伯孫《たなべのふびとはくそん》という男が古市郡の書首《ふみのおびと》加《か》龍《りょう》に嫁いだ娘の出産祝いの帰途、誉田陵の下でりっぱな赤い馬に乗った人に出会い、馬を取り換えて帰宅した。翌朝、乗って帰った馬は埴輪の馬に変わっており、自分の馬は誉田陵の埴輪馬の間に立っていたという話が記される。祝宴帰りに狐に化かされたというのと同じく、酔っ払いの言い訳っぽい話だが、話の舞台はこのあたりなのだろう。街道からは古墳の外堤に並べられた馬形埴輪が良く見え、誉田陵の埴輪馬というのはよほど知られていたということになるのだが、馬形埴輪は六世紀の古墳に多く、今のところ、五世紀の誉田山古墳に確実に伴う馬形埴輪は確認されていない。

誉田中学校の北西角に天保九（一八三八）年の「右　道明寺　玉手　なら　京／左　八尾　久宝し／道」「南　上之太子／古うや／道」とする角柱道標が立っている（写真33）。三名の法名を刻んでおり、供養のために造立された道標であることがわかる。道標は本来、塔婆でもあり、道教えの作善が供養ともなるのである。道を進むと、道林寺前の祠内の地蔵石仏には光背に「右　瀧谷龍泉寺／左　道明寺」と刻して

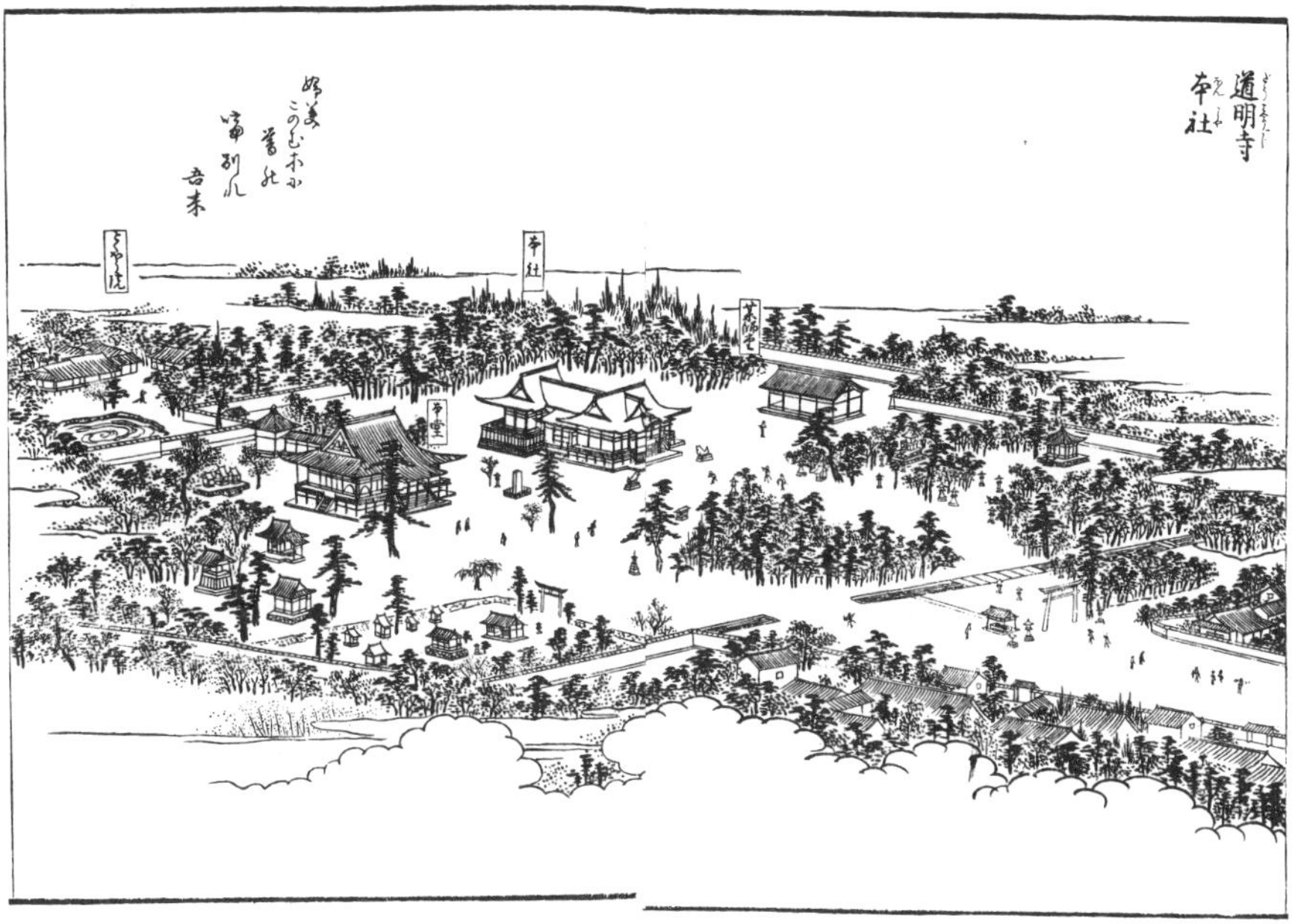

図10　道明寺本社（『河内名所図会』）

いる。こうした「道標地蔵」もまた往来安全を祈る石仏の造立（造仏）に道教えの作善が加わったものといえる。江戸時代の道標の建立は造塔、造仏の延長にある仏教的作善行為であるといってもよいだろう。高野街道は信仰の道ということもあってか、道中を見守り、道教えしてくれる「道標地蔵」が、沿道にはいちだんと多いようだ。まさに「田舎道石の地蔵に聞いて行く」である。

誉田八幡宮（写真34）の祭神は応神天皇。もとは誉田山古墳の後円部頂に祀られていた社殿を永承六（一〇五一）年に麓に遷したと伝え、かつては祭礼の際には、神輿が後円部上の奥宮まで渡御していたという。現在の社殿は豊臣秀頼が建立に着手したのだが、徳川の世になって完成したため、屋根瓦には「三つ葉葵紋」がある。後円部へと架かる石橋、放生橋（太鼓橋）は鎌倉時代末期のものとされる。

八幡宮の南で野中から平野へと続く「大坂道」が合流する。「左　ふぢ井寺　大坂道」「右　道明寺　玉手山」「右　いせみち」とする道標、「右　大峯山／つぼさか／たゑま」「すぐ大峯道」とする大峯講社の井筒組が再興した道標、「柏原大阪方面」「藤井寺　大阪方面」とする近代の道標、三基の道標が立っている。

街道を南下し、国道170号線を横断、近鉄南大阪線の踏切を渡ると、西側が古市代官所跡、古市は竹内街道・東高野

写真 28　高尾山

写真 29　智識寺の塔心礎

写真 30　土師寺塔跡礎石

写真 31　道明寺弘法大師御休石

写真 34
誉田八幡宮

写真 33　誉田中学角の道標

写真 32　薄田隼人の墓

写真 35　古市「蓑ノ辻」の道標

街道が交差し、石川を上下した剣先船《けんさきぶね》の船着き場もある水陸交通の要地であり、江戸時代には幕府の直轄支配、天領で代官所が置かれていた。奈良時代の年号「天平」への改元は、河内国古市郡の賀茂子虫《かものこむし》が甲羅に「天王貴平知百年」の文字のある瑞亀を捕らえ、献上したのが契機とされ、古市は「天平」の年号発祥地でもある。

古市の町の北端で街道は町の防御のための「遠見遮断」として、道が左、右と枡形状に屈曲、喰い違っている。右手に白鳥神社の石鳥居があり、参道が開く。その南の左手には西琳寺《さいりんじ》への道が続いている。白鳥神社はもと軽里にある軽里大塚古墳（白鳥陵）の頂に祀られていた「伊岐宮《いきのみや》（雪の宮・白鳥宮）」と伝え、天明四（一七八四）年に古市の氏神として現在地に移されたという。日本武尊《やまとたけるのみこと》、素戔嗚命《すさのをのみこと》、稲田姫命を祀る。西琳寺は、七世紀に渡来氏族、西文《かわちのふみ》氏によって創建されたとみられる古代寺院で、現在は高野山真言宗の寺院。門前には文化十（一八一三）年の「右　上の太子　弘川寺西行古跡／たゑま　つ本坂　大峯山上」「左　大坂　さかひ　道」という道標と嘉永三（一八五〇）年に修補された「向原山西琳寺」の標石が立っている。境内には創建時の巨大な塔心礎が残る。鎌倉時代には西大寺の叡尊《えいそん》の河内布教の拠点でもあった。境内にある鎌倉時代後期の五輪塔は叡尊と律宗僧たちの供養塔とみられており、西琳寺奥院とされる「高屋宝生院」にあったもので、昭和三十三（一九五八）年に発見され、ここへ移されている。

大和国と河内国を結んだ古代の幹線道路でもある竹内街道と交差するのが「蓑《みの》の辻《つじ》」（写真35）。嘉永元（一八四八）年の「左　上の太子　たゑま／大和路／つぼ坂　大峯山／すぐ　高野山／金剛山」「右　大坂　すぐ　さかひ」とするりっぱな道標が立っている。

古市から富田林へ

古市「蓑の辻」から南に進むと、道の西側に明治三十一（一八九八）年の太神宮燈籠がりっぱな覆屋の中に納まっている。ここでは燈籠が神宮の神祠ともなっているようだ。大乗川を渡り、近鉄南大阪線を越え、坂道を上ると、右手に高屋築山古墳（安閑天皇陵古墳）がある。全長一二二メートルの前方後円墳だが、中世に丘陵全体を利用し

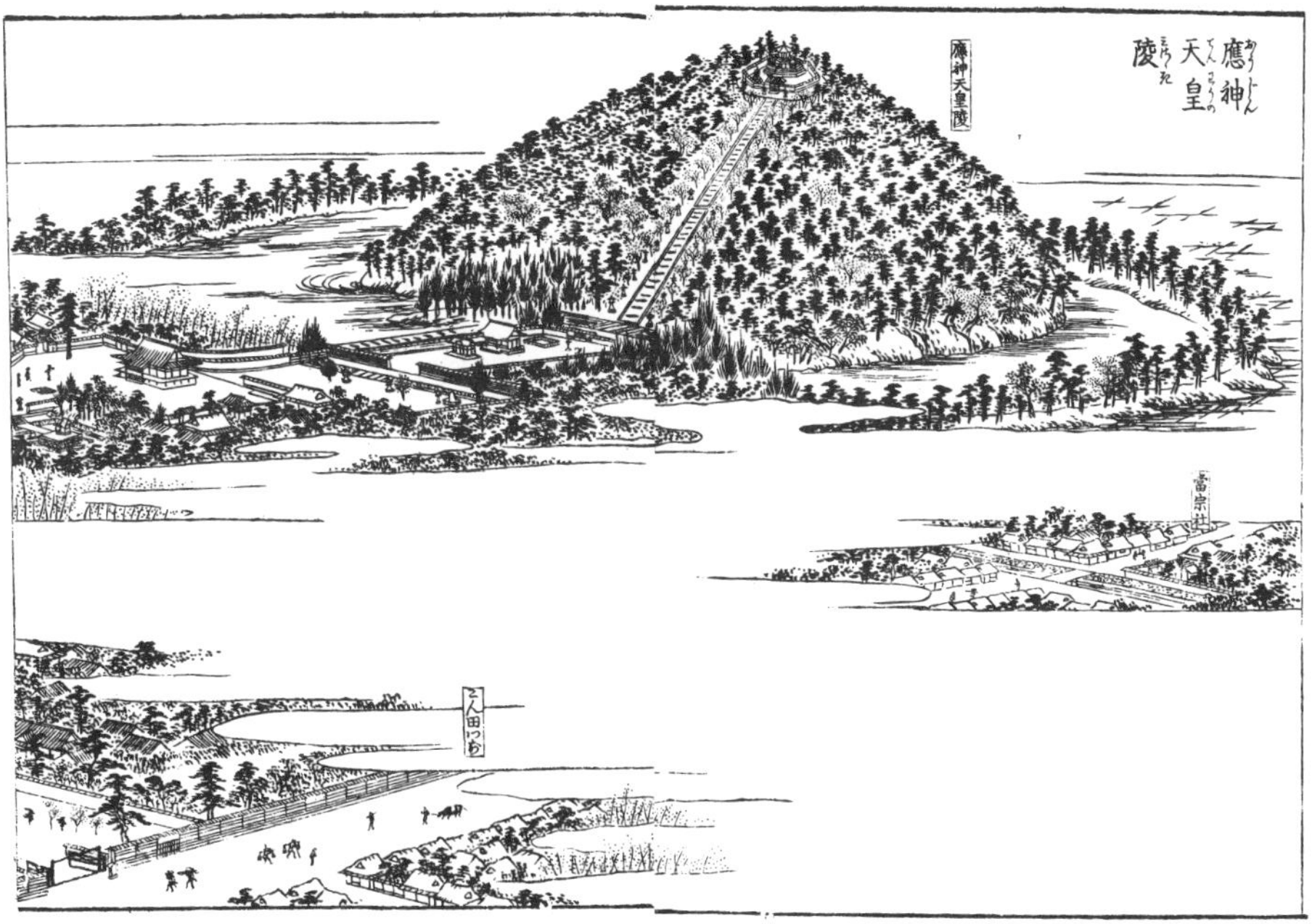

図11　応神天皇陵（『河内名所図会』）

て高屋城が築かれ、城の本丸として利用されたため、墳丘は大きく改変されている。現在、東京国立博物館で所蔵されている円形切子ガラス椀は『河内名所図会』（享和元＝一八〇一年）によると、当時は西琳寺の什宝で、「八十年前、洪水の時、安閑天皇陵の土砂崩れ落ちて、其中より朱など多く出て、これに交りて出るとなり」としている。正倉院宝物の白瑠璃碗と同じく六世紀のササン朝ペルシャのカットグラスであり、六世紀とみられる古墳の時期とは、さほど矛盾がないのだが、正倉院の白瑠璃碗のほうは。六世紀の椀が八世紀に正倉院に入るまでの伝来の経緯が謎として残る。

　高屋城は河内国守護職であった畠山氏の居城で、応永年間（一三九四〜一四二八年）に畠山基国が築いたとされていたが、発掘調査による出土遺物等の検討から、応仁の乱の後、文明十一（一四七九）年頃、畠山義就《はたけやまよしひろ（よしなり）》によって築城されたと考えられている。東高野街道を城内の南北に通じるよう築城しており、往来の監視と街道の掌握を図ったとみられる。戦国時代には、この城の争奪戦が繰り返され、最終的には天正三（一五七五）年の「高屋城の戦い」で、織田信長に攻められて、落城した。高屋築山古墳の南側の住宅地が二の丸、三の丸で、国道170号線に出る手前にある「城山姥不動明王」はこの高屋城の守護仏であったと

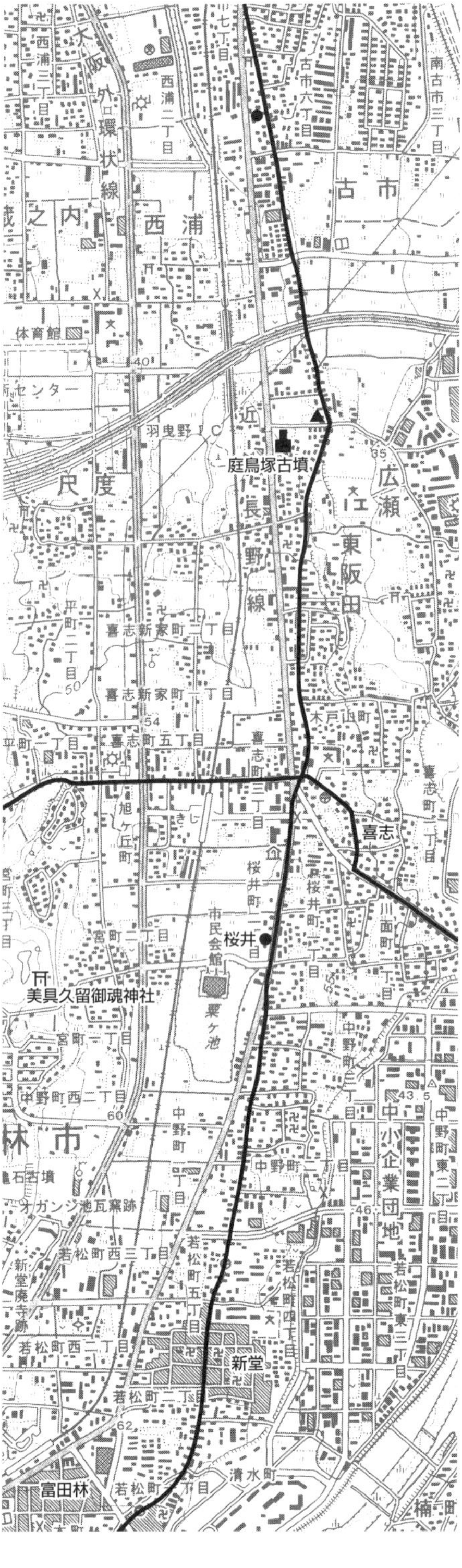

地図12　古市から富田林へ

いう。

国道から左に分かれ、南下して行くと、右手に高屋神社がある。延喜式内社で、祭神は物部氏の祖神とされる饒《にぎ》速日命《はやひのみこと》と広国押武金日命《ひろくにおしたけかなひのみこと》（安閑天皇）とする。高屋は飛鳥奈良時代の官人である高屋連《たかやのむらじ》の本貫地、物部氏に連なる一族である。西北から来た「金剛山道」との合流点には元治二（一八六五）年の「右　誉田　道明寺　京／左　ふじ井寺　大坂」「往来安全」とする道標と「右　古ん田道／左　ふじい寺道」と刻した地蔵板碑が立っている（写真36）。

南阪奈自動車道をくぐり、南へ進むと、太神宮燈籠の傍らに、光背に「右　かうやミち」「左　こん可う山」とする「道標地蔵」がある。また、街道の西、国道近くには、平成十七年に行われた発掘調査で三角縁神獣鏡が出土して、話題を集めた庭鳥塚《にわとりづか》古墳がある。全長六〇メートルを越える四世紀中頃～後半の前方後方墳である。このあたりから東方への眺望が開け、二上山がよく見える。東阪田を経て、喜志からは富田林市となる。喜志は鎌倉時代の「岐子《きし》庄」の地で、街道は集落の中央東寄りを通る。喜志小学校の南、喜志交差点で太子への道を分け、国道170号線に出て、しばらくは国道を行く。

桜井交差点には「喜志の宮さん」と呼ばれる美具久留御魂《みぐくるみたま》神社の鳥居がある。美具久留御魂とは「水泳《みくくる》（水潜《くぐ》る）」であり、水神とされ、石川の水を支配する神で、上流の千早赤阪村にある建水分神社《たけみくまり》が「上水分神社《かみのみくまり》」と呼ばれたのに対し「下水分神社《しものみくまり》」と呼ばれたという。元禄八（一六九五）年の朝鮮通信使を描いた絵馬など多くの江戸時代の絵馬が奉納されていることでも知られる。富田林市市民会館が建つ粟ヶ池は「記紀」に仁徳天皇の時代に造られたとされる「和珥《わに》池」ともされ、美具久留御魂神社は「和珥宮」とも呼ばれた。

国道沿いには弘法大師祈願の井戸とされる「桜井」がある。聖徳太子が通られた時、馬が水を欲しがったため、太子が鞭で地を打つと水が湧いた井戸とも伝える。中野町三丁目の交差点で左へ国道から離れ、中野から新堂（若松町）に入る。新堂には碁盤目の町割りがあり、街道はその中央を南北に通じており、町の北と南の出入り口では、街道は枡形状に屈曲、喰い違いになっている。道は西南に蛇行し、府道33号富田林太子線を横断して富田林の寺内町に入る。

富田林から錦織へ

富田林は永禄二（一五五九）年、興正寺の十四代証秀（賞秀）上人が、「富田芝」と呼ばれる野を銭百貫文で購入し、付近の四か村から信徒八名（「八人衆」）を集め、興正寺別院（御坊）を中心に町づくりを行わせたのが町の始まりとされる。江戸時代には「南河内、都会の地なり」とされ、六筋七町の町割りや「八人衆」の筆頭だったという旧杉山家住宅（重要文化財）をはじめとする重厚な「つし二階、虫籠《むしこ》窓、出格子、煙出し小屋根」をもつ伝統的な町屋が数多く残されている（写真37）。街道は町中を鍵形に折れながら進む。東北の一里山口から入り、亀ヶ坂筋から堺町筋、興正寺別院の北側を通り、富筋を南下する。興正寺別院本堂は寛永十五（一六三八）年の建築、豪壮な鐘楼、鼓楼を備える。御成門は京都の興正寺から移したもので、伏見城の旧城門だったと伝わる。

町の南口にある宝暦元（一七五一）年の「左　ふじゐ寺道」「町中／くわへきせる／ひな者《わ》火／無用」「右／まきの尾／高野山／道」とする道標を右折して、町を出て、向田《こうだ》坂を下る（写真38）。富田林からの東高野街道は西国三十三所の第四番札所槙尾山施福寺と第五番札所葛井寺の間を結ぶ「巡礼街道」とも重なっている。

富田林高校の南あたりは石川の河岸段丘で、南へ金剛葛城の山々の眺めが開ける。北甲田で右へ旧街道に入る。甲田（向田）には天誅組河内勢の中心となった大庄屋の水郡《にごり》善之祐旧宅がある（写真39）。

甲田を過ぎ、川西駅前（甲田）交差点で国道170号線を横断すると、角に文化二（一八〇五）年の西国巡礼満願の宝篋印塔が立つ。近鉄長野線の川西駅を越え、左手に入り甲田四丁目の坂を上がると、西側に新家《しんけ》古墳（方墳?）がある。街道は国道309号線の歩道橋で途切れており、ひとつ西の信号のある交差点まで迂回して南下する。

川西小学校の東側には、錦織神社がある。錦織は「にしきおり」であるが、「にしごおり」、「にしごり」と呼ばれている。神社の本殿は正平十八（一三六三）年の建築で、重要文化財。軒の唐破風に千鳥破風を載せた「錦織造《にしごりづく》り」と呼ばれる華麗な社殿である。摂社の春日社、天神社も重要文化財。参道には天誅組河内勢の顕彰碑もある。街道を進むと、錦織で道が二つに分かれる。西側の道を行くと、文化十一（一八一四）年の「右　たきた尓／よしの／道」とした役行者像碑がある。東側の道には万延元（一八六〇）年の「すぐ山上道」とした大峯三十三度満願塔があり、このあたりの山上講、大峯信仰の盛んなことがうかがえる。南河内から大峯山へは、東へ進み、瀧谷不動を経て、水越峠を大和へと越えていたようだ。瀧谷不動明王寺は、大阪府富田林市彼方《おちかた》にある真言宗智山派の

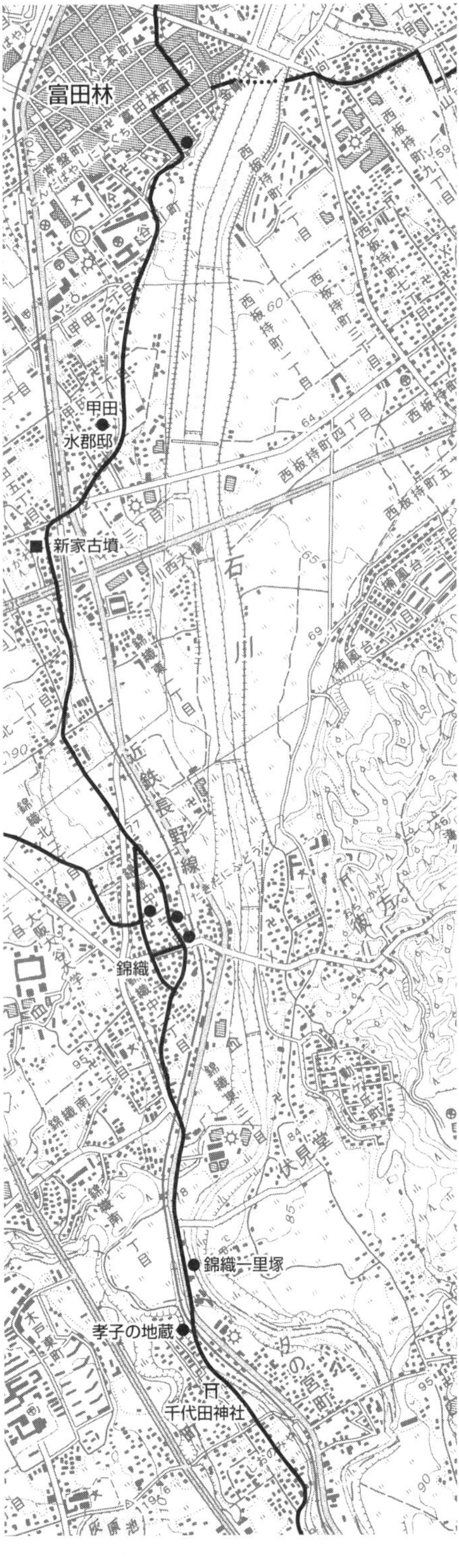

地図13　富田林から錦織へ

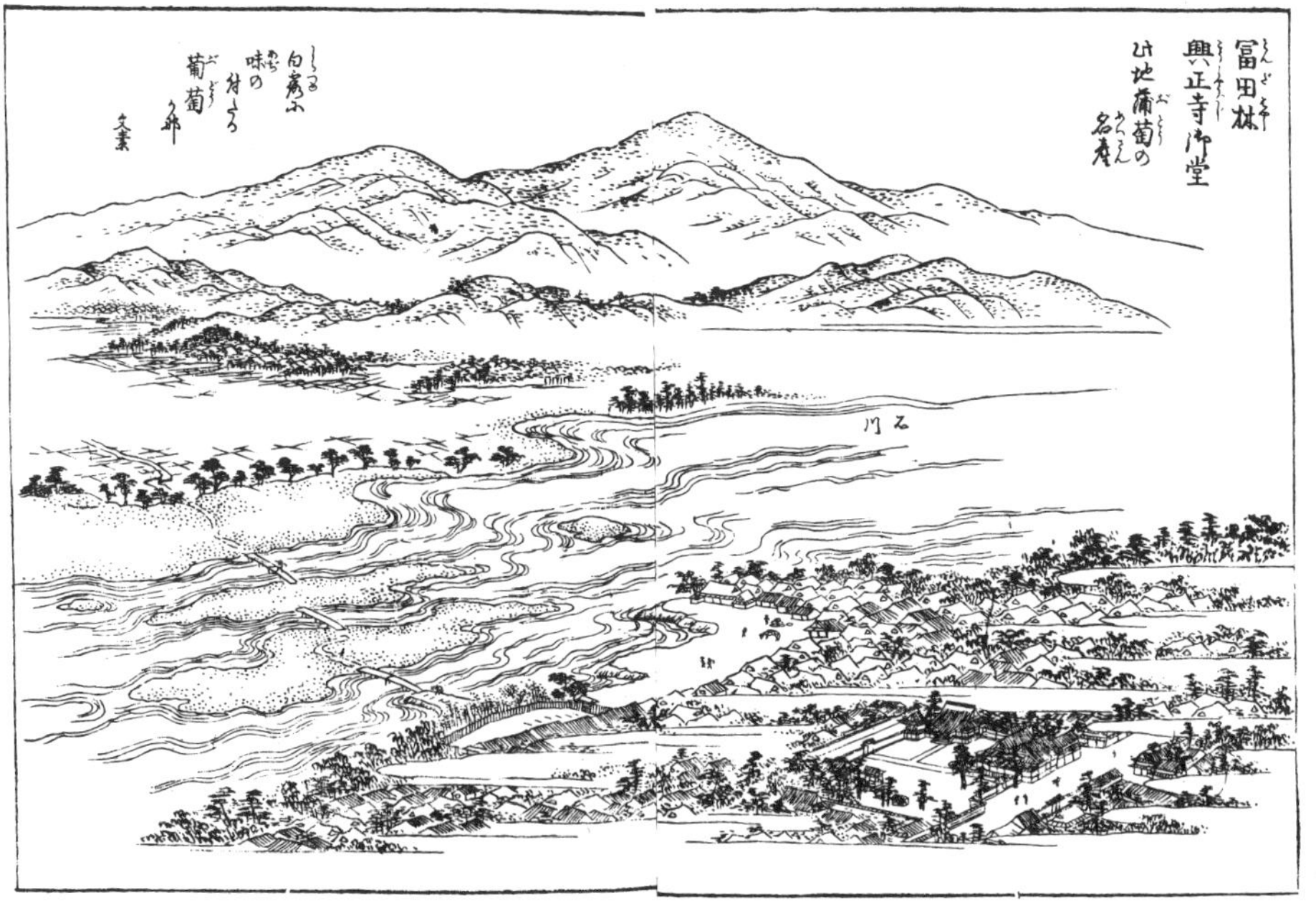

図12　富田林興正寺御堂（『河内名所図会』）

寺院で、寺伝では、弘仁十二（八二一）年、弘法大師が嶽山の中腹にある龍泉寺（富田林市龍泉）に参籠したときに、国家安泰、万民化益を願い、不動明王像を刻み、諸堂が造営されたのがその起源だという。眼病治癒に霊験があるとされ、信仰を集めており、本尊の木造不動明王二童子像（平安時代後期）は重要文化財に指定される。

錦織の東側の道と府道202号森屋狭山線の交差点角には「すぐ　満き尾山」「右　瀧谷山江十丁」「すぐ　ふじゐ寺」とする道標がある「発起　神南辺」とあり、発起人は神南辺《かんなべ》道心隆光である（写真40）。

神南辺道心は、大和国平群郡神南《じんなん》村（奈良県斑鳩町神南）の出身の腕の良い鋳物師で、特に「燗鍋《かんなべ》」作りの名手であったというが、素行が悪く、酒と喧嘩を好む無頼漢であった。ある日、夢で地蔵菩薩のお告げを聞き、心を改め、仏門に入り、諸国を行脚、道標を建て、橋を架けるなど善行を積んだと伝える。

堺や南河内にはこの神南辺道心の建立した石造物が多く見られ、晩年は堺（堺市堺区に「神南辺町」の町名が残る）に住み、天保十二（一八四一）に死去、その墓は旭蓮社大阿弥陀寺（堺市堺区）にある。

写真 37　富田林の町並

写真 38　富田林の道標

写真 36　金剛山道合流点の地蔵板碑

写真 39　甲田の水郡邸

写真 40　錦織の道標

写真 42　東西高野街道合流地点

写真 41　錦織一里塚

錦織から長野へ

錦織南で街道は近鉄長野線を渡り、国道170号線と合流する。国道を五〇〇メートルほど行くと、東側に「錦織一里塚」（大阪府指定文化財）がある（写真41）。塚には承応二（一六五三）年と宝永六（一七〇九）年の宝篋印塔や大乗妙典読誦塔が立っている。一里塚は「西塚」と呼ばれていることから、旧街道は塚の東、石川沿いに通じていたらしいことがわかるが、東塚のほうはすでに失われている。

河内長野市に入ってすぐ近鉄線の踏切を渡り、坂道を上るのが街道。坂の下にある「孝子の地蔵さん」は光背に「左　まきのを道」と刻した元文二（一七三七）年の「道標地蔵」である。急坂を登りきると、市村《いち》（現在は市町《いちちょう》）。千代田神社の祭神は天神さん、菅原道真で、江戸時代は天神社、天満宮と呼ばれていたが、明治に市村新田の木戸神社、向野村の伊予神社が合祀され、大正五（一九一六）年に村名が千代田村となったため、千代田神社と呼ばれるようになった。合祀のためか境内には明和七（一七七〇）年、寛政十（一七九八）年、寛政十二（一八〇〇）年、三基の太神宮燈籠がある。さらに村中にも明和八年の「太神宮夜燈」が立っている。

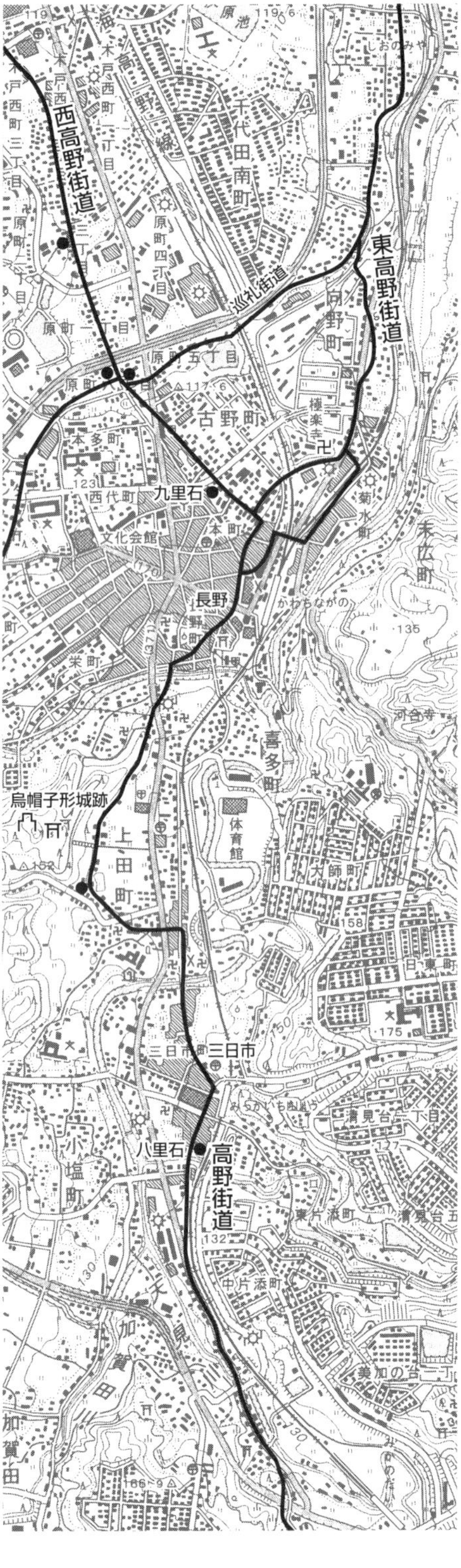

地図14　錦織から長野へ

道を進むと、右へ登っていく道との分岐に嘉永七（一八五四）年の「□祖神守護」と彫った自然石があり、左右に「右　まきのふ」「左　こうや」と刻し、道標になっている。西国三十三所第四番札所槙尾山施福寺へつながる「巡礼街道」との分岐点である。左へ「長坂」と呼ばれる坂を下ると、向野。国道170号線と街道は斜めに交差し、右側に安永三（一七七四）年の太神宮夜燈が立っている。国道を渡り、左に入った旧道沿いには膳所藩河内領の代官を勤めたという辻野家住宅があるが、すぐ国道に戻ってしまう。ここからの街道は極楽寺前への坂を上る道と、近鉄線路を越え、線路沿いに進み、菊水町のガードをくぐって、駅前で西高野街道に合流する道とがあったようだ。

極楽寺は融通念仏宗の寺で、聖徳太子が推古天皇の病気平癒を願い、この地にあった杉の根元に湧く霊水を献上すると、天皇の病が癒え、薬師如来を刻み本尊としたのが寺の起りだという。寺を過ぎて、南海電鉄高野線にかかる極楽寺橋を渡ると、「延命子育地蔵堂」の角で右手からくる「西高野街道」と合流する。坂を下り、アーケードを抜けると、河内長野駅前で、高野街道のモニュメントがあり、極楽寺手前から線路沿いにきた道とはここで合流する（写真42）。

大坂からの下高野街道は平野からの中高野街道と狭山で合流し、中高野街道は西高野街道と楠町で合流する。長野で最終的に東西の高野街道は合流し、ここからは一本の「高野街道」となって国境の紀見峠へと向かうこととなる。

二　西高野街道——堺から東南へ

西高野街道は堺から高野山に向かう道。室町時代の公卿《くぎょう》、甘露寺親長《かんろじちかなが》の日記『親長卿記』によれば、文明十一（一四七九）年三月十九日朝、境（堺）を出発、千早口の石瀬（岩瀬）で昼食をとり、その日の夕暮れには紀ノ川南岸の清水の宿に着き、翌日、高野山に登り、奥の院に参詣しており、高野詣に堺から出発するこの西高野街道を用いたことがわかる。馬や輿も用いたのであろうが、途中、紀見峠越えもある十里の道程を一日で行っており、その健脚に驚かされる。

平安時代になって、京から淀川を舟で下り、摂津の渡辺津《わたなべのつ》（大阪市中央区天満橋京町付近）に上陸、四天王寺から住吉を経て、この道が利用されるようになり、藤原（中山）忠親の日記『山槐記《さんかいき》』では、保元三（一一五八）年九月二十八日に四天王寺を出発し、大野口、長野を経て、高野山政所《まんどころ》（九度山慈尊院《じそんいん》）へ着いている。この場合は四天王寺から堺を経たかどうかは不明だが、堺が港町として発展した中世以後は、船で堺に上陸した人々にとっては高野山への最短ルートとしてこの西高野街道が多く利用され、「高野道」と呼ばれ、江戸時代には、大坂、堺からの高野参詣の本道ともなっていった。

街道は堺の大道筋（紀州街道）と大小路《おおしょうじ》の交差点を基点とし、大小路を東へ進む。堺の町を出て、榎元町で大和、伊勢へと向かう「竹内《たけのうち》街道」と分れ、大山古墳（大仙古墳・仁徳天皇陵古墳）の東北から南下し、中百舌鳥、福田と進み、堺市と大阪狭山市の市境を行き、岩室で「天野街道」と分かれ、大阪狭山市に入る。今熊からは、尾張坂を下り、茱萸木《くみのき》、草沢と南下し、西除川を越えて河内長野市に入る。平野から南下してきた「中高野街道」と河内長野市楠町で合流し、河内長野駅前で「東高野街道」に接続、合流する。

沿道には安政四（一八五七）年に茱萸木村（大阪狭山市）の小左衛門と五兵衛の二人が発願し、沿道の有志者が施主となって建立した里程標石（里石）が高野山まで一里ごとに残っており、これが一里塚と同じ役割を果たしている。堺から東高野街道と合流する長野まで四里の道程であるが、途中の福町や岩室には旅籠屋、関茶屋や中茶屋などには茶店があって賑わった。

また、現在の南海電鉄高野線は、この街道を踏襲する鉄道路線であり、明治三十一（一八九八）年に大小路駅（現在の堺東駅）から狭山駅、ついで長野駅間に開通した「高野鉄道」に始まる。橋本駅まで「高野登山鉄道」として延伸したのは大正四（一九一五）年。昭和四（一九二九）年に極楽橋駅まで全通している。橋本～極楽橋間の一九・八キロメートルは、標高差四四三メートルを山肌に貼り付くように走る登山鉄道である。

堺から福町へ

堺の中心市街地を東西に横断する大小路は堺の北庄と南庄を分け、近世初期までは摂津、和泉の国境の役割を果たしていたという。付近の標高は二・五メートル、古代の海岸線であったとみられ、古くは摂津国住吉郡榎津《えなつ》郷に属していたとされ、古代の榎津（得名津）も周辺に想定されている。大小路筋を東に進むと、堺の町を囲んでいた環濠跡が土居川公園になっており、阪神高速の高架をくぐる。堺から松原、藤井寺を経て奈良に向う長尾街道の出口、花田口にあった安政三（一八五六）年の道標が土居川公園に移設されている。この道標には「右　かうや　大峯道」としており、高野山や大峰山へは同じ道（西高野街道、竹内街道）を行くことを示している。堺の町を出ると、江戸時代の堺廻り四か村（あるいは三か村）のひとつ大鳥郡中筋村である。堺市役所前から南海電鉄堺東駅前に出る。堺東駅南口交差点東南角には大正二（一九一三）年に大阪皇陵参拝団の建てた「左　反正天皇御陵道二丁」「右／履中天皇御陵／道　十八丁／仁徳天皇御陵／十四丁」とする御陵参拝の道標がある。南へ進み、左手の道に入って行くと、道の角に題目碑が立っており、地蔵石仏や文政九（一八二六）年の西国三十三所供養の宝篋印塔などが祀られている（写真43）。南海高野線の踏切を渡ると、榎元町。右へ緩やかに上って行くと、信号があり、左手の家の間に「榎宝篋印塔」と呼ばれる宝篋印塔と庚申碑などが道の奥の小高いところに立っている。宝篋印塔は慶安二（一六四九）年に僧慶幻永界が願主として建立したもの。道右手の「永徳地蔵」という地蔵堂を過ぎると、大和へ向かう竹内街道《たけのうちかいどう》との分岐点となる。このあたりには南北に通じる熊野街道との交差も推定される。右手に地蔵堂と安政四（一八五七）年の最初の里程標石が立っており、「是より高野山女人堂江十三里」「南無大師遍照金剛」と刻む（写真44）。「遍照金剛」は弘法大師空海が唐で得た灌頂名《かんじょうめい》だが、大日如来をも意味し、「南無大師遍照金剛」は、大師空海＝大日如来に帰依する意である。この里程石はここ堺市榎元町の十三里標石から神谷（和歌山県高野町）の一里標石まで、街道沿いに十三基すべてが現存しており、百六十年以上たった今も高野山をめざして歩く者にとって、街道の歴史を偲ばせるとともに、歩くはげみともなっている。左へ行く竹内街道の分岐には堺市が建てた新しい標石が竹内街道と西高野街道の分岐を示している（写真45）。西高野街道には、この堺市が平成五、六年に設置した「西高野街道」の標石が各所にあってありがたいのだが、ここに欲しいと思うような曲がり角に無いといった残念なところもある。また、大阪狭山市が平成十年、河内長野市は平成二十一年に標石を設置しており、これも街道歩きをする者にとってはありがたいが、それぞれさまざまな財源で造立していることがわかり、財力のある政令指定都市の堺市に合わせるための街道沿道市の努力と苦労をうかがうこともできる。

分岐を右へ進み、南海電鉄高野線に架かる耳原橋を渡り、大阪中央環状線と国道３１０号線に出る。歩道橋を渡

地図15　堺市大小路から中百舌鳥へ

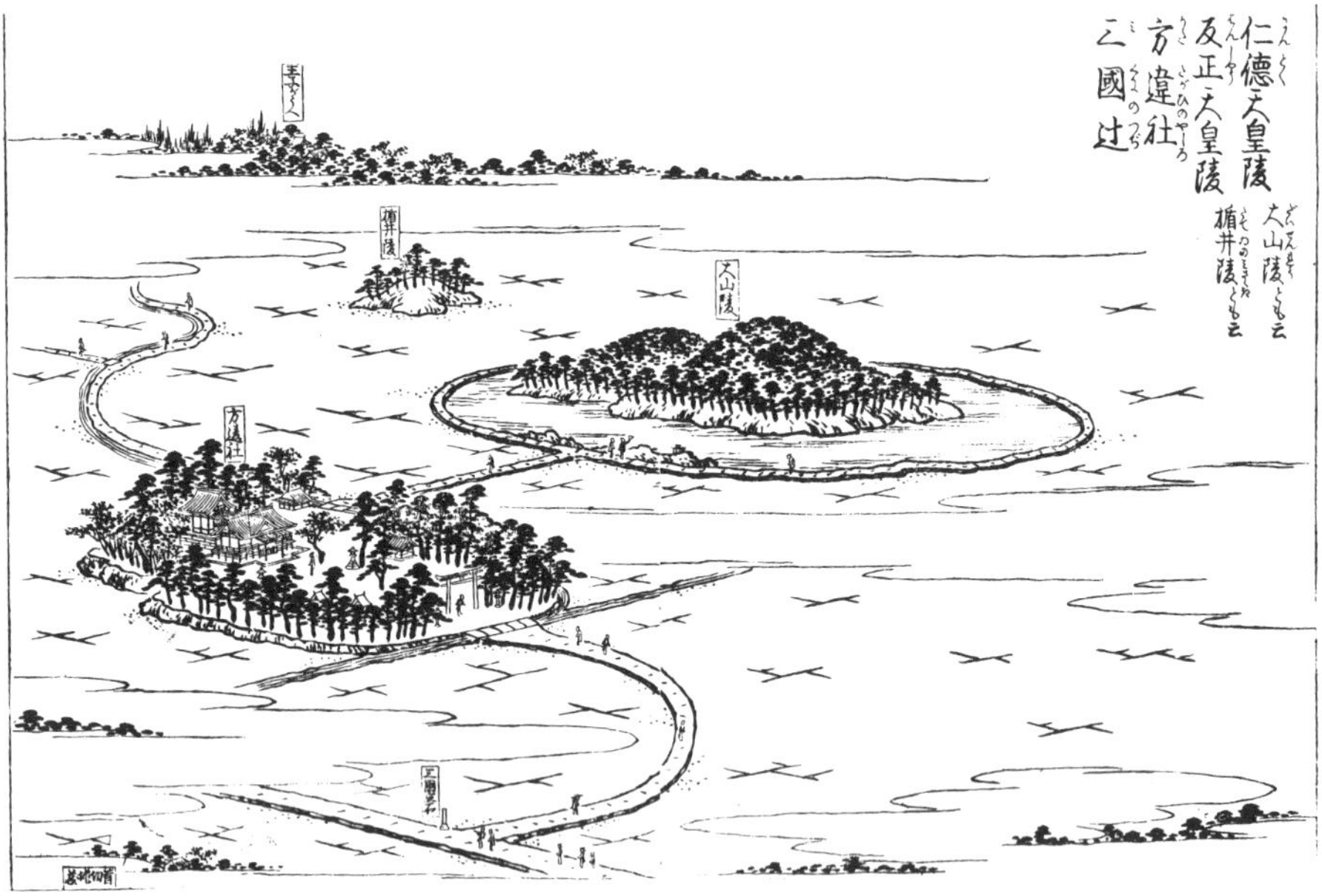

図13　仁徳天皇陵（大山陵）、反正天皇陵（楯井陵）、
方違社、三国辻（『和泉名所図会』寛政８年）

ると、目の前は日本最大の巨大前方後円墳、大山《だいせん》古墳（大仙《だいせん》古墳・仁徳天皇陵古墳）、墳丘全長四八六メートル、古墳が大きすぎて目の前にある陪冢《ばいちょう》とされる茶山古墳（直径五六メートル・円墳・五世紀中頃）ですら、その全容をうかがうのは難しい。茶山古墳は「茶屋山」で豊臣秀吉が付近を狩場とした際に茶屋を古墳の上に設けたという。仁徳陵の外濠沿いに国道３１０号を東南に行くと、これも外堤上にあって大山古墳との関係が強いとみられる大安寺山古墳（直径六二メートル・円墳・五世紀中頃）がある。主墳に従属する陪冢とはいってもその規模は大きい。大山古墳の東北は西高野街道、熊野街道、竹内街道などが合流、分岐する交通の要所で、竹内街道（丹比道）の直線部分を東西に延長すると、西は大山古墳の前方部周濠の南東隅、東は古市古墳群の誉田山《こんだやま》古墳（羽曳野市・応神天皇陵古墳）後円部周濠南に達し、古道の設定が両巨大古墳を基点として設定された可能性も指摘されている。

国道沿いにホテルだったミユキ御苑が一九六五年に建てた仁徳天皇陵参拝道碑が立っており、「けむり立つ／御くにのさかえ　と古しへ二」という句が刻されている。その先にこれも陪冢とされる源右衛門山古墳（直径三四メートル・円墳・五世紀中頃）が駐車場横に見える。

ＪＲ阪和線を渡ると三国ヶ丘駅。駅前の電話ボックスの上には泉州の祭礼に多い地車《だんじり》ではなく、布団太鼓のモニュメントが載っている。百舌鳥八幡神社の祭礼の布団太鼓らしい。駅舎の屋上は「みくにん広場」という庭園になっており、大山古墳が望める。なんとか前方後円墳の形はうかがえるが、やはり「大山《だいせん》」である（写真46）。「三国ヶ丘」は大山古墳や田出井山古墳（反正天皇陵古墳・全長一四八メートル）などが営まれた丘陵東北部の呼び名で、摂津と河内の境界である長尾街道（大津道）と河内と和泉の境界となる竹内街道（丹比道《たぢひみち》）が合流する地が、摂河泉の国境で、「三国山」、「三国ヶ辻」であったようだ。「堺」の地名もこの三国の「境」に由来するとされ、明治二十八（一八九五）年に制定された堺市の市章は三国の境ということで、「市」の文字を三つ組み合わせたものになっている。

駅前から国道を南下し、堺市上下水道局の角を東に入り、食品菓子卸会社のところで右折し、南へ行く。百舌鳥梅北町三丁目あたりの道がS字状に蛇行しているのは街道の旧状を残しているようだ。突き当りを左折、東へ進むと、梅北西地蔵尊の小堂がある。享禄五（一五三二）年と元文元（一七三六）年の地蔵石仏などが祀られる。元文のものは年号の「元」が欠損し「文元辰年」とされているが、辰年であることから元文元年であろう。西高野街道にはこうした地蔵堂が数多い。

このあたりは江戸時代の万代《もず》赤畑村で、門屋《もんや》を備えた家も多く、本通寺（真宗大谷派）の門は明和年間（一七六

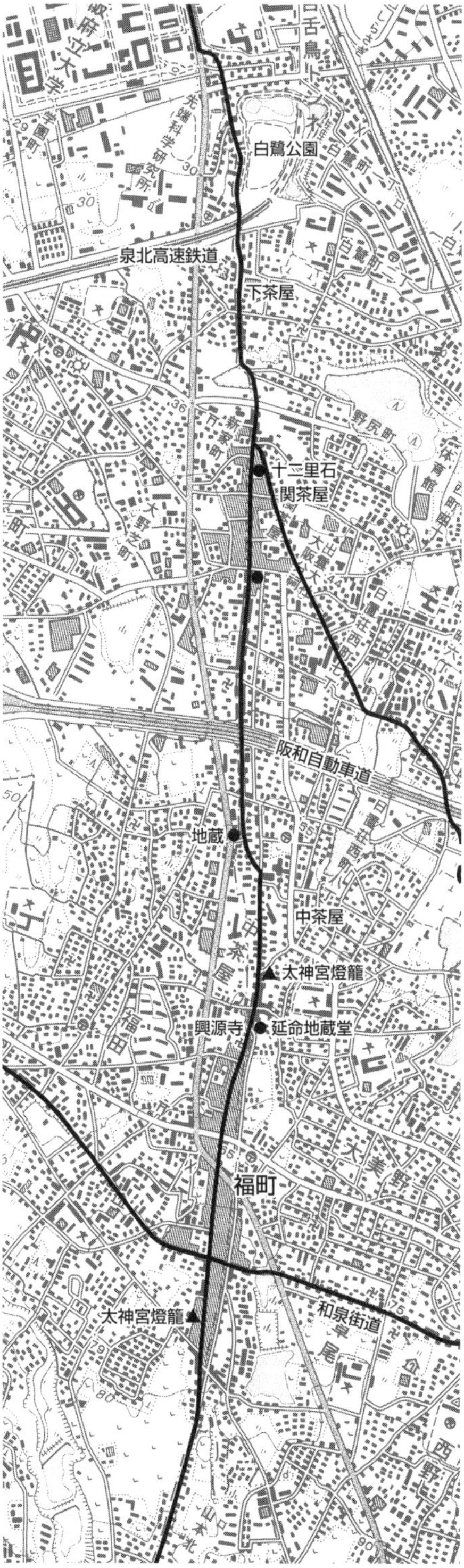

地図16　泉北高速道路をくぐり福町へ

写真 43　堺東駅付近の西高野街道

写真 44　榎元町の高野山
女人堂十三里石

写真 45　竹内街道との分岐

写真 46　大山古墳（みくにん広場から）

写真 47　「百舌鳥のクス」と筒井家住宅

写真 48　関茶屋の高野山女人堂
十二里石と行者堂

写真 49　草尾の道標

写真 50　廿山街道への分岐と地蔵堂

四〜七二年）の建築だと伝える。道の右手にある御廟塚古墳は全長八四・八メートル、西側に短い前方部をもつ五世紀後半の帆立貝形前方後円墳である。古墳の東には江戸時代に高西《こうざい》（香西）夕雲《せきうん》と木地屋庄右衛門が開いた新田、「夕雲開《せきうんびらき》（万代《もず》新田）」の新田会所（管理所）であった筒井家住宅があり、登録文化財となっている。門前のクスノキの巨樹は「百舌鳥のくす」、大阪府指定天然記念物である（写真47）。

中百舌鳥駅へ通じる府道28号を入ったところにある中百舌鳥地蔵堂は「さかい／右　かうやみち／左　大さかミち」とする「道標地蔵」を祀っている。中百舌鳥あたりは江戸時代の万代金口村《もずかねのくち》（万代村《もず》）になる。

大阪公立大学中百鳥キャンパス前の国道310号線に出て、国道を行き、公立大学の白鷺門前で国道から北へ入り、送電線鉄塔から東へ進む。「白鷺公園」はトイレもあって、休憩には最適である。泉北高速鉄道をくぐると、大鳥郡土師村《はぜむら》の新家《しんけ》。鋳物工場や化成工業の工場があるあたりには「下ノ茶屋」の地名が残る。星谷池を過ぎると、街道の西側は「大野芝」、江戸時代までは武蔵野や那須野と並び称された原野であったという。

関茶屋に入る。一帯は元禄年間に開かれた「関茶屋新田」で、中世に土豪、日置《ひき》氏が大野の一画に設けていた「大野関」という関所があったという。「是より右　高野山女人堂江十二里」とする安政四年の里程石が役行者堂の横に立っている（写真48）。行者堂の横には地蔵堂があり、その前には明治十五（一八八二）年の「左　瀧谷山」の道標がある。地蔵堂には「左　狭山道」「たきだにみち」とした「道標地蔵」が祀られている。左は日置荘《ひきしょう》、野田、狭山、廿山《つづやま》、錦織《にしきおり》を経て瀧谷不動明王寺（大阪府富田林市彼方《おちかた》）へと通じる道で、「廿山街道」と呼ばれる。右へ進むと、左手に庚申堂があり、その先には昭和二十三（一九四八）年に勧請された出雲大社大阪分祀がある。

府道199号西鳳東線は日置荘から府道190号西藤井寺線につながり、下高野街道の大饗《おわい》や中高野街道の多治《たじ》井《い》へと通じる道で、街道との交差点には「東／ふじい寺／なら」とする道標がある。紀年銘が無いが、上部に彫られた僧形坐像（地蔵？）の右手が東を指さしているように見えるのがなんともユーモラスである（写真49）。中地蔵尊の祠を過ぎ、惟妙寺《ゆいみょうじ》前を行くと、下草尾で阪和自動車道をくぐる。草尾も「大野芝」を江戸時代に開いた「草尾新田」である。草尾から中茶屋に入る辻には地蔵堂があり、薬師如来の標石がある。ここには天明元（一七八一）年の「かうや山へ十一り／是よりさかいへ七十丁」とする道標や明治三十三（一九〇〇）年に大阪府が建てた

「西高野街道従堺市栄橋通二丁堺海港路線分岐二里」「距大阪高麗橋元標五里十丁二十五間」「和泉／河内／国界東陶器村大字福田迄十七丁五十五間三尺」という里程標石があったはずなのだが、見当たらない。道を進むと、右手に光背裏に享保十七（一七三二）年銘のある地蔵石仏がある。道は左へ緩くカーブし、法界地蔵尊を祀った中茶屋自治会館前に出る。さらに進むと、安永二（一七七三）年に「河州草尾新田出口」が建てた太神宮燈籠があり、その先の道の分岐には延命地蔵堂がある。「右　かうや　大ミ祢　／左　たき多に　金剛山」とする神南辺隆光が発起人の道標が地蔵堂の傍らに立っている（写真50）。地蔵堂内の地蔵石仏も「右ハかうや道」「左ハこんかうせん」と彫った「道標地蔵」である。左は狭山池尻で廿山街道に合流して、滝谷、金剛山に至る道。右へ街道を進むと、右手に興源寺の白漆喰塀が続く。真言宗の寺で門前の「不許酒肉五辛入門内」の石碑が紀ノ川流域の緑色片岩であることが紀州との関りをうかがわせている。本尊の不動明王像は鎌倉時代、弘安二（一二七九）年銘をもち、堺市指定文化財。境内には五劫《ごこう》（二十一億六千万年という）の間、衆生救済を思惟《しゆい》された姿を表したという五劫思惟阿弥陀如来石仏もある。街道西側の福田村も「大野芝」を開いた新田で、街道筋は福町と呼ばれ、堺からは、およそ二里、旅籠屋などもある繁華な町場であった。

福町から長野へ

街道は、南海電鉄北野田駅に通じる府道36号泉大津美原線と交差し、さらに国道３１０号線を横断して、福田中の集落を行く。福田公園の角で旧和泉街道と交差する。和泉街道沿いには「伊勢道」の地名も残り、伊勢参りの人々は北野田から東野、平尾を経て喜志に出て、太子から竹内峠を越え、大和、伊勢へと向かったとみられる。道を進むと、右手の民家の塀際に文化九（一八一二）年に南伊勢講中が建てた太神宮燈籠が立っている（写真51）。さらに進むと、道が分岐しており、ここに「西高野街道／長野／高野」「天野山」、「平成七年三月堺市再建」とする堺市の新しい道標が立っている。もとあった古い道標を再興したものらしい。福上自治会館前には「南所庵」というお堂がある。福田の家並がいったん途絶えると、道の左手は大阪狭山市山本となり、街道が大阪狭山市と堺市の市境（和泉と河内の国界）になる。

大阪狭山市山本もまた「大野芝」の一画を開いた「山本新田」である。このあたりも地蔵石仏を祀った小祠が街道の左右に多く、大峯山三十三度供養碑もあり、大峰山上参りの盛んなことをうかがわせている。岩室へ入る角にある剣先地蔵尊という地蔵堂を過ぎ、緩やかな坂を上ると、左手の山本自治会館の横に太平大明神社（稲荷社）、地蔵堂と明和四（一七六七）年、北岩室村講中の太神宮燈籠がある。地蔵堂内には元文元（一七三六）年の「左さやま／よしの道」とする「道標地蔵」が祀られている。ここからも狭山や廿山街道に出る道があり、吉野大峰へと向かったようだ。

なお道を進むと、北野田からの道の合流点にある倉庫前に「是ヨリ高野山女人堂江十一里」とする安政四年の里程石が立っている（写真52）。この付近には「一里山」という地名も残り、一里塚があったと伝えているが、その痕跡は無い。

泉北中央線の岩室交差点を渡ると、道は急な上り坂となる。上り始めると、左手に「家塾跡」と「岩室郵便局跡」と「西高野街道」の標石が立っている。「家塾」については嘉永五（一八五二）年から明治二十五（一八九二）年まで中林喜市郎を塾長とした私塾があったということで、「郵便局跡」は、明治四（一八七一）年に駅逓司の前

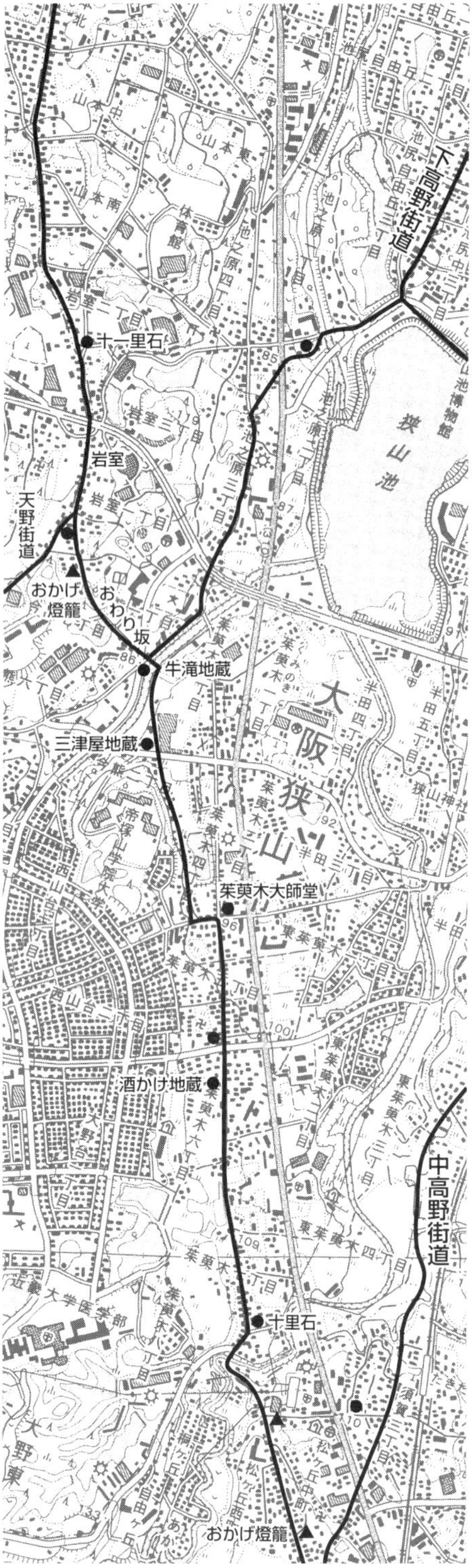

地図17　大阪狭山市山本を経て茱萸木へ

島密らによって郵便制度が開始され、地元の名士（江戸時代の庄屋や名主など）に準官吏の地位を与えて「郵便取扱役」に任命し、土地と建物を「郵便取扱所」として無償で提供させ「公務」である郵便業務を請け負わせた。これによって、堺縣大鳥郡岩室村では戸長であった中林喜市郎の屋敷の一部が「郵便取扱所」（後の特定郵便局）になったということのようだ。中林家は岩室村のかつての大庄屋で、岩室の「是より高野山女人堂江十一里」里程石の施主は中林喜兵衛である。街道の右側が中林家の屋敷跡になる。街道の東、大阪狭山市側は丹南郡岩室村で、西の堺市側は大鳥郡岩室村になるが、もとは一村であったという。

先へ進むと、道が分岐しており、「高倉寺法起菩薩／是より卅丁」の新しい標石と地蔵堂、天保十三（一八四二）年の「右　あまの山二里／左　かうや山十里」の道標があり、地蔵堂内には「右　あまの山道」「左　かうや山道」とする「道標地蔵」が祀られている。「天野街道」との分岐で、右をとれば、天野山金剛寺へと至る（写真53）。高倉寺（堺市南区高倉台）は天野街道の少し西にある。行基創建の大修恵院《だいすえいん》と伝え、宝起菩薩堂には室町時代の「法起菩薩曼荼羅図」（堺市指定文化財）を伝えている。法起菩薩は金剛山に止住するとされる菩薩である。ここからは天野街道が大阪狭山市と堺市の市境（河泉の国境）となり、街道は大阪狭山市に入る。

分岐から左へ街道を進むと、岩室村の南にある今熊村、右手の家の玄関脇に天保元（一八三〇）年の今熊村の太神宮燈籠が立っている（写真54）。中台に「於かげ」と彫っており、文政十三年（天保元年）の「おかげ年」に建てられた「おかげ燈籠」である。道は急坂の下りとなり、この坂は「尾張坂」と呼ばれる（写真55）。狭山池の改修にも関わった土木集団「尾張黒鍬」に由来する地名とする説もあるが、単純に尾根の先端をさす「尾張り」の坂、地形起源の地名と考えた方が良いだろう。左に老人福祉センターや大阪狭山市立図書館があり、三津屋川に下り着く。大阪天王寺から南下してきた下高野街道は大阪狭山市池尻から狭山池の堤を東に向かい、中高野街道と合流するのだが、その延長路とはここで合流することになる。

三津屋川を渡る手前には「牛滝地蔵堂」がある。牛を守護してくれる牛神として、祭りの日には、川で牛を洗って、参ったと伝える。川を渡り、右手に進むと、緩やかな上りになり、「三津屋地蔵」を過ぎると、右手の山腹に「三津屋大師堂」がある。左手の新池を過ぎると、道は突き当り、東へ進むと、次の信号の角に「茱萸木《くみのき》大師堂」

写真 52　岩室の高野山女人堂十一里石

写真 51　福田中の太神宮燈籠

写真 53　天野街道との分岐

写真 54　今熊の「おかげ燈籠」

写真 55　尾張阪

写真 56　茱萸木大師堂

写真 57　正法寺標石と太神宮燈籠

写真 58　酒かけ地蔵

があり、ここで街道は南へ折れる（写真56）。茱萸木は江戸時代前期に開かれた新田で、グミ（胡頽子・ナワシログミ）の木が多い「茱萸木平」の芝地を開いたとされるが、「久美岡」が本来だともいう。陶器山通りの交差点手前には「正観世音菩薩」「補陀落山正法寺」とした文久二（一八六二）年の標石と明和七（一七七〇）年の太神宮燈籠が立っている（写真57）。正法寺の跡地は茱萸木中央公民館になっており、その横には茱萸木八幡宮がある。交差点を渡って進むと、道の右側に「玄晶法師地蔵」がある（写真58）。明和六（一七六九）年に玄昌法師が造立した地蔵尊で、酒をかけて祈ると、願が叶うというので、「酒かけ地蔵」と呼ばれている。頭痛、歯痛に霊験あらたかだという。地蔵堂隣の運動広場は出口池の跡、濁池《にごりいけ》を過ぎると、草沢で、安政四年の「是より高野山女人堂江十里」の里程石が道の左手に立っている（写真59）。施主は茱萸木村である。

西除川《にしよけ》（天野川）に向って下り、川を渡ると、河内長野市に入る。すぐ左手に地蔵堂、安永八（一七七九）年の宝篋印塔と安永五（一七七六）年に四鈎《よつ》村新田領が建てた太神宮燈籠と道標がある（写真60）。道標は大正二（一九一三）年のもので、「右　上神谷妙見山／二十七丁」「長野　よつかいと」としている。上神谷《にわだに》の妙見は、府道38号富田林泉大津線を西に行ったところにある妙見山感応寺（堺市南区富蔵《とみくら》）のことで、北辰尊星降臨の霊場とされ、「富蔵の妙見さん」として親しまれる。先へ進むと、道が二つに分かれており、街道は「北坂」と呼ばれる右側の坂道を上る。左手奥にある松林寺は興正《こうしょう》菩薩《ぼさつ》叡尊《えいそん》の説法地で鎌倉時代の創建、江戸時代に秀榮律師によって再興された寺である。道沿いに天保二（一八三一）年の太神宮燈籠（「おかげ燈籠」）が立っている。基礎に「おかげ」「施行中」とある（写真61）。

道は楠町で中高野街道と合流し、小山田から西除川に沿って天野山へ至る道を分ける。合流点には明和三（一七六六）年の太神宮燈籠、地蔵堂と天保七（一八三六）年の「右　平野　是□／左　さかい大坂□」の道標がある（写真62）。地蔵堂内には「左ハ平野道／□□大坂道」とする「道標地蔵」が祀られている。向い側の道の分岐には天保八（一八三七）年、神南辺道心発願の「四国八十八所遥拝道／是よ里　壱町」とする上部に弘法大師坐像を彫った道標がある（写真63）。施主は堺の小深半兵衛で父母法界供養のための建立である。この「四国八十八所巡拝道」とは、ここから右へ二〇〇メートルほど行ったところにある盛松寺の大師山（本道裏手）にあった四国八十八ヶ所霊場とみられ、現在は境内にある六角堂にその札所石仏が収められている。盛松寺は「与津の御大師さん」として知られ、弘法大師が槙尾山に向かう途中、昼食を摂った地とされ、ここで疫病平癒の祈祷を行い、村人に「冬至に柚子《ゆず》味噌をつくって、食すると疫病にならない」と伝えたとされ、毎年十二月二十一日の「終《しま》い弘法」には柚子味噌が参拝者に配られる。また、弘法大師が祈祷した地から芽を出した樟《くすのき》は、枝が四つに分かれて生い茂り、「四釣樟《よつるくす》《よつくのき》（四鉤樟）」と呼ばれ、付近を「与津《よつ》（四通）」と呼ぶようになったのだという。楠町の町名もこの「与津樟」に因む。また与津には「一里山」という地名が残り、一里塚があったらしいが、その痕跡は無い。

左へ楠小学校へと下って行く坂が「南坂」。坂の途中に地蔵堂と元文二（一七三七）年の宝篋印塔残欠がある。傍らには昭和五十（一九七五）年の「大峯山三拾三度参拝記念」碑が立っている。南海千代田駅前に通じる「千代田あいあい通り」を横断し、石坂から原町へ入る。

「晴明塚」は、平安時代の陰陽師、安倍晴明《あべのせいめい》が高野詣の際、晴天が続くという卦をたてたが、村の老人がそろそろ雨が降るとつぶやくのを聞き、果たして紀見峠にさしかかる頃、大雨になった。晴明は浅学を恥じ、誤った卦《け》をたてるのに用いた天文書を埋めた地だという（写真64）。晴明塚の標石は神南辺道心の建立で、よく見ると「清」の文字を「晴」に彫り直して修正している。明和四（一七六七）年の五條天神宮の燈籠があり、背後に寛永十一

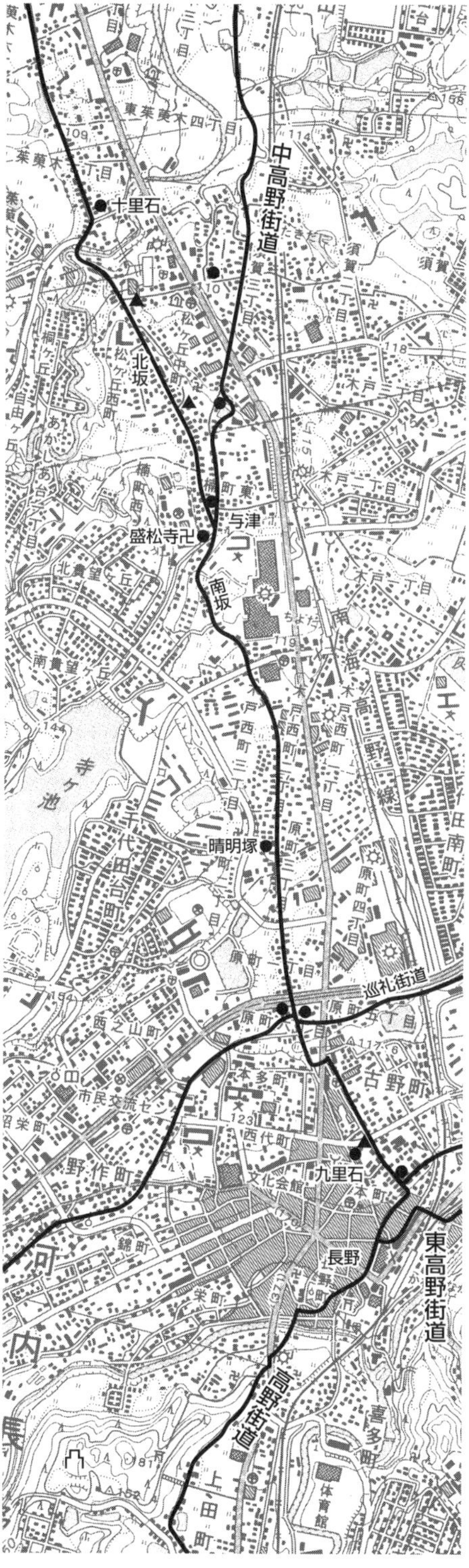

地図18　中高野街道と合流し長野へ

写真 59　草沢の高野山女人堂十里石

写真 60　四鈎村新田の太神宮燈籠・道標など

写真 61　松ヶ丘のおかげ燈籠

写真 62　楠町の中高野街道合流地

写真 63　盛松寺大師山への道標

写真 64　晴明塚

写真 65　原町の巡礼街道道標

写真 66　古野町の高野山女人堂九里石

写真 67　延命子育地蔵西高野・東高野街道合流地

（一六三四）年の地蔵石仏を祀っている。大阪外環状線をくぐると、「原の辻」。右手の角に「右　さかい大坂□／左　まきの□」とする自然石の道標（写真65）、すぐ左の角には天保六（一八三五）年の「右　かうや／左　ふじい寺」の自然石道標がある。西国三十三所の施福寺と葛井寺の間の「巡礼街道」とはここで交差する。すぐ左手には寛永十一（一六三四）年の十三仏碑をはじめとする旧阿弥陀寺の石造物が祀られており、河内長野市指定文化財になっている。さらに次の右手の角には明和五（一七六八）年の太神宮燈籠が立っており、灯台形の燈籠も新しく建てられている。

国道310号線に出て、寺本記念病院の裏を行く道が旧街道になる。このあたりは江戸時代の古野村。認定こども園「長野こども学園」のところが近江膳所《ぜぜ》藩の代官所跡で、古野村の建てた明和六（一七六九）年の太神宮燈籠が立っている。こども園の西側の道沿いにある古野町行者堂には旧街道沿いにあったらしい安政四年の「是より高野山女人堂九里」の里程石が移されている（写真66）。横に「右　中本山極楽寺／左さかい四里　大坂江七里」「（指印）高野」の道標もあるが、接して立てられており、これ以上読めないのが残念だ。ここには明治の「大峯山上三十三度巡拝」塔の他、昭和五十三年の古野山上講の「大峯山参拝百回記念碑」などもあり、ここも大峰信仰が盛んなことがうかがえる。街道にもどり、南進すると、延命子育地蔵尊のところで、極楽寺を経る東高野街道と合流する（写真67）。坂を下り、アーケードを抜けると、東高野街道とのいまひとつの合流点である河内長野駅前にでる。ここには高野街道合流地点の標石も設置されている。

三　中高野街道――大阪から平野を通って南へ

東高野街道と西高野街道の間にあるのが「中高野街道」。本来は、「中高野街道」のうち平野を起点とする道が「上高野街道」で、天王寺を起点とするのが「下高野街道」なのであるが、「上高野街道」のほうを「中高野街道」と呼んでいる。また、明治以降は守口から平野を経て狭山までの道を「中高野街道」と呼んでいるが、守口～平野間には高野を示す古い道標は確認できず、明治以降、近代の呼称とみられる。江戸時代は平野の杭全《くまた》神社の西、泥《でい》堂《どう》口にあった一里塚を街道の起点としていたらしく、平野からは「狭山道」、狭山からは「平野道」と呼んでいた。

白河天皇の第四皇子で、高野御室と称された仁和寺の覚法法親王の日記『御室御所高野山参籠日記』によると、久安四（一一四八）年の高野詣では、松原を朝に出発、千早口の岩瀬を経由して夜に高野政所《まんどころ》（慈尊院）に着いたとしており、この中高野街道をとった可能性がある。また、仁安四（一一六九）年の後白河上皇の高野山参詣は、三月十五日に四天王寺を出発し、十六日に政所に到着、十八日には高野山に入り、十九日に下山、二十日に四天王寺に戻っている。四天王寺から南下したことはわかるが、これは西高野街道、中高野街道あるいは下高野街道がとられたのかは明らかではない。

平野から喜連《きれ》、瓜破《うりわり》へ

平野は古代の摂津国住吉郡杭全《くまた》郷、中世の杭全庄（平野庄）で、平安時代初めに坂上田村麻呂の子、広野麻呂がこの地を賜り、この「広野」が「平野」の地名の起源だという。戦国時代は堺と並ぶ自治都市で、町の周囲には土居（土塁）と濠を巡らし、町の入口には十三の木戸を設けていた。融通念仏宗の本山である大念仏寺の門前町で、繰綿《くりわた》（平野木綿）生産で栄え、碁盤目状の町割りが残り、伝統的な町家も多い。町中を奈良街道が東西に貫通しており、平野郷の氏神である杭全神社前の泥堂筋（泥堂門筋）角に寛政十二（一八〇〇）年の「當社／熊野權現／祇園社」「右　ふちゐ寺／大峯山上／かうや山」「右　大坂」「すぐ　天王寺　大さか」とする道標が立つ（写真68・69・70）。「當社」とは杭全神社、右（東）へ行き、流門筋（残在門筋）を南に進み、町の東南の出屋敷口あるいは田畑口を出れば葛井寺《ふじいでら》、吉野大峰へと通じる古市街道、流門筋を直進して南の流口を出れば高野街道となる。流門筋沿いにある全興《せんこう》寺には「地獄堂」や「小さな駄菓子屋さん博物館」があり、境内には慶応二（一八六六）年の「左　ふじ井寺／道明寺／大峯山上／是より一丁東／乃辻右へ同所／道」「右　さ山／高野山／すぐ　信貴山道」「右／天王寺／大さか／すぐ／住吉／さかひ／道」とする道標が移されている（写真71）。平野町の出口、流口には「流口地蔵堂」があり、かつての平野の環濠に架かっていた橋の親柱が残っている（写真72）。

府道186号大阪羽曳野線を渡り、南下して行くと、喜連《きれ》、地名は古代の「伎人郷《くれひと》」の「伎（呉・くれ）」に由来するとみられている。集落の入口に「北口地蔵」という地蔵堂があり、前に喜連の環濠に架かっていた「松山橋」の親柱が残されている（写真73）。喜連は環濠集落で、五か所の入口に地蔵堂がある。橋の名の「松山（松林山）」は濠の東北にあった小山、古墳であった可能性があるという。喜連には他にも大塚や広住塚といった塚があ

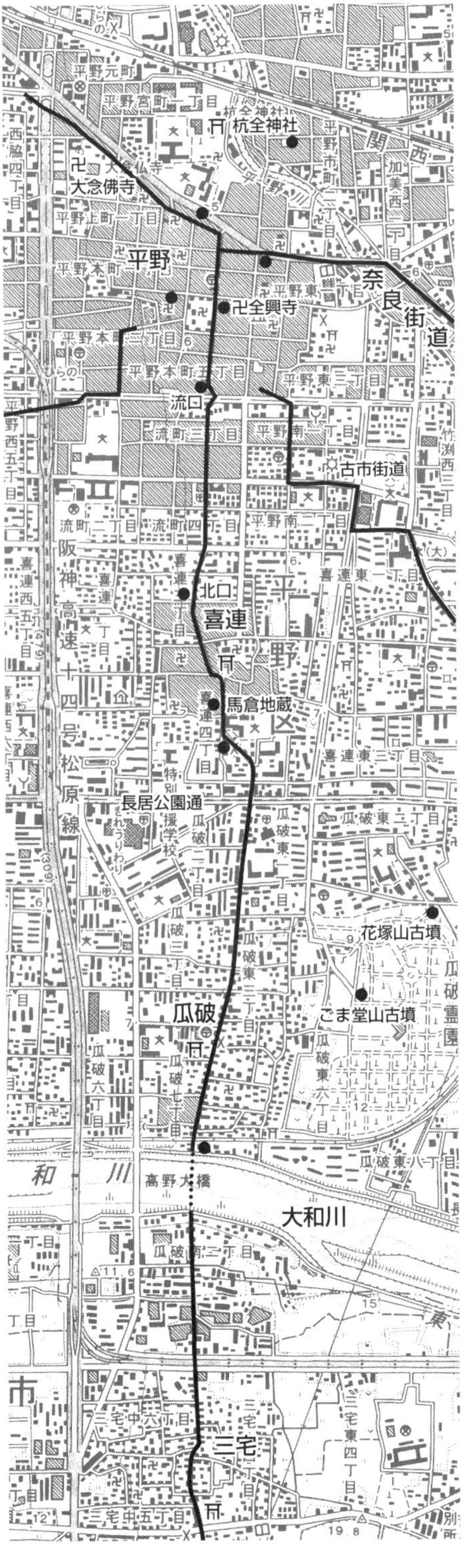

地図19　平野から三宅へ

ったようで、広住塚は『古事記』が記す杙俣長《くまたなが》日《ひ》子《こ》王《のみこ》の娘で応神天皇の妃となった息長《おきなが》真《ま》若中比売《わかなかつひめ》の墓とされていた。塚にあった石碑が楯原神社に残る。喜連の産土神《うぶすながみ》である楯原神社は『延喜式』神名帳に載る「式内社」。境内にある「十種神宝之宮」は饒速日命《にぎはやひのみこと》が天磐船で降臨する際に授けられた十種の神宝を祀るという。楯原神社の北側にある如願寺は聖徳太子の「喜連寺」が起源とされ、平安時代に弘法大師が再興して如願寺と改めたと伝える。平安時代の聖観音菩薩立像は府指定文化財になっている。

街道は喜連の集落を縦貫しており、道の右手の中谷家や佐々木家は往時の姿を残し、付近の道幅は当時のままだという（写真74）。喜連の南口には「馬倉地蔵」が祀られており、「弘法腰掛石」（西の安田地蔵に移設）があった。喜連小学校の北塀には喜連の歴史を紹介する解説板が設置されている。小学校の西南で、道は左へ振れる。道の右手に地蔵祠があり、地蔵立像の下に「右／すみよし／さかい」、側面に「すぐ　高野山道」、裏面に「すぐ／大念仏寺十八丁／てんのうじ一里半」とする嘉永四（一八五一）年の道標が祀られている。「中高野街道」を代表するといっても良い道標なのだが、石仏としてよだれかけや絵馬まで奉納され、文字が見えないのが残念である。

喜連から南へ進むと、「長居公園通り」（府道179号住吉八尾線）に出る。ここが摂津と河内の国境で「かっつらかい」と呼ばれたという。『日本書紀』雄略紀に「呉客の道をつくって磯歯津《しはつ》の路に通わせ呉坂《くれさか》と名づく」とある磯歯津道ともみられている。「伎人堤《くれひとのつつみ》」もここにあったとされ、『万葉集』に「にほ鳥の息長河は絶えぬとも君に語らむ言尽きめやも」（巻二〇-四四五八）と詠われた「息長河」もここを流れていたものと考えられている。

瓜破《うりわり》からは河内国丹北郡。街道の東にある瓜破霊園内には花塚山古墳（写真75）やごま堂山古墳といった五世紀の中期古墳とみられる古墳が残り、発掘調査によってその東方で発見されている同時期の長原古墳群との関係がうかがえる。霊園の中央部は、この地の船連《ふねのむらじ》氏出身で行基の師ともされる道昭が建てたという古代寺院、安楽寺跡と伝え、古瓦や白鳳時代の塼仏が出土し、瓜破廃寺と呼ばれている。また、霊園の北には奈良時代の飛雲文軒瓦が出土する成本《なしもと》廃寺も存在する。さらに霊園から大和川にかけて付近一帯は弥生時代前期から後期まで続いた大遺跡である瓜破遺跡であり、中国・王莽《おうもう》時代の銅貨「貨泉」の出土も知られている。

街道を南下して行くと、瓜破天神社がある。道昭の祈願によって出現した天神の霊像を祀ったのが起源とされ、

写真 68　杭全神社

写真 69　平野杭全神社前泥堂筋

写真 70　平野泥堂筋の道標

写真 71　全興寺の道標

写真 72　平野 流口地蔵堂

写真 73　喜連 北口地蔵堂

写真 74　喜連

天神に瓜を二つに割って供えたことから「瓜破」の地名となったという。「瓜破」については弘法大師に瓜を割って勧めたからとする別の伝えもある。瓜破の南には宝永元（一七〇四）年に開削された大和川が西流する。堤防下に地蔵堂があり、堂内には下部に「右　かうや道／すぐ　志ぎ山　なら／左　ひらの　大さか」とする「道標地蔵」が祀られている。側面にも「右　かし原　しぎ山／左り　住吉　さかい」、「さの　きしう」まで記している（写真76）。

江戸時代、大和川は渡し舟で渡っていたが、明治になって橋が架けられた。対岸には旧街道が続いているのが見えるが、現在は約二〇〇メートル下流の府道１７９号の高野大橋（写真77）へ迂回することになる。

三宅から松原へ

大和川を渡っても、しばらくは大阪市平野区瓜破、大和川の開削によって瓜破村が川で分断されたためである。松原市に入ると、工場地帯、阪神高速14号松原線の高架をくぐって、三宅へと入る。屯倉《みやけ》神社は古く土師《はじ》氏（後の菅原氏）の祖神である天穂日命《あめのほひのみこと》を祀る社であったとされるが、天慶五（九四二）年に道賢（日蔵上人）によって道

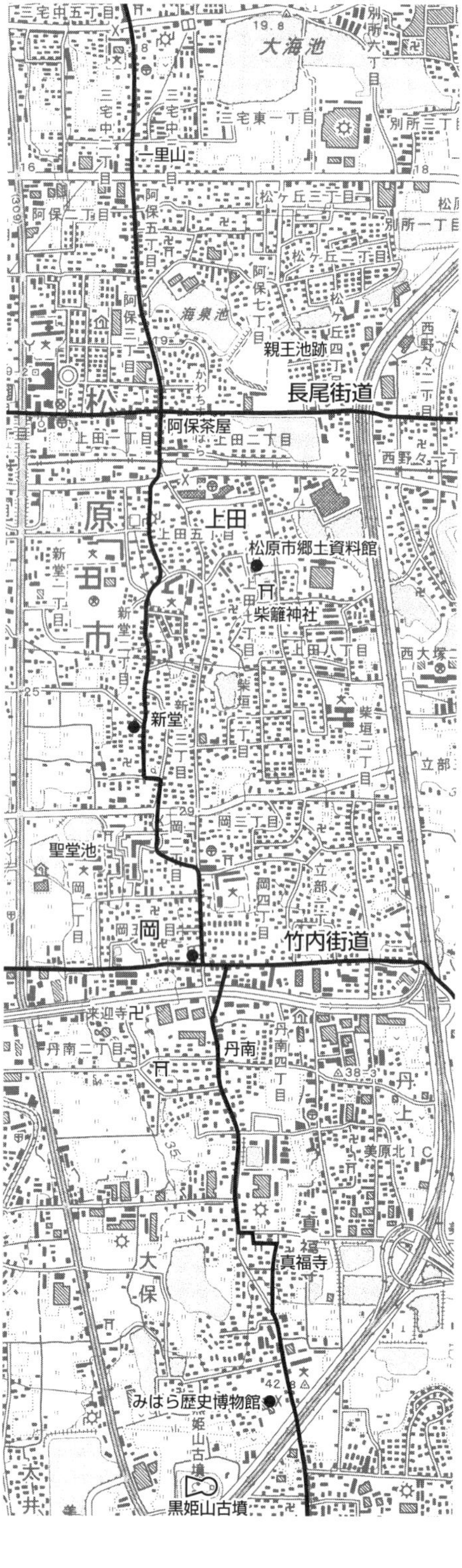

地図20　三宅から松原へ

真公を祀るようになったという。境内は戦国時代に河内守護の畠山氏に従った国人衆のひとり三宅氏の居城跡だと伝える。神社に隣り合って梅松院地蔵堂や三宅龍王講の役行者堂があり、消防分団、交番、ＪＡ、小学校もあって、このあたりが村の中心であることがよくわかる。

三宅の南端近く、左手に「一里塚跡」の表示板がある。付近は「一里山」と呼ばれ、平野から、ここまで約一里である。府道１８７号大堀堺線を越えると、阿保《あお》。沿道には商店が増える。道左手の地蔵堂前に明治十年の「右 八尾 信貴山／左 平野 大坂道」の道標が立つ。近鉄南大阪線の手前で堺から葛井寺、国分へ通じる東西路、「長尾街道」と交差する。街道の北側は阿保村、南側は松原村の出垣内として茶屋があり、「阿保茶屋」と呼ばれた。交差点の西南には松原村の日露戦争記念碑や忠魂碑が立っている。阿保の地名の起源は平城天皇の第一皇子で在原行平、在原業平の父である阿保《あぼ》親王の邸があったためとされ、その跡は長尾街道北側の「親王池」だというが、池は埋め立てられ、今は無い。

松原から美原、狭山へ

松原村は古代の丹比郡《たぢひのこおり》土師郷《はにしごう》、松原小学校の北側は「土師《はじ》山（反正）山」と呼ばれる。中世は松原庄。上田、新堂、岡から成り立ち、上田の柴籬《しばがき》神社は反正天皇（多遅比瑞歯別命《たぢひみずはわけのみこと》）の丹比柴籬宮《たぢひしばがきのみや》伝承地とされる。

近鉄河内松原駅西側の踏切を渡り、交差点からひとつ西側の松原小学校の通学路になっている細い道へ入る。小学校西側を南へ行くと、新堂。地名は我が国へ儒学や千字文を伝えたという王仁《わに》が建てたという聖堂（跡地は聖堂池）があったからだとされる。村中で街道と斜めに交差する道があり、天保五（一八三四）年の「右／平野／大坂／道」「すぐ／かうや／よしの／道」「左／さかい／住よし／道」とする道標が立つ（写真78）。この道は条里制以前の古代の斜行路だとみる説もある。道は東へ折れ、また南に延びる。岡町交番、府営松原岡住宅を過ぎ、保育所の角を東へ折れ、信用金庫角を南下すると、「竹内《たけのうち》街道」に出る。堺と大和を結ぶ東西路である。松原南コミュニティーセンター角の寛政九（一七九七）年の道標は「右／ひらの／大坂／道」「左 さ可い 道」「左／さやま／三日市／かうや／道」としている（写真79）。街道は直交せず、竹内街道を東へ行き、次の角を南へ行く。竹内街道の南は府道2号大阪中央環状線であり、府道の南側にも旧道が続いているが、横断できないので、西側の丹南東の交差点に迂回することになる。

丹南村は丹南郡内の大村、村の西に丹南藩高木家一万石の陣屋が置かれ、来迎寺は藩主の菩提寺であった。丹南天満宮も桃山様式を残す江戸初期の美しい社殿をもつ。旧道沿いには元禄年間に水利に功績のあった丹南村庄屋松川長右衛門の顕彰碑があり、役行者、地蔵、弘法大師を祀った堂が街道筋に建っており、地域の信仰がうかがえる。丹南町会総合会館が建つ今池を過ぎると、堺市美原区になる。

真福寺で街道は東に折れて集落内に入る。櫟本神社は「式内社」で、多遅比瑞歯別皇子《たぢひのみずはわけ》（反正天皇）が賞したという櫟《いちい》の大木があり、その根元に祀った社とされるが、明治四十年に丹比《たんぴ》神社（美原区多治井《たじい》）へ合祀され、小祠と鳥居が残る。真福寺は行基の開基と伝え、櫟本神社の宮寺で、鎌倉時代に西大寺の叡尊が文殊供養を行った寺とされるが、戦国時代の兵火で灰燼に帰したという。村中を南へ出る道に不動三尊の梵字の下に「大峯三十三度為二世安楽」の供養碑があり、側面が道標となっているが、摩滅が著しく判読できない。

道を南下すると、左手に「みはらふる里公園」があり、公園内に「堺市立みはら歴史博物館」がある。公園の西

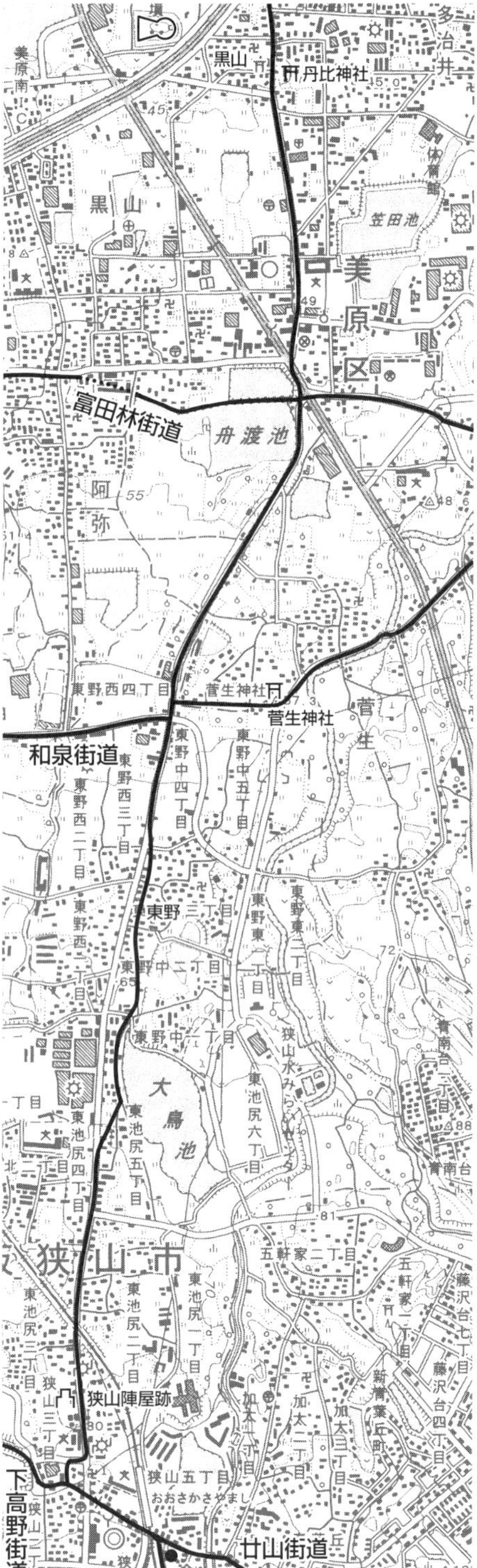

地図21　美原から狭山へ

にある黒姫山古墳（写真80）は五世紀中頃の全長一一四メートルの前方後円墳で、博物館ではこの古墳から出土した多くの甲冑や黒山廃寺の出土瓦、阪和自動車道建設に伴う発掘調査で明らかになった河内鋳物師《いもじ》関係遺跡などが展示紹介されている。

阪和自動車道の高架をくぐり、南へ行くと、左手の黒山の集落内に飛鳥時代後期（七世紀後半）の黒山廃寺があり、黒姫山古墳とともに丹比郡《たぢひのこおり》を本拠とした「丹比連《たぢひのむらじ》」との関係が推定される。また道の左手にある延喜式内社の丹比《たんぴ》神社（写真81）の主祭神は丹比連の祖神とされる火明命《ほあかりのみこと》と瑞歯別命《みずはわけのみこと》（反正天皇）とされるが、七世紀から八世紀にかけて宣化天皇の子孫とする多治比真人《たぢひのまひと》（丹比公《たぢひのきみ》）が勢力を持つと、その祖神も祭神に加えられていったようだ。境内には「瑞歯別命産湯《うぶゆ》の井（瑞井《みずい》）」がある。井戸の周りには多遅《たち》（イタドリ）が多く咲いていたことが「多治井《たじい》」の名の起こりとなったという。境内北側に反正天皇が建てたという石塔の残欠があり、村人が持ち帰り、漬物石にしたところ、夜ごとに、この石が泣いたため、「夜泣き石」と呼ばれる。明和二（一七六五）年、明和七年の太神宮燈籠や文政十三（一八三〇）年の「おかげ燈籠」が境内にはある。神社の参道は東方の多治井の集落へと続いており、西側の中高野街道には参道は開いていない。

街道を南下すると、美原消防署と黒山警察署があり、国道３０９号線の舟戸北交差点に出る。交差点の東にある美原高校の校地は、発掘調査で七、八世紀の掘立柱建物群が検出された平尾遺跡で、古代の丹比郡役所である「丹《たぢ》比郡衙《ひぐんが》」と推定されている。道の南、船戸池北側の道は堺から富田林に通じている「富田林街道」で、このあたりは古代からの交通の要衝である。ここから中高野街道は府道１９８号河内長野美原線になる。府道には歩道が無く、歩くには注意が必要。東野に近づくと、道の左手に「かかりの新池」という釣り池があり、池の西側に旧道が残る。東野の交差点で「和泉街道」と交差、和泉からの「伊勢参り」に用いられた道である。交差点東には中高野街道に面して菅生《すごお》神社の石鳥居と慶応二（一八六六）年の「當社菅生天満宮」「すぐ／平野総本山／大阪　天王寺／右／藤井寺／誉田八幡宮／道明寺」「すぐ／三日市／高野山」とする道標が立つ（写真82）。

菅生神社は中臣氏一族の菅生氏が祖神である天児屋根命《あめのこやねのみこと》を祀る延喜式内社で、のちに菅原天神を勧請したという。菅生の地名から境内の「菅沢」が天神降臨地とされた。本殿は万治四（一六六一）年の一間社春日造、境内に

写真 75　花塚山古墳

写真 76　瓜破の道標地蔵

写真 77　大和川に架かる高野大橋

写真 80　黒姫山古墳

写真 78　新堂の道標

写真 81　丹比神社

写真 79　岡の道標（竹内街道との交差点）

図14　菅生天神（『河内名所図会』）

は神宮寺（宮寺）であった天門寺（菅生寺《かんしょうじ》）の本堂も恵比寿社として残り、境内のようすは『河内名所図会』（享和元＝一八〇一年）に描かれた景観とさほど変わっていない。

菅生神社の鳥居から南は大阪狭山市で、東野《ひがしの》で旧道は府道から左へ離れて南下する。東野地区公民館には天明八（一七八八）年と寛政元（一七八九）年の常夜燈があり、「力石」もある。大鳥池手前、右手にあった蓮光寺の手水鉢は塔心礎で、境内は東野廃寺と呼ばれる古代寺院跡である。竹内街道沿いの野中寺《やちゅうじ》（羽曳野市）や中高野街道沿いの黒山廃寺（堺市美原区黒山）と同じ範型《はんがた》で作った軒丸瓦が出土しており、街道を通じた関係があったことがわかる。

大鳥池にはフロート式のソーラーパネルが水面に設置されており、「大鳥池発電所」になっている。池の西で道は分岐し、西へ住宅地内を行く細い道が街道で、左へ池沿いに行く道は狭山藩陣屋を迂回する道で「馬廻し道」と呼ばれた。府道１９８号に合流し、南海高野線のガードをくぐると、狭山藩陣屋（上屋敷）内に入る。

陣屋の北門（裏門）は南海のガードあたりにあったといい、陣屋内を南北に縦断する大手筋（大町筋）を街道が通っている。狭山藩は天正十八（一五九〇）年、豊臣秀吉の小田原征伐によって滅びた後北条氏の北条氏規《うじのり》（北条氏康の五男）が後に許されて、河内狭山で七千石を与えられ、その子の氏盛が一万一千石の大名となり、その後は転封も無く、明治まで続いた。道沿いの御殿跡に狭山藩陣屋跡碑と説明案内板が立っている。大阪狭山市立東小学校前あたりが表門（大手門）跡で、門は浄土真宗本願寺派堺別院に移築され、御成門として現存する。

東小学校南の交差点からひとつ西の道を入り、突き当りで狭山池の北堤を通ってきた「下高野街道」と合流する

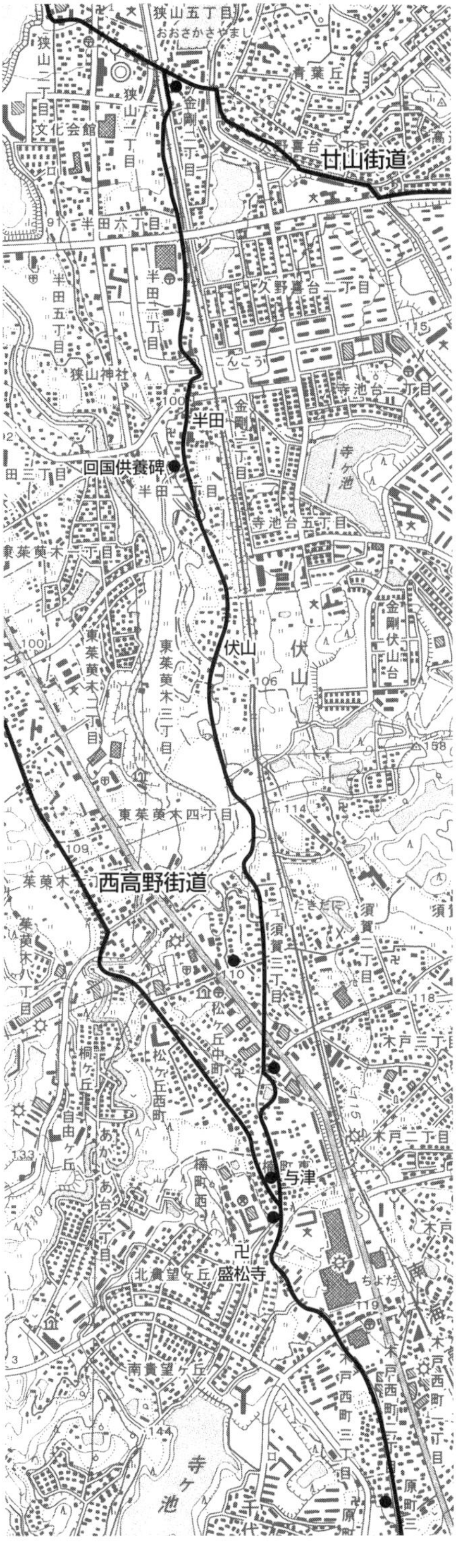

地図22　狭山から楠町へ

（写真83）。左へ東除川《ひがしよけがわ》に架かる狭山橋を渡ると、報恩寺前の府道交差点に出る。報恩寺は藩主北条家の位牌を祀る回向所。寺の前には堺の神南辺道心が天保十一（一八四〇）年に建てた「こい／さか／子安地蔵尊　是より一丁」の標石が立つ。

文久三（一八六三）年八月十六日、堺に上陸した天誅組は、この報恩寺に入り、土佐の吉村寅太郎が軍使として、狭山藩陣屋に赴き、前藩主で隠居の北条氏燕《うじよし》への面会と義挙への参加を求めた。驚愕した狭山藩では隠居は病として面会を断り、甲冑と銃、米塩若干を差し出し、天子御親征の際には、何時なりとも挙兵に加わる旨を回答して要求を逃れた。その後、幕命により天誅組追討に狭山藩も出兵を強いられ、大坂警固や戊辰戦争の軍費などで逼迫していた藩財政は破綻した。明治二年に最後の藩主、北条氏恭《ほうじょううじゆき》は藩知事を辞任、廃藩置県を待たずに狭山藩は堺県に編入された。

南海電鉄の大阪狭山市駅（もと狭山遊園前駅）までは北側が池尻村で狭山新町、南側は半田村で半田新町と呼ばれ、狭山池を管理する樋役人の屋敷三十軒があったという。駅南の踏切を越えたところにある自転車店横には文化二（一八〇五）年の太神宮燈籠と地蔵堂、二基の道標があり、自然石のものには「右　かうや／左　よしの／道」とし、尖頭角柱のものは摩滅が著しいが、「左　たきたにミち／こんごう山」とあるようだ。ここが、甘山《つづやま》、錦織、

写真 83　下高野街道との合流地点

写真 82　菅生神社の鳥居と道標

写真 86　楠町の道標地蔵

写真 85　須賀の道標地蔵

写真 84　かうやみちを指す
半田の回国供養碑

滝谷、水越峠に向かう「廿山街道」との分岐になる。

狭山から楠町へ

線路沿いに南へ行き、次の踏切を渡り、線路の西側を南下し、府道202号森屋狭山線の高架をくぐり、さらに南下すると、南海高野線金剛駅西口に出る。駅前を南へ半田に入る。「伊勢両宮常夜燈」とする太神宮燈籠があるが、年号は不明、集落の南端にある風輪寺の先に安永八（一七七九）年の六十六部回国供養碑が道際にあり、側面に「左　かうやみち」とする（写真84）。ここは右の坂を下らず、「道教え」に従って左へ進む。道は富田林市に入る。伏山《ふしやま》町はかつての「伏山新田」、南海電鉄に沿って丘陵上を行く。安楽寺前には寛政三（一七九一）年の西国三十三所供養の宝篋印塔二基と天明五（一七八五）年の太神宮燈籠が立っている。集落の南端から急坂を下る。坂の途中に地蔵堂があり、寛政九（一七九七）年銘の地蔵石仏が祀られている。

坂を下り着いて、新しい住宅地の中を進む。街道は失われており、住宅地の南端にある東茱萸木第八公園の手前、送電線鉄塔のあるところから左上の住宅地へとつづく階段を上る。住宅地を南に出て、地域生活総合支援センター「ワークくみの木」の東側を南海高野線と並行して南下する。府道38号富田林和泉大津線と交差すると、河内長野市須賀に入る。交差点から西へ行ったところにある智恵地蔵は光背に「右　かうや道」「左　たき谷ふどう」とする「道標地蔵」であり、中高野街道と府道との交差点にもとあったものらしい（写真85）。

国道310号線を越えると、坂道となり、左手の池の土手跡に「右　かうやミち」「左　市村新田」とする「道標地蔵」がある（写真86）。旧街道はこの堤の東側に通じていたという。池は埋め立てられ駐車場になっており、西側には河内日の丸講の大峯三十三度供養碑や地蔵堂がある。坂を上ると右手が春日神社、左手に松ヶ丘公民館があり、道は「西高野街道」と合流する。

四　下高野街道――四天王寺を出発

下高野街道は天王寺から南に進み、北田辺村、南田辺村を通り、矢田部村で大和川を渡る。天美《あまみ》から西除川沿いに進み、布忍《ぬのせ》で「長尾街道」、野遠《のとお》で「竹内街道」と交差し、狭山で「中高野街道」あるいは「西高野街道」に合流する。起点は四天王寺で、まず田辺に向かうのだが、四天王寺から田辺までの間は四天王寺の南にある庚申堂への参詣道である「庚申街道」と呼ばれる道と明治二十五年に拡張整備され、「下高野街道」と名付けられた「田辺道」がある。二つの道は山阪神社前（大阪府大阪市東住吉区山坂）で合流する。大阪市内は区画整理が実施されて旧街道が残っていない箇所も多い。

天王寺から田辺へ

四天王寺の石神堂（牛王尊《ごおう》）の南側に天保二（一八三一）年の折損修復された道標が保存されている。この碑は上部に僧形合掌坐像を彫った先祖代々三界萬霊供養碑で、「南　右　庚申堂　住吉　堺　あまの　高野山／北　左生玉　高津　天満天神　八軒家　京　道」「東　右　平野　藤井寺　道明寺　たまて／おぐろ　壷井　通法寺　古ん多　上太子」「右　道頓堀　木津川／阿弥陀池　安治川」と詳しく行き先を刻している。示す地名と方向から本来は四天王寺の南門前の東南に立っていたものとみられ、四天王寺から高野山へはまず南へ庚申堂方向に進むことがわかる。

四天王寺南門の南、約三〇〇メートルにある庚申堂は諸国庚申の本寺とされ、庚申の日には参詣者が多い（写真87）。庚申堂の南にある「清水地蔵」から東へ約一〇〇メートル行った角には「これよ里右　たな邊／者《は》うらくし

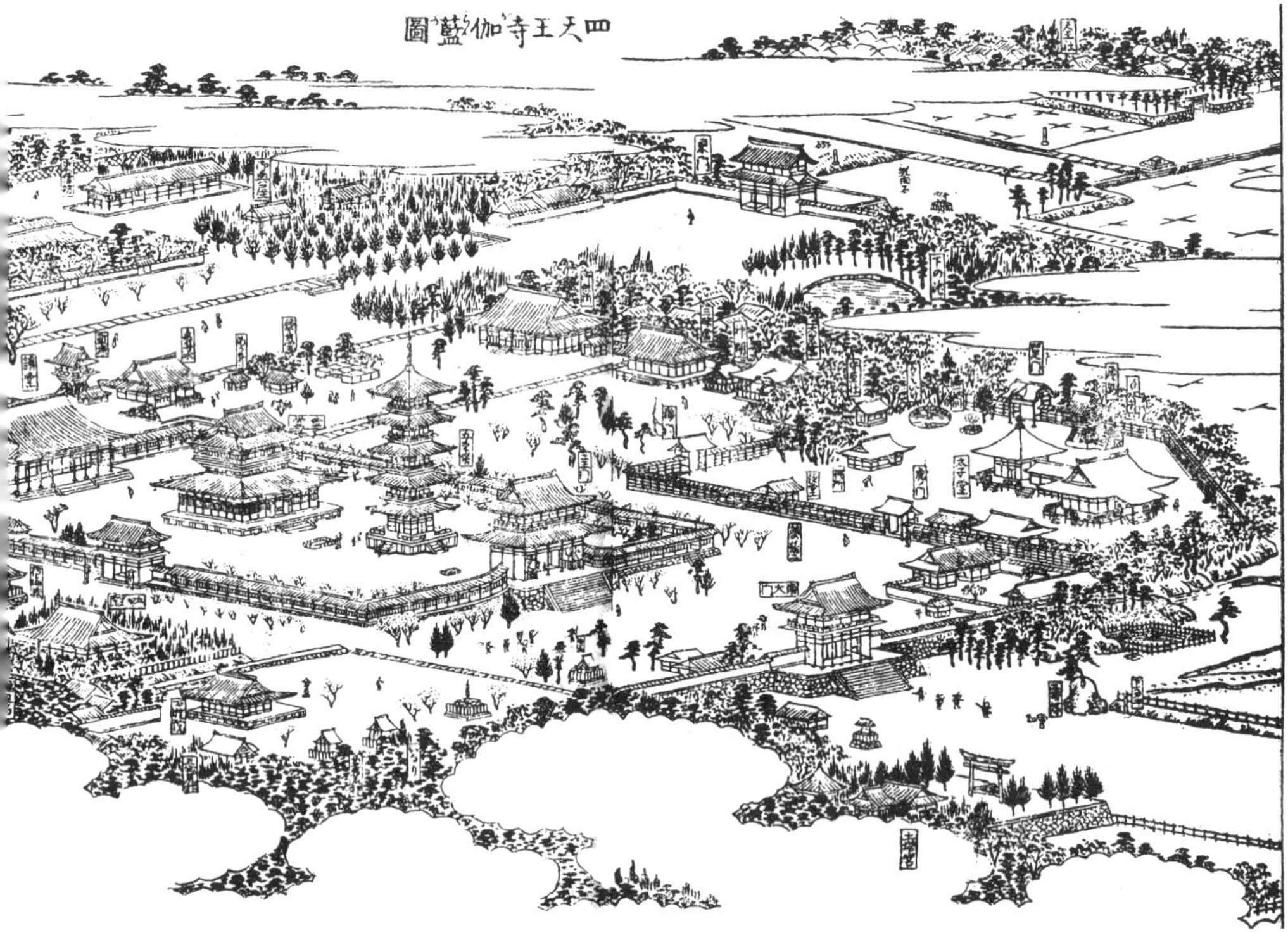

図 15　四天王寺伽藍（『摂津名所図会』寛政 10 年）

みち」とする道標があり、街道は、ここから南へ田辺、法楽寺へと進むことがわかる（写真88）。また、南に進むと、「お歯黒地蔵」という地蔵堂があり、堂内には「右　かうや　さやま／左ハ　ふしいてら」と下部に彫った僧形合掌坐像碑が祀られている。もとは道標のある角にあったのであろう（写真89）。先に進むと、西下胃腸病院の角には安政四（一八五七）年の地蔵立像を彫った「法界」供養碑が立っている（写真90）。碑の側面には「右　かうや」とあり、この「庚申街道」が高野道であることを物語っている。道を渡って、直進すると、ＪＲ線、まず阪和線ホームを地下道でくぐり、環状線、大和路線ホームを跨線橋で越え、さらに近鉄阿部野橋駅東口で近鉄線を越える。南下して常盤小学校から阿倍野消防署、あびこ筋を渡り、大阪府立工芸高校（二〇二一年度まで市立）の横を通り、文の里の明浄学院高校の角から南へ出て阪神高速14号松原線をくぐる。工芸高校本館（写真91）はアールヌーボー調の大正十三（一九二四）年の建築で大阪市指定文化財。ドイツのワイマール工芸学校（バウハウス）がモデルだという。このあたりの「文の里」という地名は学校の多い文教地区であったことから、不動産会社が付けたという。公園となっている「桃ヶ池」（写真92）は池の形から「股《もも》ヶ池」の名がついたとみられ、中の島の「おろち塚」は聖徳太子に退治された大蛇をまつるとされる。池の東南、「うどんや風一夜薬」店の西隣にある「神馬塚《しんめ》」（写真93）は住吉大社の神馬を葬った塚、住吉大社の御厩《みうまや》と神馬塚は、北田辺と南田辺にあり、ここは北塚とされ

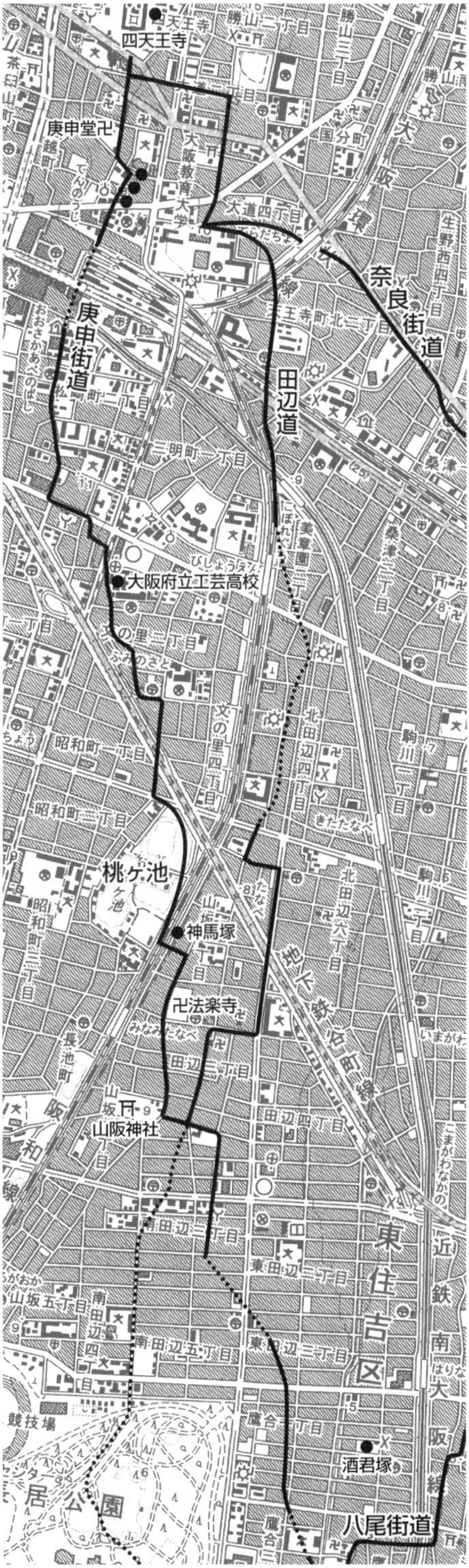

地図23　天王寺から田辺へ

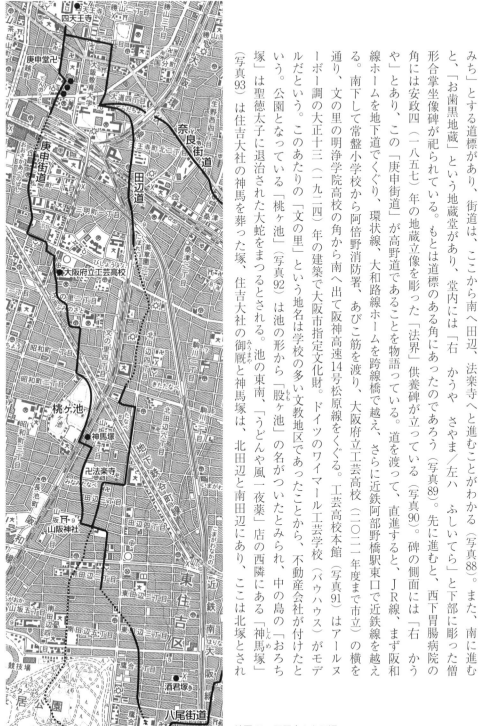

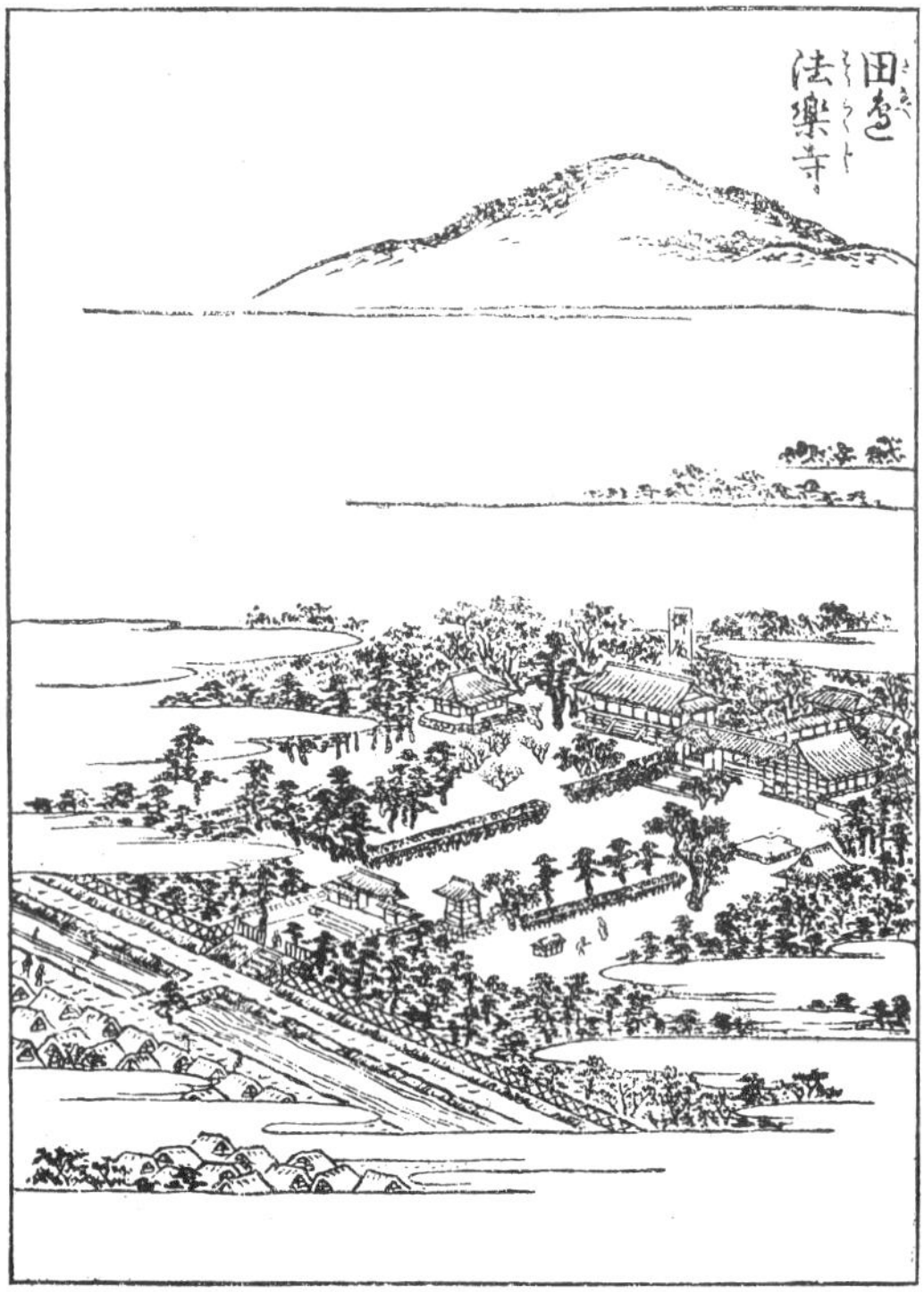

図16　田辺法楽寺（『摂津名所図会』）

る。神馬は「田辺の厩」から大社へ朝夕、「御馬道」を往復し、この白馬を見ると、患《わずら》いが無いとされたという。

さらに南へ進むと、左手に法楽寺がある。街道である法楽寺西側の道は難波宮《なにわのみや》の中軸線の南延長上にあり、天美西の今池浄水場内の発掘調査で発見された「難波大道《なにわだいどう》」につながる可能性が考えられている。法楽寺は小松大臣平重盛《たいらのしげもり》の開創と伝え、「田辺のお不動さん」として親しまれる。江戸時代の高僧、高貴寺の慈雲尊者（一七一八―一八〇四年）が得度、出家した寺としても知られる。平成八（一九九六）年に三重塔が鎌倉様式で建立されている。

さらに南へ行くと、山阪神社（江戸時代までは山坂神社）がある（写真94）。田辺宿禰《たなべのすくね》が祖神の天穂日命を祀ったのが起源とされ、丘状の境内は古墳とも見られる。『三代実録』の貞観四（八六二）年に「摂津国正六位上田辺東神、田辺西神並授従五位下」とあり、神階が昇叙された田辺西神が山阪神社、田辺東神は中野の中井神社とみられている。神社には相撲の祖とされる野見宿禰も祀られ、村相撲も盛んで、境内には村の若い衆が体を鍛えた「力石」が五個も残る。その縁もあってか、山阪神社は現在も大相撲大阪場所では九重部屋の宿舎になっている。

田辺から布忍《ぬのせ》、狭山へ

山阪神社から東へ行くと、左に南田辺本通商店街がある。この道が「田辺道」で、ここで「庚申街道」と「田辺道」が合流する。「田辺道」は河堀口《こぼれぐち》を出た奈良街道（亀瀬越道・立野越・竜田越）からすぐに南へ分岐、寺田町駅西南から国道25号線を越え、JR阪和線の東に沿って南下するが、美章園駅からは区画整理で旧道は失われており、府道26号長居公園東筋あたりを南下し、田辺小学校から西へ入り、南田辺本通商店街につながっていたとみられている。このあたりから矢田までも街道は残っていない。

鷹合《たかあい》は古代の摂津国住吉郡鷹合郷。『日本書紀』には、仁徳天皇に献上された鷹を酒君《さけのきみ》が飼い慣し、「鷹甘部《たかかいべ》」「鷹甘邑《たかかいむら》」を定めたという記事があり、この鷹飼（鷹甘）が鷹合になったとされる。鷹合二丁目の酒君《さけきみ》公園にある酒君塚はこの酒君の墓とされるが、発掘調査によって、出土した埴輪から築造時期は四世紀末とみられる我孫子台地にある田辺古墳群では最も古い古墳であることが明らかになっている（写真95）。

長居公園通り（国道479号線）が摂津と河内の国境、「境道」あるいは「八尾街道」とも呼ばれる。この道が古代の住吉津を起点とする「磯歯津路《しはつのみち》」とみられている。道の南は河内国丹北郡、矢田からは明治に拡幅整備された「下高野街道」（もとの大阪府道26号大阪狭山線）を行くと、大和川の下高野橋に至る。江戸時代は現在の橋の下流に渡し場があり、「天岸《あまぎし》の渡し」と呼ばれたという（写真96）。

大和川の南、「天美丘《あまみおか》」に祀られる阿麻美許曾《あまみこそ》神社（写真97）の所在地は大阪市東住吉区矢田、中高野街道の瓜破村と同じく宝永元（一七〇四）年の大和川開削によって、ここでは、矢田村が川によって分断され、矢田村の産

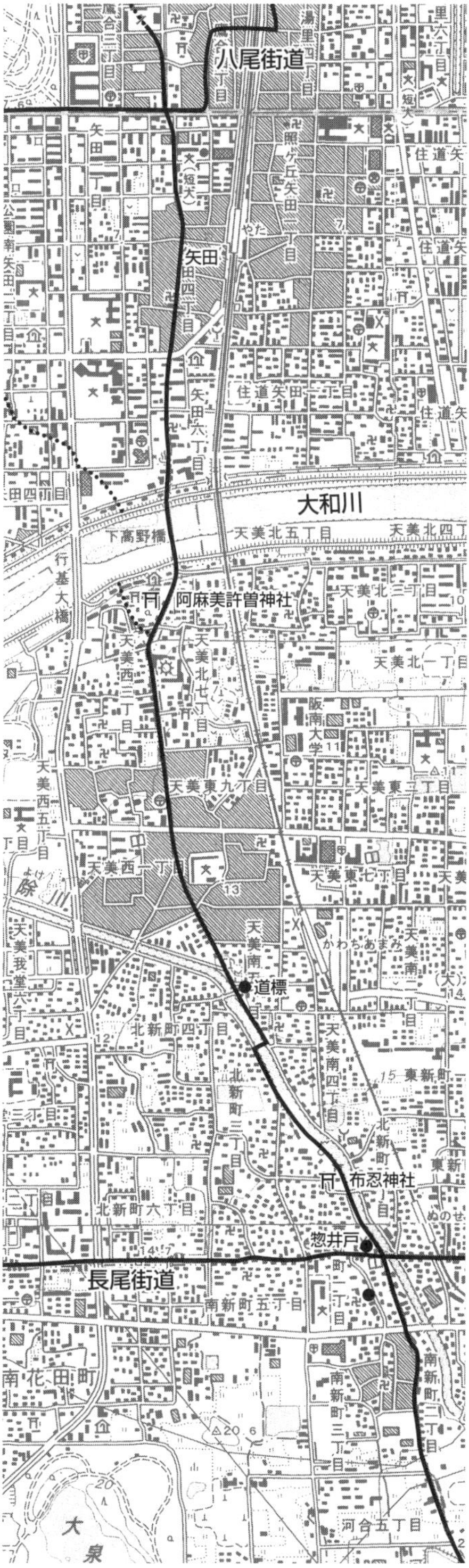

地図24　田辺から布忍へ

写真 87　庚申堂

写真 88　北河堀 庚申街道の道標

写真 89　お歯黒地蔵（道標地蔵）

写真 90　北河堀法界碑道標

写真 91　工芸高校本館

写真 92　桃ヶ池

写真 93　田辺神馬塚

写真 94　山阪神社

写真 95　酒君塚古墳

写真 96　大和川に架かる下高野橋

土神であった神社の周囲と西除川《にしよけがわ》の西堤を行く参道でもあった下高野街道が大阪市として、細長く松原市域に食い込むような形になっている。神社は『延喜式』神名帳に記載される式内社で、「阿麻岐志《あまぎし》の宮」とも呼ばれ、氏子域が旧矢田村（矢田部村・枯木村・富田新田）、と旧天美村（城蓮寺村・池内村・芝村・油上村）であったことから「七郷の宮」とも呼ばれた。祭神は素戔鳴尊、天児屋根命、事代主命であるが、凡河内国造《おおしこうちのくにのみやつこ》の祖あるは中臣氏の祖であったとみる説もある。本殿は「阿麻美造《あまみづくり》」と呼ばれる独特のもので、境内には大阪市の保護樹林である楠の巨木群がある。また、奈良時代の僧、行基が住んだという伝えもあり、境内に「行基菩薩安住之地」の石碑が立っている。

「天美北七」の交差点から南下して行くと、街道沿いに昭和四十一（一九六六）年にできたという関西出雲大社久多美神社の大鳥居がある。さらに南下すると、右へ府道１８７号が分かれ、左手の天美商店街入口角に下高野街道の表示板があり、上部に地蔵尊を彫った「右　志き山　八尾　ひらの　三宅□／左　大坂　天王寺　あま岸□」とする「道標地蔵」が立っている。背面には「すぐ　高野山　狭山道」とある（写真98）。高木橋で西除川を渡り、街道は西岸を行く。もと街道の東側を流れていた西除川が大和川の開削によって、付け替えられ、街道を横断することとなったためだが、明治以後は川の東岸をそのまま南へ行き、布忍《ぬのせ》橋で西へ渡っていたという。

西岸を行くと、布忍神社がある（写真99）。布忍は古代の「布忍首《ぬのせのおびと》」の名も知られ、古くからの地名で、西除川の「布瀬」が地名の起源であった可能性もあるが、「天美丘（天見岡）」から阿麻美許曾の神を迎える際、白布を敷いて迎え、「ぬのしき」が「ぬのせ」となり、村名も「向井《むかい》村」となったと言われている。本殿は一間社流造《ながれづくり》、桃山様式を残す美しい江戸初期の建築で、大阪府指定文化財。素戔鳴命《すさのおのみこと》（牛頭天王《ごずてんのう》）を祭神とするため、本殿の蛙《かえる》股《また》には、その本地仏である薬師如来を表す梵字（バイ）が彫刻されている。神社の西南には、平安時代に永興禅師が創建した永興寺《ようこうじ》があり、布忍寺と呼ばれたという。明治六（一八七三）年に神仏分離で廃寺となり、本尊であった平安時代後期の十一面観音立像は宮橋の東にある大林寺に遷されている。また、神社拝殿には宝永二（一七〇五）年に奉納された「布忍八景」の扁額（松原市指定文化財）がある。布忍八景は宮裏白梅、孤村夕照、野塘春日、平田秋月、南山残雪、西海晩望、竹林黄雀、籠池白鴎とされる。近年は「恋みくじ」で知られ、若い女性の参拝が多い。

街道は布忍橋で堺から藤井寺、国分を経て大和へ通じる東西路、「長尾街道」と交差する。橋の東詰めには茶屋が並んでいたという。西詰めにある松原市新町公民館には西除川の西堤にあった惣井戸の井戸側（寛政八＝一七九六年）が保存されている（写真100）。南新町は江戸時代の皿池村。街道の西にある教通寺横に祀られている享保十三（一七二八）年の地蔵石仏は「是ヨリ南　かうや道　東　なら　婦じい寺」と刻しており、長尾街道との交差点にもとあったとみられる（写真101）。大阪府道12号堺大和高田線を横断し、「蓮如上人御舊跡」の標石が立つ稱名寺の前を通って、南へ進むと、丹北郡《たんぼくぐん》から八上郡《やかみぐん》に入る。

街道は尻池と古池の間を通る。池の北側には不動明王を祀る小堂がある。池を過ぎると、堺市北区野遠町。野遠で街道は東に折れ、八坂神社、西教寺の前を通り、南へ折れ、「竹内街道」（府道31号堺羽曳野線）と交差する。大阪中央環状線（府道2号）を横断すると、堺市東区八下《やしも》町。南へ進むと、もと美原町であった堺市美原区小寺《こでら》となる。

小寺は天平神護元（七六五）年、称徳天皇の紀伊行幸の帰途に用いられた「丹比行宮《たぢひのあんぐう》」の地であったともいう。

街道は東へ折れ、小寺の集落に入る。小寺の地区の集会所の横にある菅原神社は明治四十（一九〇七）年に金岡神

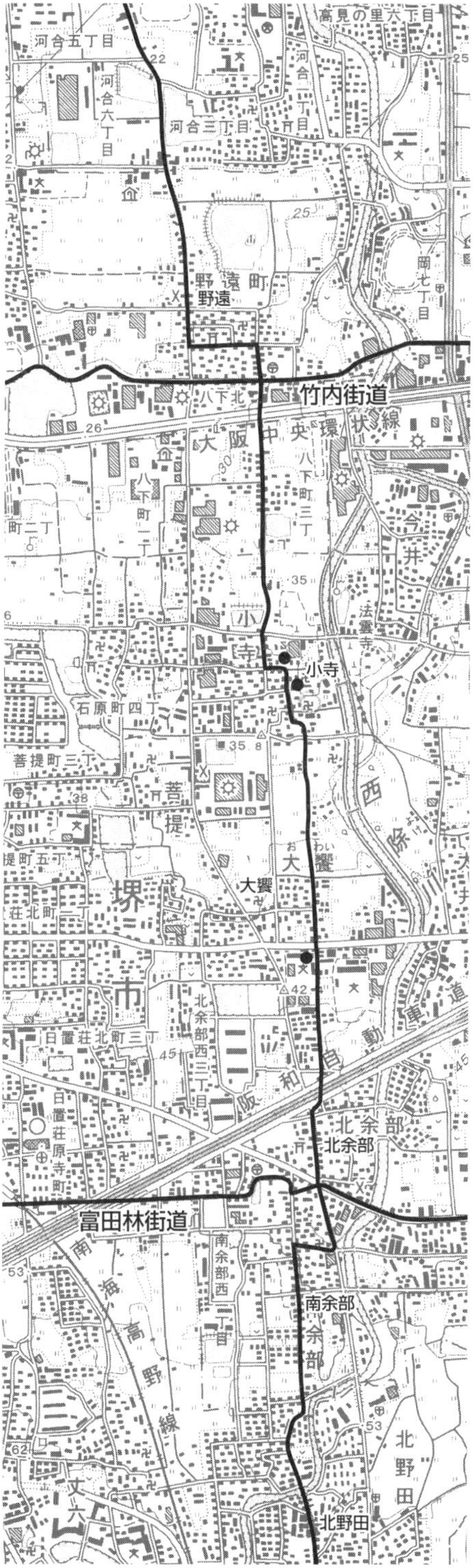

地図25　布忍から北野田へ

社に合祀されたが、再興されており、その前に天保九（一八三八）年の「右／かうや／大ミ祢／道」「左　大さか／天王寺／道」「すく／富田林／ふじゐ寺／道」とする道標が立っている（写真102）。南へ行くと西方寺の門脇に地蔵堂があり、「西　さかい／北　大坂／みち」「東　ふしいてら　いまい／南　かうや／みち」とする「道標地蔵」が祀られている。紀州の緑色片岩製の地蔵石仏もあり、堂前には安永二（一七七三）年の木製火袋を失った「太神宮夜燈」の竿も立っている。

小寺の南は大饗《おわい》、天平神護元年の行幸に際して催された「饗宴の地」だという。楠木正成《くすのきまさしげ》の三男楠木正儀《くすのきまさのり》の子孫、大饗《おおあえ》氏の本拠とされ、集落の西にある城岸寺の境内は楠木氏一族の和田氏の居城跡とされる。八上小学校の北側で交差する大阪府道190号西藤井寺線は日置荘《ひきしょう》から多治井へ通じる道で、校地の東北角の地蔵堂には「西　さかい／北　大坂／ひがしふじいてら／みち」「西　いつミ／南　かうや／みち」とする「地蔵道標」が祀られている（写真103）。さらに南へ進み、阪和自動車道をくぐり、北余部《あまべ》からは丹南郡《たんなんぐん》となる。ここから府道35号堺富田林線の交差点までは府道26号大阪狭山線となる。35号堺富田林線は「富田林街道」、中高野街道の舟戸から喜志、富田林へとつながる。交差点から地蔵堂のある旧道に入り、南余部を南下すると、左手に西除川に近づき、野田橋で西除川を渡る。

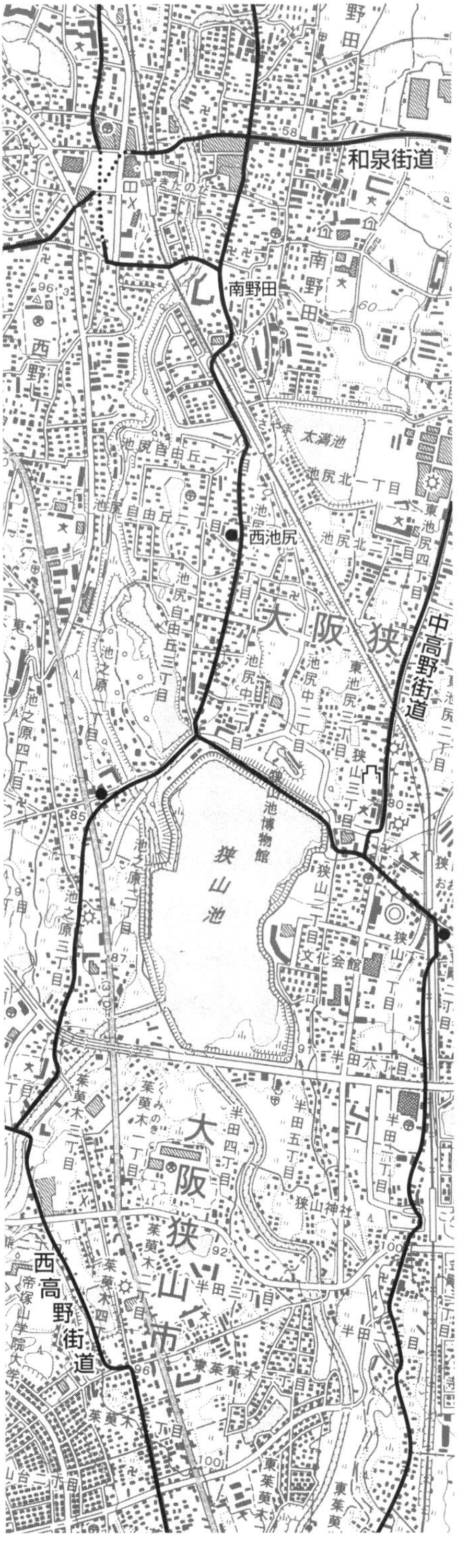

地図26　狭山池北で中高野街道と合流

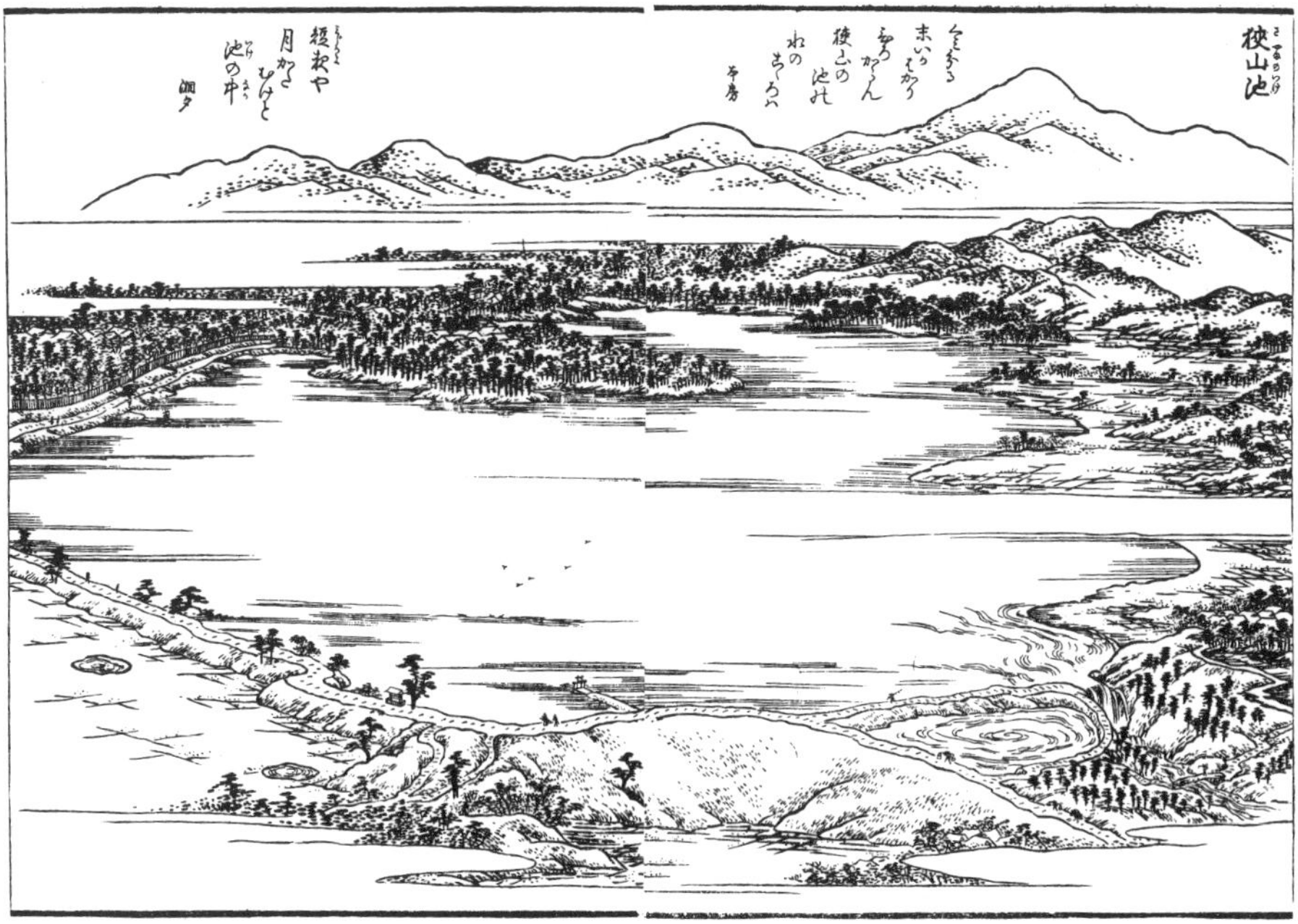

図17　狭山池（『河内名所図会』）

右手に北野田駅前の高層マンションが見える。交差する府道36号大津美原線は「和泉街道」で、和泉からの伊勢参りにも用いられた。南野田の街道沿いには野田城の城内に祀られていたという牛頭《ごず》天王《てんのう》社があり、役行者堂、大悲寺がある。野田城は南北朝時代に野田庄の地頭で、楠木方の武将であった野田氏の居城、西除川の西岸にあった。道は南海高野線に突き当たり、踏切を渡り、府道26号大阪狭山線を東へ進むと、大阪狭山市に入り、南海狭山駅前に出る。駅前の東端から南へ行くゆるやかな坂道、府道26号が旧街道である。

西池尻の集落に入り、家並の中ほどにある地蔵堂には享保十四（一七二九）年の「右　大さか」「左　かうや」とする「道標地蔵」が祀られている（写真104）。府道２０３号富田林狭山線を横断して南へ進む。集落の東の「古城」の高台は南北朝時代に河内の主戦場ともなった池尻城跡である。道は狭山池北の交差点に出る。目の前の狭山池の堤防に上り、堤を東へ行けば、東除川の狭山橋で「中高野街道」と合流する（写真105）。

狭山池は七世紀初めに築造された日本最古のダム式の溜池、奈良時代に行基、鎌倉時代に重源、江戸時代初期に片桐且元が修築している。満水面積三六ヘクタール、貯水量二八〇立方メートルの巨大な池で、その湛水、灌漑機能は

写真98　天美の道標

写真 97　阿麻美許曽神社

写真 99　布忍神社

写真 101　皿池の道標地蔵

写真102　小寺の道標

写真 100　惣井戸の井戸側（長尾街道との交差地点）

写真103　大饗の道標地蔵

写真104　狭山池尻の道標地蔵

写真106　狭山池

写真105　中高野街道との合流地点

千四百年維持継承されており、日本古来の土木技術史を理解する上でも重要であることから国の史跡にも指定されている（写真106）。北堤横には大阪府立狭山池博物館があるので、見学したい。

狭山池からは西高野街道へつながる道もあったようで、狭山池西交差点を西へ入り、西除川を渡り、左へ細い道を上ると、右手に文政十一（一八二八）年の「右　さかい」「左　妙見」とする「道標地蔵」がある。「妙見」は「富蔵の妙見さん」、妙見山感応寺（堺市南区富蔵）で「高野山」は示していない。国道３１０号線の西側の牛乳店から南へ通じる道に入り、池之原を通り、府道２０２号森屋狭山線を横断し、大阪狭山市立西小学校から三津屋川沿いに行くと、「尾張坂」下の「牛滝地蔵堂」、ここで「西高野街道」と合流する。

五　高野街道――長野から橋本へ

長野から天見へ

大阪からの下高野街道と平野からの中高野街道を合せた西高野街道は長野で東高野街道と合流し、長野からはひとつの高野街道となって、紀見峠を越えて高野山へと向かう（54頁地図14参照）。

保元三（一一五八）年に亡母の納骨のため、高野山に参詣した藤原忠雅、藤原（中山）忠親兄弟は『山槐記』によると、往路は「長野の田屋」で食事をとり、帰路は宿泊している。また後宇多法皇の正和二（一三一三）年の高野御幸では四天王寺を出発、住江《すみのえ》を経て、「木屋堂御所」で休息していることが知られ、中世に「木屋堂《こやどう》」とも呼ばれた「長野」が高野街道の重要な中間地点であったことがわかる。

河内長野駅前から南に入ると、長野町。街道に面した吹屋吉年家が江戸時代の豪商の風格を残している（写真107）。吉年家のクスノキは市天然記念物。長野神社は「木屋堂《こやど》の宮」と呼ばれ、天文十二（一五四三）年頃の造営とみられる本殿は重要文化財に指定される。境内のカヤの木は大阪府指定天然記念物。西へ坂を下ると、「天野酒《あまのざけ》」の醸造元、西條合資会社の前に出る。享保三（一七一八）年創業という造り酒屋である。天野酒は天野山金剛寺の僧房酒に由来し、太閤秀吉が愛飲したという名酒、街道の両側に店と酒蔵が並ぶ。「サカミセ」と呼ばれる店舗は間口一一間、幕末から明治の建物で、登録文化財になっている（写真108）。この付近は「市場」と呼ばれ、賑わったという。

「別久坂《びっく》（びっくり坂）」と呼ばれる急坂を上り、国道371号線を横切り、烏帽子形山（標高一八二メートル）の東山麓を進む。山頂は烏帽子形城跡で、烏帽子形公園となっている。楠木正成が築城した楠木七城のひとつともさ

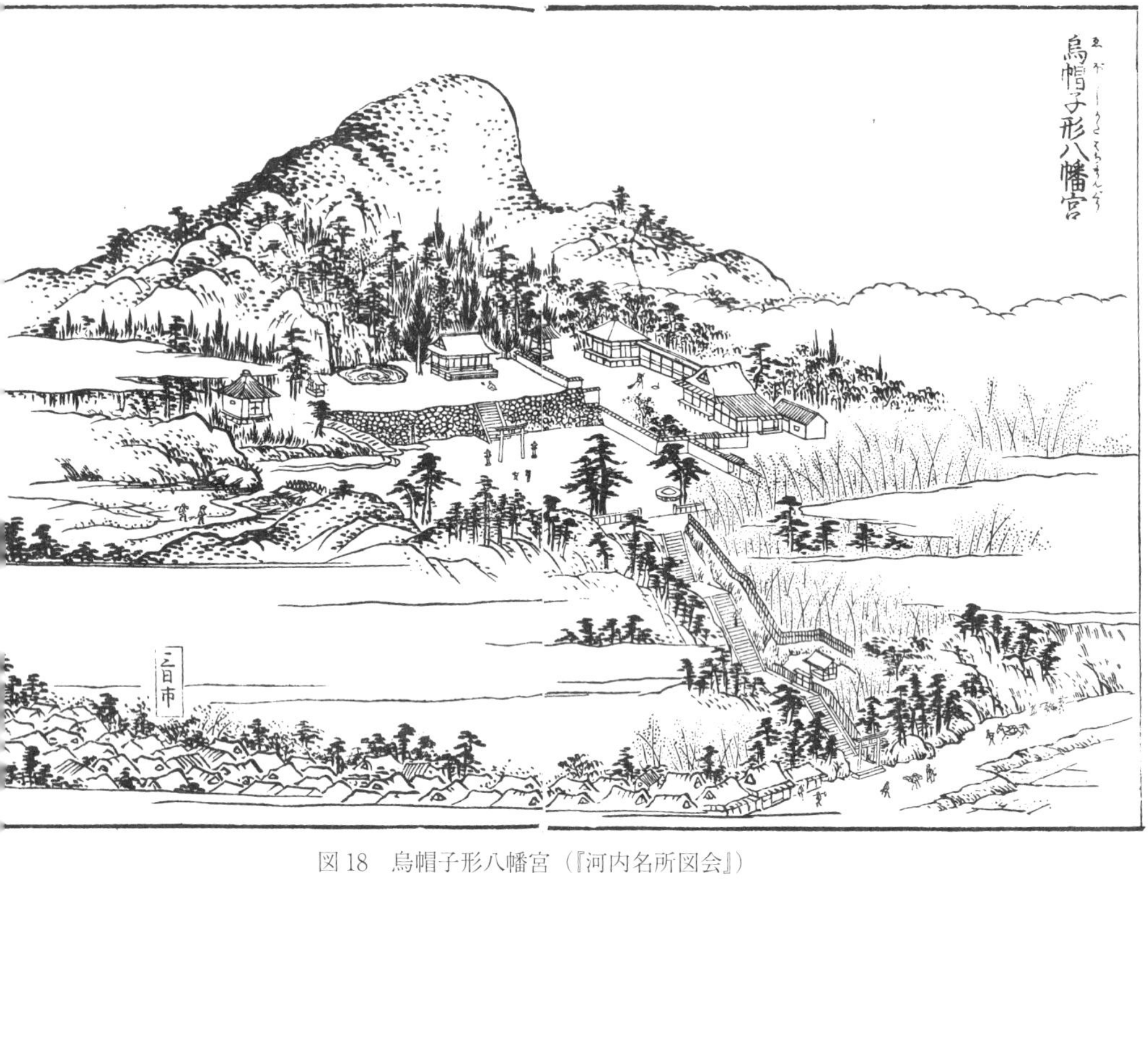

図 18　烏帽子形八幡宮（『河内名所図会』）

れるが、応仁の乱以後は河内守護の畠山氏の持城となり、畠山氏の内紛では争奪がくり広げられた。高野街道を押さえる要地にあり、天正十二（一五八四）年に豊臣秀吉の紀州攻めの拠点として改修され、城郭の遺構が良く残り、国の史跡に指定されている。古墳時代後期（六世紀後半）の横穴式石室をもつ円墳、烏帽子形古墳が城跡の東にある。中腹にある烏帽子形八幡神社本殿は文明十二（一四八〇）年の建築で重要文化財に指定されている（写真109）。

街道を南へ進むと、右手に「右／さかい／大坂／道」「左　いづみ」とする道標が立っており、道をはさんで「堂ノ辻地蔵（おむすび地蔵）」と呼ばれている地蔵堂があって、「地蔵の辻」と呼ばれている。天野から和泉につながる和泉道（大津街道）との分岐で、ここに三のつく日に市が立ったのが「三日市」の起源だという。

上田町の増福寺は三日市宿の北口にあって、高札場があり、正徳元（一七一一）年の「忠孝札」と「駄賃札」（実物は市指定文化財）が復元されている。三日市幼稚園前の坂を下ると、国道170号線。国道の歩道橋を渡り、坂を下り、右折して行くと、左手に旧三日市交番がある。大正十（一九二一）年の建築で市指定文化財。現在は観光案内所になっている。加賀田川に架かる中橋を渡ると、「三日市宿」。三日市は紀見峠手前の宿場として賑わい、旅籠、問屋、遊郭などが軒を連ねたという。『西国三十三所名所図会』（嘉永六＝一八五三年）には「三日市驛」として高野や大峰参詣の道者の袖を引く旅籠の留女《とめおんな》を描いている。右手に昭和五十（一九七五）年代まで営業していた

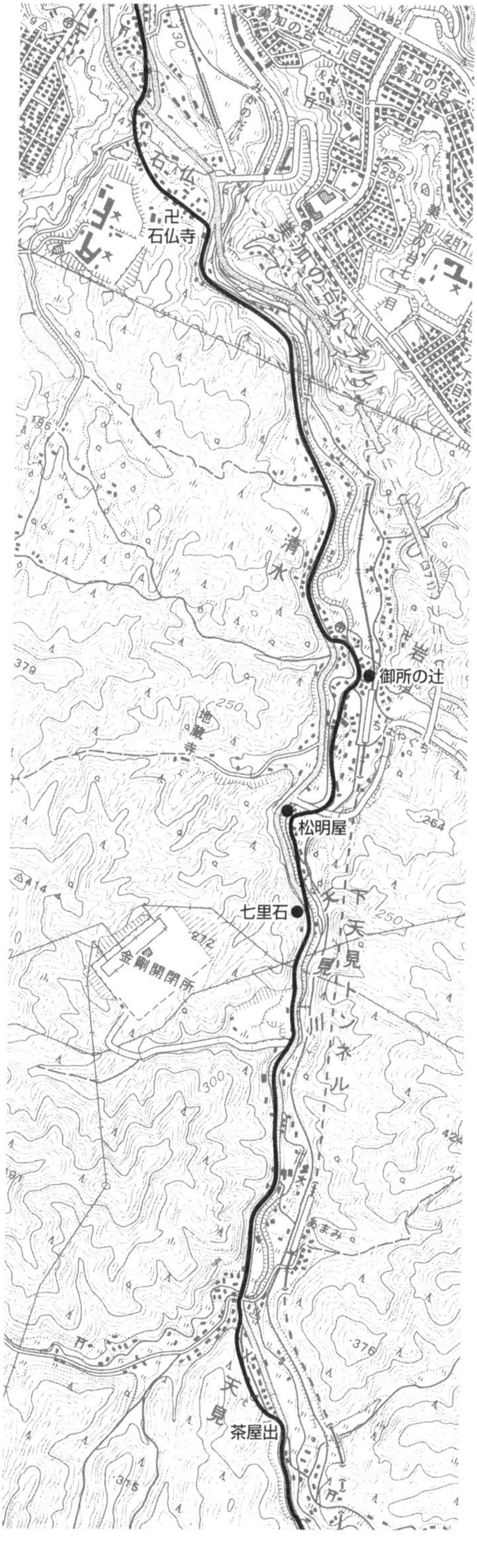

地図27　長野から天見へ

写真 107　長野の吹屋吉年家とクスノキ

写真 108　天野酒の醸造元

写真 109　烏帽子形八幡神社

写真 111　高野山女人堂八里石

写真 110　三日市

写真 112　岩瀬の道標地蔵

写真 113　岩瀬の道標と太神宮燈籠

図19　三日市（『西国三十三所名所図会』嘉永６年）

本陣の油屋跡。高野山の御用宿で、もと油絞りに用いた水車が庭にあり、名物となっていた。文久三（一八六三）年八月十七日の夜明け前に三日市に入った天誅組はこの油屋で休息、観心寺の後村上天皇陵、楠木正成の首塚に参詣後、千早越えで大和に入り、その日の夕刻、大和五條代官所を襲撃した。街道左手の八木家はもと木綿問屋で、後には造り酒屋であったという（写真110）。府道２０９号に出たあたりは、片屋という旅籠があった「片屋の辻」。竿に「弘法大師」、基礎に「夜燈」と刻した明和七（一七七〇）年の燈籠が立つ。南海電鉄三日市駅前は「三日市北遺跡」と呼ばれる弥生時代中期の集落遺跡である。駅前再開発に伴う発掘調査では搬入土器とみられる生駒山西麓（中河内）に特徴的な褐色（チョコレート色）の弥生土器が大量に見つかっており、高野街道に沿った人や物の動きが弥生時代からあったことをものがたっている。

駅前から南へ進み、石見川に架かる新高野橋手前に「西　是ヨリ　高野山女人堂江八里」「南　南無大師遍照金剛／従是北三日市宿」とする安政四（一八五七）年の里程石が立っている（写真111）。

南海電鉄高野線沿いに進むと、国道３７１号線に出る。新町橋を渡ると、「新町の庚申堂」がある。地蔵寺という寺だが、江戸時代に四天王寺の庚申堂から勧請した庚申を祀るようになり、河内第一の庚申堂として「一国一宇庚申堂」とされる。

　国道から離れ、右手の坂道を上るのが、旧道。国道に架かる歩道橋を渡って行くと、石仏寺《いしぼとけじ》（曼荼羅山阿弥陀寺）がある。弘法大師作とされる本尊の阿弥陀如来石仏が信仰を集めた。石仏寺から下る急坂は「鳥居坂」と呼ばれ、高野街道の難所のひとつであったという。坂を下って、石仏南の交差点で国道３７１号線に出る。清水からは両側に山が迫ってくる。「清水」の地名は弘法大師が杖をついて湧き出させたという「清水の井戸」がその起りだという。国道沿いに文政二（一八一九）年の清水の太神宮燈籠があり、天見郵便局から左折して天見川を渡る。右折して、最初の辻が岩瀬の「御所の辻」。正平九（一三五四）年に後村上天皇が大和賀名生《あのう》から天野山金剛寺へ遷られる時、一夜を過ごされた地だと伝え、古くから高野街道の休息地として知られる。地蔵堂があり、傍らに「右　かうや　くまのミち」とする元文六（一七四一）年の「道標地蔵」がある（写真112）。地蔵堂の先には明和九（一七七二）年の太神宮燈籠と「右　かうや」「左　かうんこうせみち」とする自然石の道標（写真113）があり、右へ千早口の集落に入る。南河内グリーンロードの高架をくぐると、右手に「松明屋《たいまつや》」の御堂がある（写真114）。弘法大師がこの地で夜をあかした時、火をつけた松明を突き立てておいたところ、松明から根が生え、松の大木になったという。また、村人が粽《ちまき》を大師に差し上げたところ、たいへん喜ばれ、この堂に供えられた粽をいただくと万病が治るという。「弘法大師　おたいまつの木」はすでに無く、堂の縁に松の幹が置かれている。さらに進むと、道は天見川を渡り、国道３７１号線に合流する。国道は歩道も無く、交通量も多い。二百メートルほど先の電柱脇に安政四年の「高野山女人堂江七里」の里程石が立っている（写真115）。

　天見にある旅館、「天見温泉南天苑」の本館はもと堺大浜にあった温泉旅館「潮湯」別館の建物として大正二（一九一三）年に建てられたもの。設計は辰野金吾、片岡安《かたおかやすし》の辰野片岡設計事務所、大正から昭和初期の料理旅館の姿を良く残しており、登録文化財に登録される。その東側が南海電鉄高野線の天見駅。駅舎は改修されているが、高野登山鉄道時代の面影をとどめている。

天見から紀見峠へ

天見駅から国道に出た「出合の辻」は元弘元（一三三一）年に挙兵した楠木正成が紀伊国の御家人、井上入道を打ち破った古戦場と伝える。国道を渡り、右へ入る細道が旧街道、「茶屋出」で国道371号線に合流。左へ入ると、安明寺、蟹井神社がある。神社の石段には元禄十二（一六九九）年銘があり、石段の寄進銘としては古い。道は徐々に登り坂になる（写真116）。

南海高野線の上り線は大正四（一九一五）年の高野登山鉄道時代の隧道を改修したもの（下り線トンネルは昭和五十三年に開通）。大阪府と和歌山県との府県境である紀見峠（標高四三八メートル）へは国道から右へ紀見峠トンネル開通（昭和四十四年）以前の旧国道をたどる。旧街道は天見川に沿って谷をつめ、紀見トンネル付近から峠まで一気に登っていたという。峠の名は「紀の国が見える」ことに由来し、「紀伊見峠」とも呼ばれた。峠への登りは北側の大阪側は比較的緩やかだが、中央構造線沿いの南側、和歌山側は急峻であるため、眺望が良い。峠からは摩尼山（標高一〇〇四メートル）、楊柳山（標高一〇〇八・五メートル）、転軸山（標高九一五メートル）の高野三山や弁

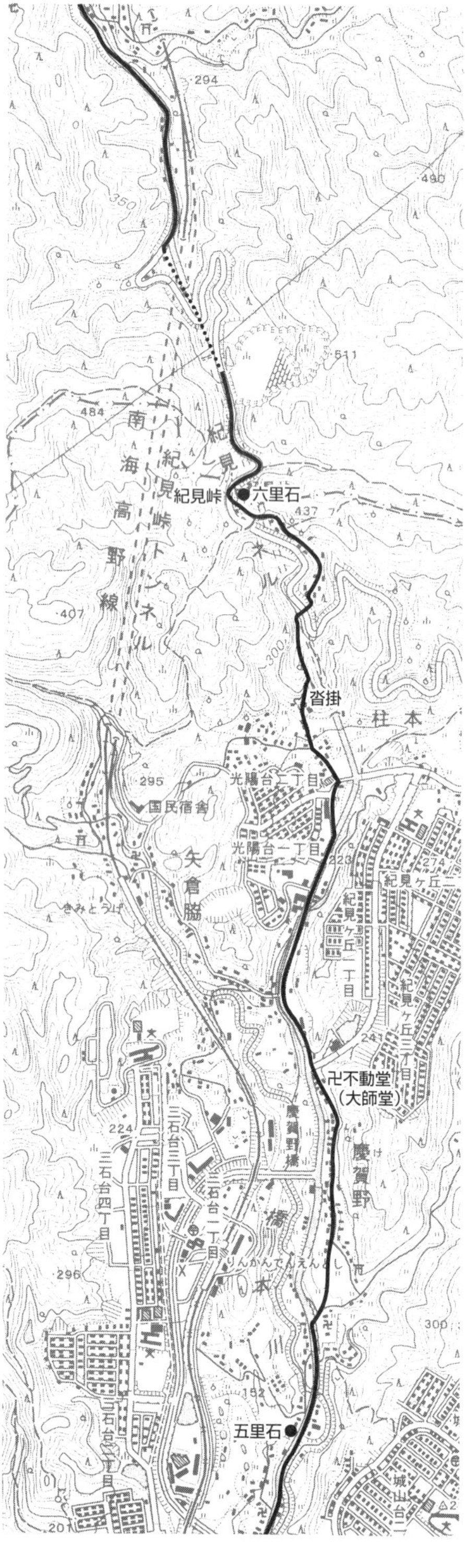

地図28　紀見峠

図20　紀伊見峠（『紀伊国名所図会』文化9年）

天岳（標高九八四・五メートル）など高野の山々が望見できる。高野参詣の旅人は思わずここで手を合わせたのではないだろうか。

峠の紀州側には和歌山藩が慶安元（一六四八）年に伝馬所を設け、大坂屋、虎屋といった旅籠や茶店があり、一日に三百人ほどの泊客があったとされるが、大正四（一九一五）年の高野登山鉄道（現在の南海電鉄高野線）の開通で宿場の役割を終え、六〇軒はあったという民家も徐々に減少していったという。峠から左手に登る道が旧道で、坂の中ほどに安政四年の「高野山女人堂江六里」の里程石が立っている（写真117）。紀州藩の番所もこのあたりにあったという。また、数学者、岡潔《おかきよし》（一九〇一－一九七八年）はここ伊都郡紀見村の出身である。

紀見峠から橋本へ

峠の集落からは柱本を経由するのが、本道であったが、旧国道を横断して「馬転《こか》し坂」と呼ばれる急坂を沓掛へと下る「近道」が多くとられていた。坂を下り着くと、樫の木の下に地蔵が祀られている。沓掛は中山道の沓掛宿（長野県軽井沢町）がよく知られるが、坂道にさしかかる地で、旅人が草鞋や馬の沓を替え、神に旅の平穏を祈ったことに由来すると

写真 114　松明屋の御堂

写真 115　高野山女人堂七里石

写真 116　天見の集落

写真 117　紀見峠の高野山女人堂六里石

写真118　高野山女人堂五里石

写真 119　東家の道標
（大和街道との交差地点）

写真120　渡し場の高野山女人堂四里石

写真 121　渡し場北岸の常夜燈

される。柱本まで下ると、紀見トンネルを出てきた国道371号線に合流し、慶賀野交差点まで、国道をまっすぐに下る。交差点を左に入ると、不動堂（大師堂）があり、大福寺前を下り、国道を横断し、国道の西側を進むと、安政四年の「是より高野山女人堂江五里」の里程石が立っている（写真118）。この碑は自動車が当たったらしく中ほどで折損したものを補修しており、もとは三百メートルほど南に立っていたという。

清恭寺前を過ぎ、橋谷大橋をくぐる手前で国道と分かれ、右手の旧道に入る。高低のある細い道を行くと、「御《み》幸辻《ゆきつじ》」に着く。橋本署御幸辻連絡所前に「日本最初／子安帯解／田和地蔵尊　従是十三丁／高野道　加むろ村へ近道阿リ／易産山地蔵寺」とする子安地蔵寺（橋本市菖蒲谷）への道標が立っている。ここから西へ行くのが中世以前の高野道（御幸道・京路）で、菖蒲谷から出塔、柏原、神野々、伏原、名古曽を通り、向島あるいは名倉から紀ノ川を南へ渡り、高野山政所であった九度山の慈尊院に至る道である。慈尊院からは高野山大門に通じる九度山道（町石道《ちょういしみち》）につながっている。南へ向かう道が江戸時代以降、高野参詣に最も多く利用された京大坂道（不動坂口道）で、橋本、学文路から高野山に通じている。なお、「御幸辻」は南海電鉄の駅名で、「辻」が本来の地名。「高野山開創千百年大法会」が行われた大正四（一九一五）年、高野登山鉄道（現在の南海電鉄）の開通当初の駅名は「高野辻」であったが、大正十二年に御幸辻駅と改称している。橋本まではあと約三キロメートルである。

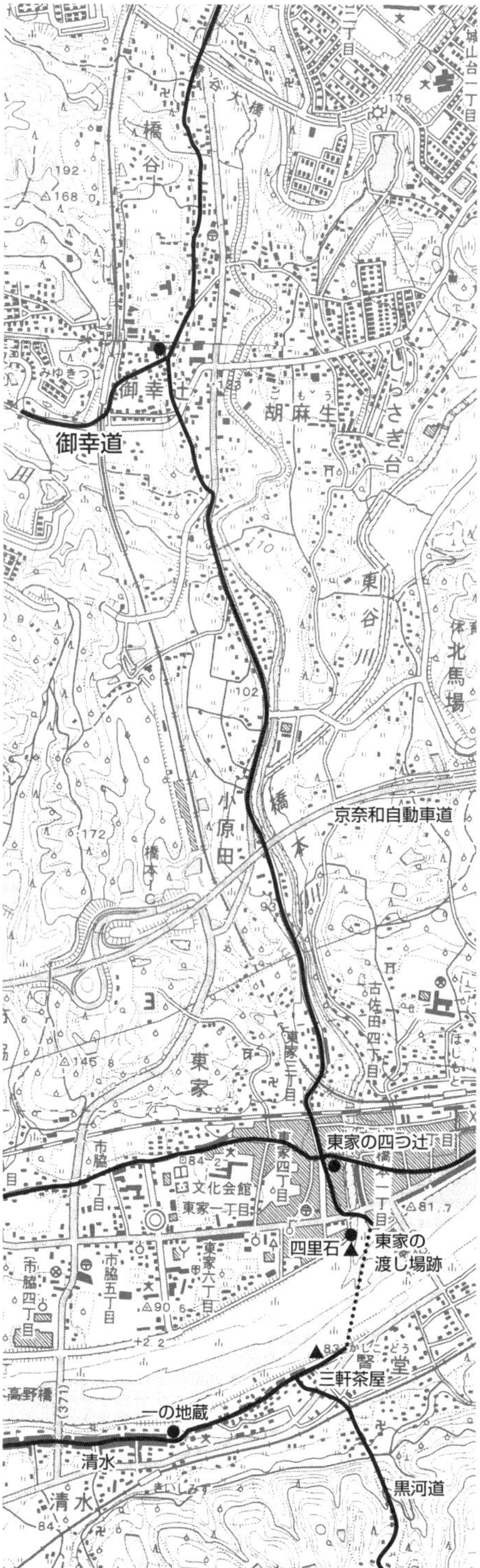

地図29　橋本川沿いに橋本へ

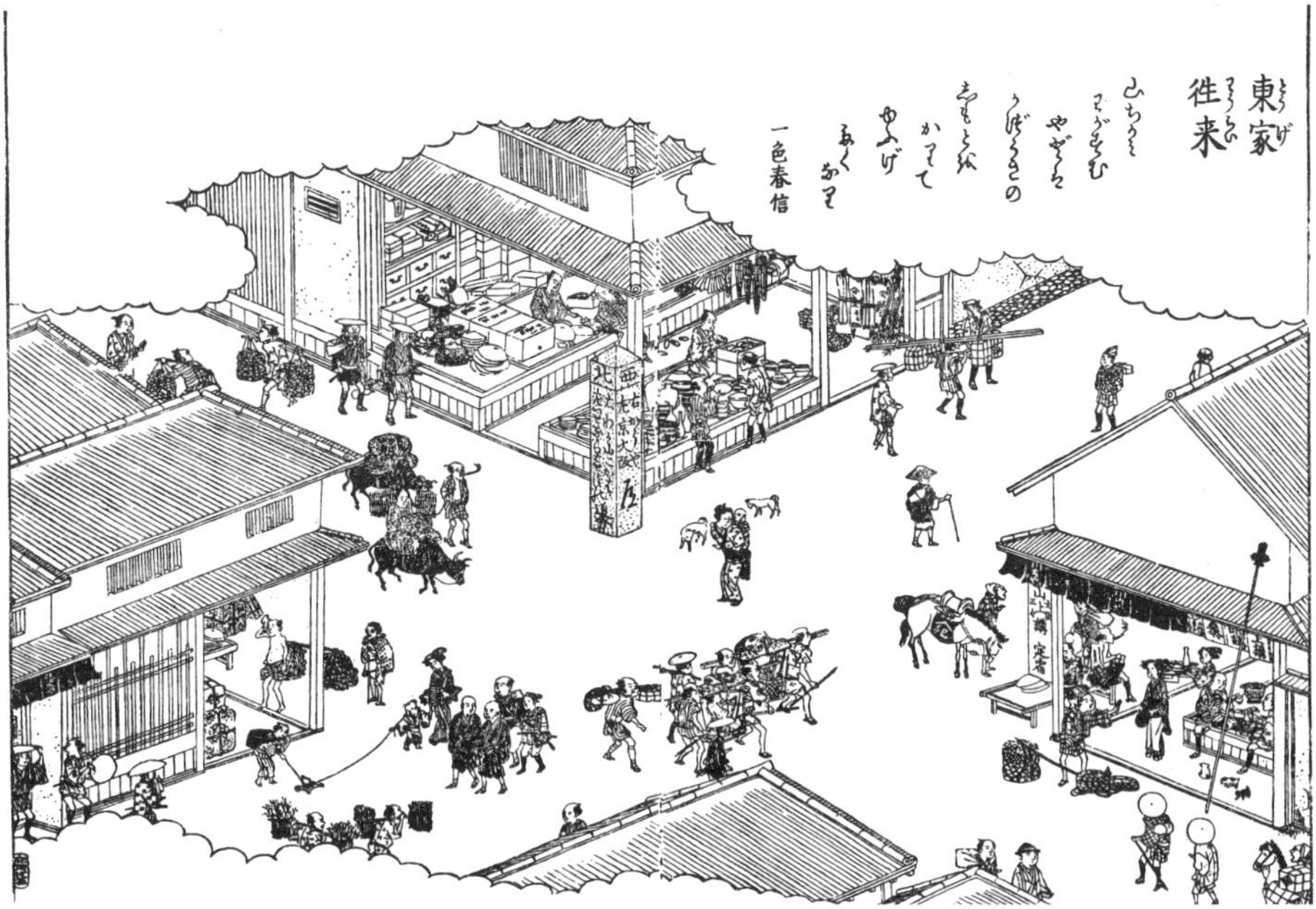

図 21　東家往来（『紀伊国名所図会』）

図 22　橋本、東家、陵山（『紀伊国名所図会』）

辻から坂を下ると、国道371号線に出る。歩道が無いところもあり、このあたりも歩くには注意が必要である。京奈和自動車道高架の手前、小原田南から左の旧国道に入り、橋本川に沿って進む。南海線、JR和歌山線とガードをくぐる。本来の旧街道は「南門橋」南の三差路から右に入り、小原田の集落を通って、南海線の西側を行き、JR線の北側で国道に合流していたと見られているが、道は消滅している。

JR線ガードの次の信号が「東家《とうげ》の四つ辻」、高野街道と伊勢街道（大和街道・紀州街道）の交差点である。交差点の東南に「西／右　かうや／左　京　大坂／道」「北／右　わか山　こかは／左　いせ　なら　はせ　よしの／追分」「東／右　京　大坂　道」「南　南無大師遍照金剛」とする道標が立っている（写真119）。

斜め左に入り、国道24号線を横断すると、突き当りで橋本川が紀ノ川に流れ込んでいる。紀ノ川渡舟場（東家《とうげ》渡し場）跡で、対岸には三軒茶屋の常夜燈が見える。左手に河川改修で移築された文化十一（一八一四）年の大常夜燈と右手の歯痛地蔵堂横に安政四年の「高野山女人堂江四里」の里程石が立っている（写真120・121）。

紀ノ川には木食応其《もくじきおうご》上人が天正十五（一五八七）年に長さ百三十間の橋を架け、これが「橋本」の地名の起源だとされるが、橋は洪水で流失し、その後、橋が架けられることなく、舟による横渡しとしていた。この渡しは、元禄十（一六九七）年以降、高野山や郷方の出資利分による無銭渡しであった。

奈良へ通じる国道24号線を東に行くと、「橋本町道路元標」や橋本宿の本陣であった池永家住宅がある橋本の中心となる。大和と紀州との間の舟運はすべて橋本で中継ぎされ、大和街道（伊勢街道）の要衝として繁栄した。

六　奈良街道・中街道・和歌山街道――京都から奈良を経て橋本へ

京から高野へ向かうには古く高野山が開山された平安時代前期には大和を経由して、奈良から大和盆地を南下、巨勢《こせ》谷を通り、重坂《へいさか》峠を越えて五條に出て、吉野川沿いに和歌山街道を橋本へ至る大和を経る道であった可能性がある。近世には主に大和からの高野山参詣の道で奈良県南部あたりでは今もこの道を「高野街道」と呼んでいる。古代の東高野街道以前の「南海道」であったとみられ、河内を縦断する東高野街道とともに、山城、大和を縦貫する「奈良街道」、奈良盆地の古代からのメイン街道である「中街道」、いずれも畿内の骨格とも言える南北街道で、紀ノ川（吉野川）沿いの和歌山街道につながり、高野山に至る。

京都から伏見へ（奈良街道、伏見街道）

都である京都と古《いにしえ》の都、南都とも呼ばれる奈良との間は約十里。かつては一日の行程であった。街道は、京からは「奈良街道」（奈良からは「京街道」）あるいは「大和街道」と呼ばれる。京都の鴨川東岸には、古くから奈良に通じる道が通っており、三条の橋から南へ続く「大和大路通り（四条までは縄手通、五条までは建仁寺通、以南は大仏仁王門通）」が文字通り大和、奈良への道であり、深草からは六地蔵、木幡、宇治を経由する道が古くの大和街道であった。

豊臣秀吉が伏見城を築城し、「京七口」の伏見口（五条口）を「伏見街道」の起点とし、伏見の南にあった巨椋《おぐら》池の東岸に堤（小倉堤）を作り、奈良への道とすると、伏見以北の伏見街道にあたる部分も大和、奈良に通じる道として奈良街道、大和街道となった。鴨川に架かる五条大橋東詰から三筋目がその起点となる。宇治を経由するの

図23　京の大仏（『都名所図会』）

が古い奈良道であるが、ここではまずは近世の奈良街道をたどり、奈良へ向かうことにしたい。

伏見街道沿いの本町は、五条通りから南へ、北から一町（約一〇九メートル）ごとの町数《ちょうすう》を町の名としており、街道は「本町《ほんまち》通り」とも呼ばれている。現在は本町二二丁目まであるが、江戸時代は丁でなく「町」の字を用い、本町十町目までであった。本町五丁目の手前が「大仏前」である。

「京の大仏」は、豊臣秀吉が奈良東大寺大仏に代わる大仏として発願した方広寺の像高六丈三尺（約十九メートル）の大仏（毘盧遮那仏《びるしゃなぶつ》像）で、豊国神社東側の「大仏殿跡緑地公園」（写真122）がその遺址である。文禄四（一五九五）年に完成した大仏殿は大和大路に面して建てられ、巨石を用いた石垣が残る（写真123）。現在の東寺南大門（重要文化財）はかつての方広寺西門（大仏崩門《くずれもん》）で、大和大路七条にあり、蓮華王院の西門でもあったものを明治になって東寺に移築したものである。大仏は文禄五（一五九六）年の慶長伏見地震により倒壊、豊臣秀頼が再建を図るが、慶長七（一六〇二）年に焼失。慶長十九（一六一四）年に再建されるが、有名な「鐘銘事件」が大坂の陣のきっかけとなり、豊臣家は滅亡する。大仏は寛文二（一六六二）年の近江若狭地震で大破損し、取り壊して木造で造り直されたが、これも寛政十（一七九八）年に落雷で焼失した。京のわらべ歌に「京の京のだいぶつさ

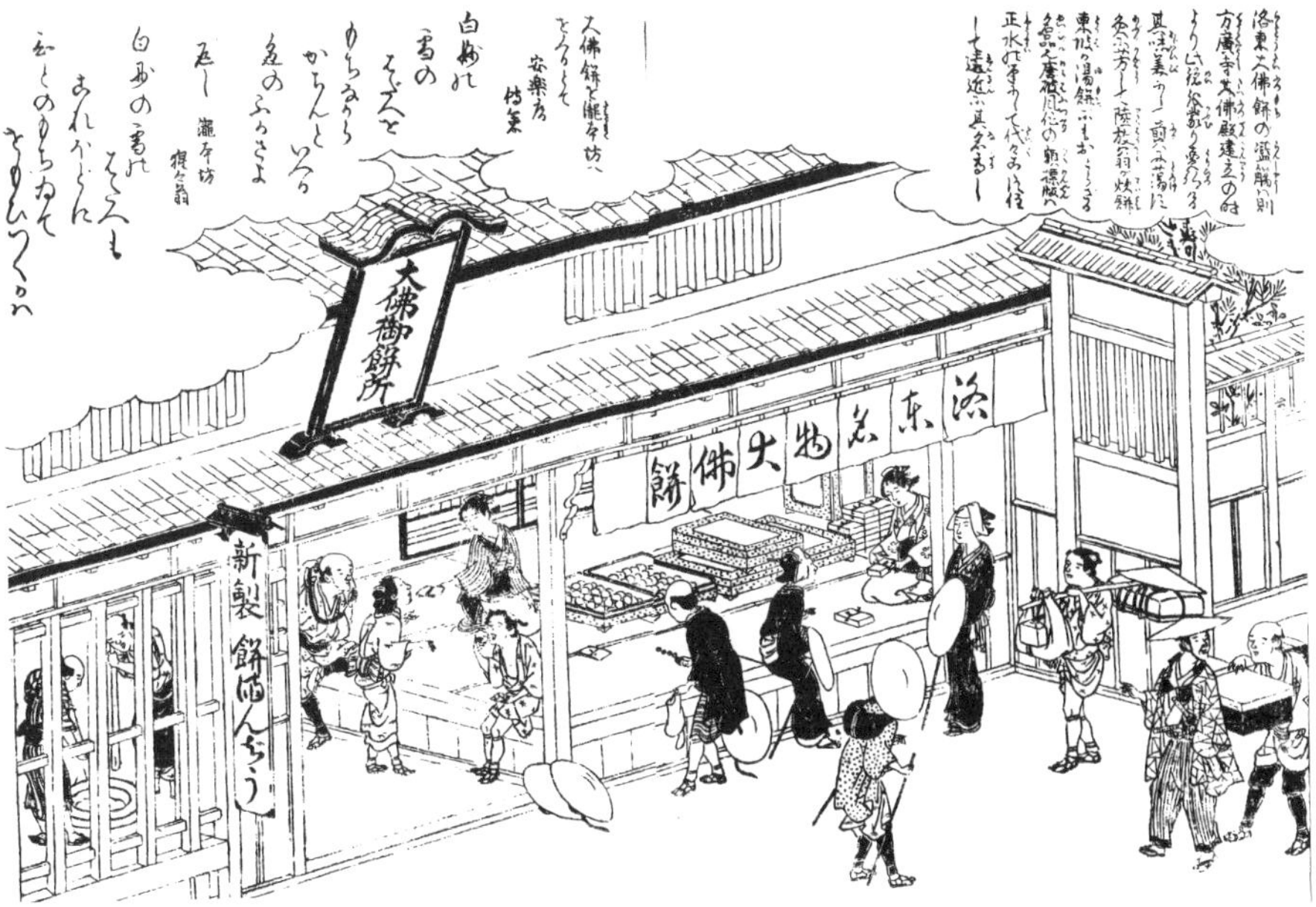

図 24　大仏餅（『都名所図会』）

んは　天火に焼《やぁ》けてな……」と唄われるのはこのことである。方広寺の寺の名は豊臣秀吉の尊称「豊公《ほうこう》」の名を託したとも言われ、大仏前には文禄慶長の朝鮮出兵時に戦功の証しとなる敵兵の首級の代りに耳や鼻をそぎ持ち帰り埋めたという「耳塚」がある（写真124）。当時の武将、本山安政が残した手記には「秀吉の命令により女、赤子までなで切りにして鼻をそぎ、塩漬けにし……」と記される。なんとも酷い話だが、歴史は直視しなければならない。方広寺の大仏、阿弥陀ヶ峯の豊国廟、耳塚、いずれも街道を往来する人々に秀吉の権勢を見せ、秀吉を顕彰するモニュメントである。この秀吉の権勢も「地震・雷・火事・親父」の前には無力で、「京の大仏」はそのすべての災いを受けたとされる。「親父」とは「方広寺の鐘銘」にある「国家安康　君臣豊楽」の銘を問題視し、豊臣家を滅ぼした「狸親父」、徳川家康のことだそうだ。それにしても家康が不吉だと問題視したわりには、鐘銘そのものが削られたり、鋳潰されたりもせず、今に残っているのはなんとも不思議だ。なお、大仏前の「大仏餅」は名物で『都名所図会』（安永九＝一七八〇年）にも紹介されているが、戦時中に中絶し、近年、再現されている。

本町六丁目で七条通りを渡って南下し、塩小路通りを過ぎ、JR東海道本線、東海道新幹線本線の歩行者用跨線橋を越える。奈良へ通じる道は「法性寺路」あるいは「法性寺大路」

写真 124　耳塚

写真 122　方広寺大仏殿跡

写真 123　方広寺の石塁

写真 127　深草十二帝陵

写真 125　二之橋跡

写真 126　東山本町陵墓参考地

図25　東福寺（『都名所図会』）

とも呼ばれ、延長二（九二四）年に藤原忠平によって創建され、藤原忠通（法性寺入道）の時代に現在の東福寺と泉涌寺までを寺域とした法性寺に通じる道でもあった。「大和大路」もこの付近からは、西側の「伏見街道」の位置に通じていたとみられる。江戸時代の本町十町目と一之橋町との境は一之橋川（今熊野川）で、山城国愛宕《おたぎ》郡と紀伊郡の境でもある。ここから街道を横切る川には北から一之橋から四之橋まで四つの橋があったのだが、一之橋、二之橋は川の暗渠化で、橋は撤去されおり、一之橋（伏水《ふしみ》街道第一橋）の高欄と親柱は東山泉小学校内に移築されている。JR・京阪電鉄の東福寺駅を過ぎ、九条通りの高架橋をくぐる。高架下には伏水街道第二橋（二之橋）の親柱だけが残されている（写真125）。

本町一六丁目（中村町）の道の東側にある東山本町陵墓参考地（写真126）は、大正十三（一九二四）年に第八十五代仲恭《ちゅうきょう》天皇の陵墓参考地となったところ。仲恭天皇は順徳天皇の皇子、承久三（一二二一）年に四歳で即位、承久の乱によって在位三か月に満たずに廃位、明治三（一八七〇）年に追号されるまでは、「九条廃帝」と呼ばれていた。退位後は、母の実家である九条家で過ごし、天福二（一二三四）年に九条殿において十七歳で崩御されたとされ、崩御地の九条殿跡地から埋葬地を推定し、明治二十二（一八八九）年に現在の京都市伏見区深草本寺山町に九条陵を定めたのだが、「塚本社・廃帝社」と呼ばれる

図26　伏見人形（『都名所図会』）

小祠がある塚がここにあり、廃帝社が九条廃帝をさす可能性もあることから、陵墓参考地になったようだ。

三之橋川を渡るのが、伏水街道第三橋（三之橋）。コンクリートで拡幅しているが、明治六（一八七三）年の総花崗岩の石造アーチ橋である。街道の東に東福寺中門（総門）が開く。東福寺は鎌倉時代に摂政九條道家が、奈良の東大寺と興福寺の「東」と「福」の字を取り，京都最大の大伽藍を造営した寺。禅宗寺院として完全な寺観を誇る。本町一八丁目は寺之前町。本町二二丁目には伏見人形の丹嘉がある。伏見人形は稲荷山の土に物を利する霊験があるとされ、土を丸めて粒に作って売るようになったのがその起源で、さまざまな人形を作るようになったとされ、稲荷参詣の土産物として持ち帰られ、日本各地の土人形・郷土玩具の原型ともなった。一休禅師の作だとされる

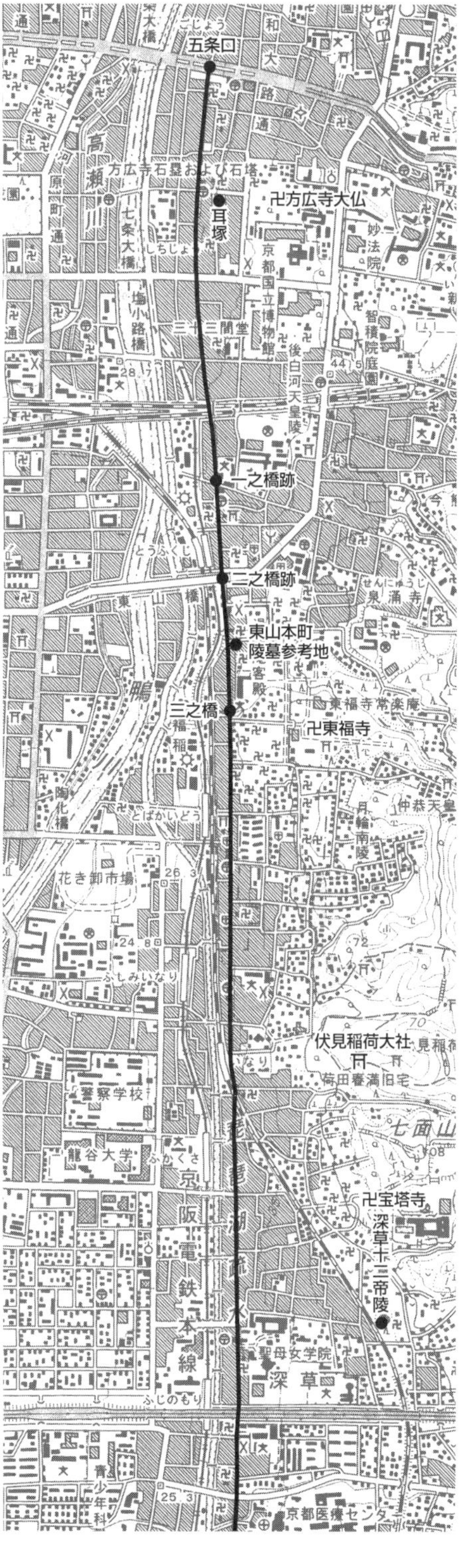

地図30　京都から深草へ

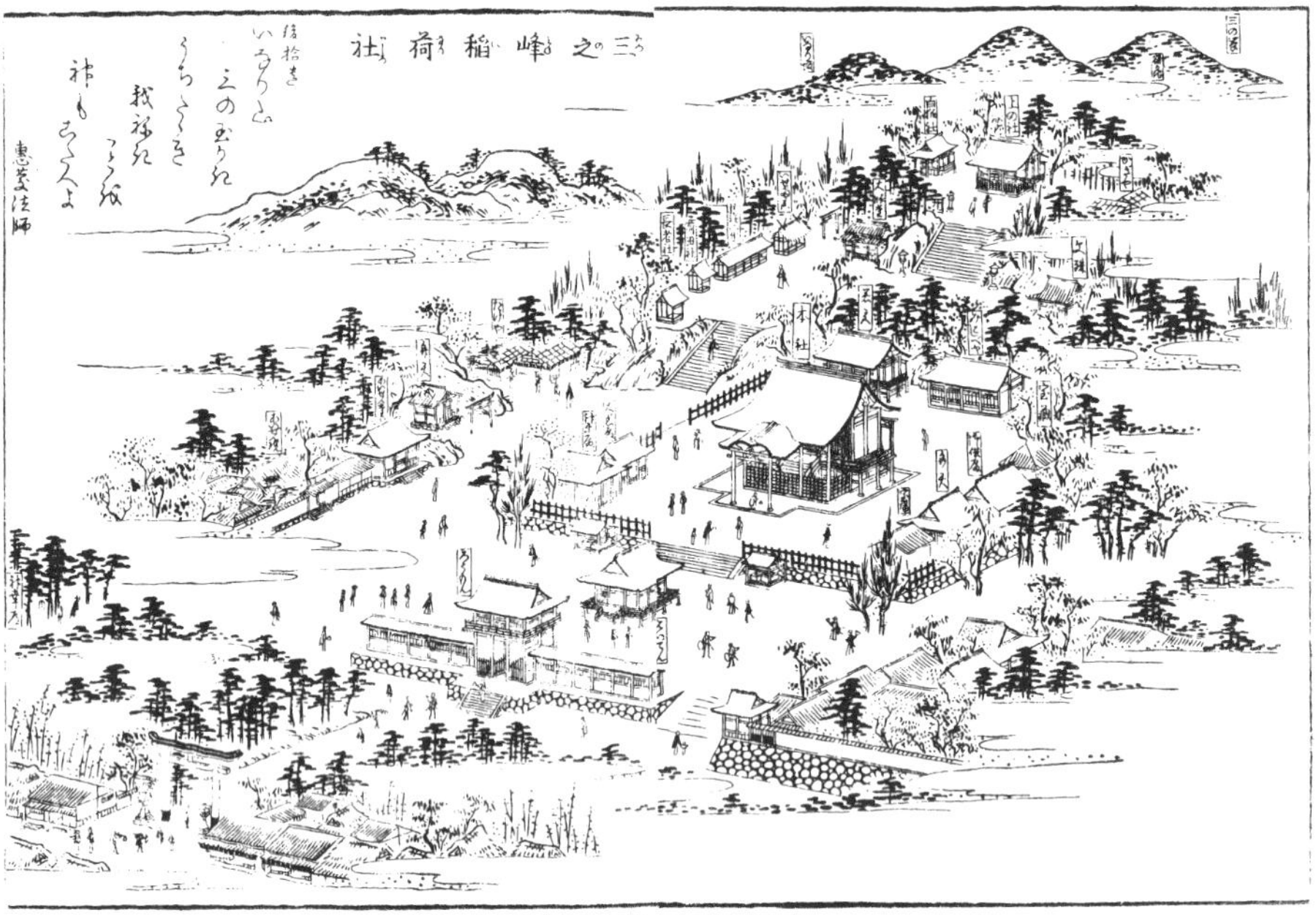

図27　稲荷社（『都名所図会』）

「西行も牛もおやまもなにもかも　土に化けたる伏見街道」という歌があるが、一休の頃にすでにさまざまな人形があったかどうか不明。

伏見稲荷大社は奈良時代の和銅年間に伊呂巨秦公《いろぐのはたのきみ》が伊奈利《いなり》山の三峰に神を祀ったのが起りとされ、商売繁盛・五穀豊穣の神様として、厚い信仰を集める。〝お稲荷さん〟の総本宮で外国人観光客の人気観光スポットともなっている。社家には学者も多く、国学者の荷田春満《かだのあずままろ》も稲荷社の社家、境内にはその旧宅も保存されている。参道の「いなり寿司」は油揚げが眷属である狐の好物で、キツネ色だというのは解るのだが、「すずめの焼き鳥」は稲を食い荒らすスズメを退治するために生まれたとまでなると、なにやら怪しい気もする。

深草稲荷御前町からJR奈良線を越えると、深草。深草は土器《かわらけ》、土風炉《どぶろ》など土工《つちざいく》、瓦師が知られ、「深草うちわ」が名物であった。このあたりのJR線路は明治十二（一八七九）年に開通した旧東海道線。東海道線は大正十（一九二一）年に東山トンネルができるまで、稲荷山の南、現在の名神高速道路のルートで山科、大津へ向かっていた。JR稲荷駅には煉瓦造の我が国最古の鉄道ランプ小屋（鉄道記念物）が残されている。深草あたりでは伏見街道は直違橋《すじかいばし》通と呼ばれ、直違橋と呼ばれる伏水街道第四橋（四之橋）南側に深草直違橋南一丁目、北側に深草直違橋北一丁目があり、北に向かって深草直違橋二丁目から

図28　宝塔寺（『都名所図会』）

深草直違橋十一丁目までの町が街道の両側に続いている。

直違橋九丁目から東へ入る道は宝塔寺馬場。宝塔寺は平安時代、藤原基経の発願により創建された極楽寺が前身で、日蓮の弟子で京都に布教した日像の廟所に京都七口の題目石塔が建立されたことがその起り、京都で一番古い小さな多宝塔（室町時代）がある。多宝塔の屋根が行基葺で珍しい。また、宝塔寺の北には江戸時代の「奇想の画家」として著名な伊藤若冲が晩年に隠棲した石峰寺があり、若冲が下絵を描いたという五百羅漢石仏がある寺として知られる。

直違橋六丁目から東へ入ると、JR線沿いに深草十二帝陵（深草北陵）がある（写真127）。鎌倉時代に創建された安楽行院の法華堂に後深草天皇（八十九代）の遺骨が安置されて以降、伏見（九十二代）・後伏見（九十三代）・後光厳（北朝四代）・後円融（北朝五代）・後小松（一〇〇代）・称光（一〇一代）・後土御門（一〇三代）・後柏原（一〇四代）・後奈良（一〇五代）・正親町（一〇六代）・後陽成（一〇七代）と鎌倉、室町、桃山時代の歴代天皇の火葬骨はこの法華堂内に納骨された。江戸初期には「御骨堂」と呼ばれ、荒廃していたが、明治になって、江戸中期に再建された安楽行院（嘉祥寺）の法華堂を分離し、宮内省の管理下に置かれる深草北陵として陵墓に治定されている。

街道の東側にある聖母女学院の本館（写真128）は第十六師団司令部の建物。京阪藤森《ふじのもり》駅の駅名は戦前は「師団前」。京都教

図29　深草の里（『都名所図会』）団扇が名産、旅人の手には伏見人形

育大学は歩兵第九連隊、京都医療センターは陸軍病院、深草中学は騎兵第二〇連隊、龍谷大学は兵器庫及び火薬庫、青少年科学センターは野砲兵第二二連隊といったように、深草には多数の軍事施設があり、師団街道、第一軍道、第二軍道の道路名もあって、「軍都」であったことがわかる。名神高速道路を越えた直違二丁目の街道沿いには「軍人湯」という名の銭湯もある。また、伏見付近の街道の道標のほとんどは学校などの公共施設に移設されており、深草小学校には安政五（一八五八）年の「右　京　并大津道／すくも京みち」「左　ふねのり場」と天保十四（一八四三）年の「西　すく　宇治　わうはく／左　大津山しな　道」「北　右　大坂船のり場」「東　すく　京みち」という二基の道標が移設されている。教材の意味もあり、廃棄されなかったのは幸いであるが、旧位置が不明のものもあり、旧街道のもつ歴史や風情が失われている。

直違橋は七瀬川に架かる橋で、伏見街道に対し、川の流れに合わせ橋が斜めに架かっていたためこの名がある。伏水街道第四橋（四之橋）であるが（写真129）、三之橋からはだいぶ離れている。明治六（一八七三）竣工の花崗岩切石のアーチ橋で、石工は伏水街道第三橋と同じく内田徳左衛門、第三橋が馬蹄形アーチであるのに対し、小規模ながらも「真円・全円型アーチ橋」であることが珍しい。川岸から一見の価値はある。

藤ノ森小学校の西北角で山科からの「大津道（大岩街道）」

と合流する。東海道の山科追分（髭茶屋追分《ひげちゃや》）から分かれ、京を通らずに伏見、淀、枚方、守口を経て大坂に至る街道で、大坂から船を使うことの多い西国筋の大名の参勤交代に用いられた。所謂「東海道五十七次」のルートである。また、大亀谷から八科《やしな》峠を越える道は六地蔵に繋がり、木幡、宇治を経由する古奈良道（宇治道・旧奈良街道）であった。桃山丘陵の南側、宇治川沿いは湿地帯であり、山越えで六地蔵へ向ったのである（134頁「伏見から宇治へ」参照・写真130）。

墨染交差点で右折、墨染通を西に進む。墨染寺の先、師団街道で再び南に折れて行くと、国道24号線の手前、街道の西側に「撞木町廓入口」「志ゆもく町廓入口」と彫った大正七（一九一八）年の石柱が建つ。慶長九（一六〇四）年に開設された撞木町《しゅもくまち》遊廓の入口で、町中の道が撞木形（T字形）であったのでこの名がある。伏見の発展と共に元禄期（一六八八～一七〇四年）に全盛を迎え、大石内蔵助が人々の目を欺くため、この地で遊興したという話で知られる。閑居した山科から山越えで夜遊びに来るというのも道程を考えるとたいへんだ。

国道24号線沿いの東にある鴨川運河（琵琶湖疏水）と西方の濠川《ほり》との間には船を載せた台車を昇降させる「伏見インクライン（傾斜鉄道）」があった。街道は国道24号線と交差し、近鉄京都線をくぐり、京町通りを南下して行く。京町通り（写真131）は秀吉の伏見城時代の城下の「本通り」、名前のとおり京へ通じる（京から通じる）中心道路。京阪電鉄丹波橋駅北側の京町八丁目で丹波橋通りを西へ、淀に向かう大坂街道と分かれ、奈良街道はさらに南下する。京阪電車の踏切を渡り、京町四丁目と三丁目の境が賑やかな大手筋、近鉄桃山御陵前駅や京阪伏見桃山駅が近い。東方、近鉄線のガード向こうに御香宮《ごこうのみや（ごこうぐう）》の鳥居が見える。

京町三丁目の東側には練羊羹の元祖として知られる総本家駿河屋。天正十七（一五八九）年以来、この地に店がある老舗。向い側の料理屋「魚三楼」の格子には鳥羽伏見の戦いの銃撃戦のものという弾痕が残されている（写真132）。京町三丁目と二丁目の間、油掛通り（讃岐町）が「札の辻」とよばれる高札場の跡である。江戸時代には京町二丁目と一丁目の間、道の東側、京町通りに面して伏見奉行所の西門（表門）があった。ここからまっすぐ西へ行くと、濠川にかかる京橋に出る。辺りは舟宿、問屋、料理屋が軒を連ねた「伏見の浜」で、大坂へ下る「三十石船」の舟のり場、造酒屋も多い。「寺田屋騒動」、坂本龍馬の常宿として知られる寺田屋もある。また、京町二丁目と一丁目の辻にあったとみられる天保十二（一八四二）年の「北　右　大阪舟のり場／すぐ左　大津なら宇治道」「東　右　京／すぐ　大阪舟のり場　道」「南　すぐ　京／左り　大阪舟のり場　道」「西　すぐ右　大津なら宇治／左り　京　道」とする道標は南浜小学校に移設されている。江戸期のものであるが大坂でなく大阪と記している。

伏見奉行は江戸幕府の遠国奉行の一つ。幕府直轄都市の伏見と周辺八か村（享保以降九か村）を支配し、淀川往来の船舶の取締、伏見を往来する西国大名も監視する任務もあった。慶応四（一八六八）年の鳥羽伏見の戦いでは、会津藩兵や新選組などの幕府軍が伏見奉行所に入り、北側の御香宮に陣を張った薩摩藩兵と対峙した。一月三日夕刻、鳥羽での砲声を聞き、幕軍は奉行所から出撃、新撰組が白刃で、銃砲で武装した薩摩軍へ斬り込みを図ったが激しい砲撃で突入できず、市街戦の結果、奉行所は夜半に炎上し、幕軍は淀へと敗走した。伏見の町はこの時に戦火で大半が焼かれた。奉行所跡（写真133）は明治から終戦まで陸軍工兵十六大隊の敷地となり、戦後は駐留軍駐屯地を経て、現在は市営桃陵団地（東奉行町、西奉行町）や桃陵中学校（桃陵町）となっている。桃陵中学校には「北　左　大津道」「東　右　御香宮門前大手筋／左　京ばしふねのり場／十六丁」「南　すく　大津道」とする道標と竹田街道の「車石」が置かれている。道標のほうは大手筋から桃山丘陵を越える醍醐道にあったものらしい。車石は

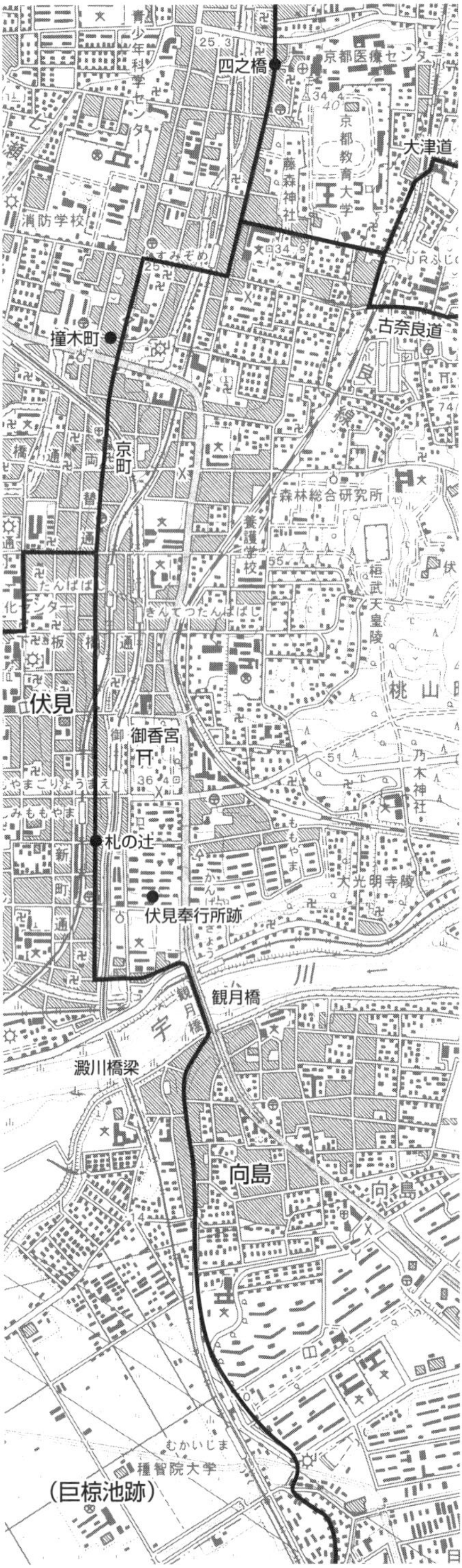

地図31　伏見から向島へ

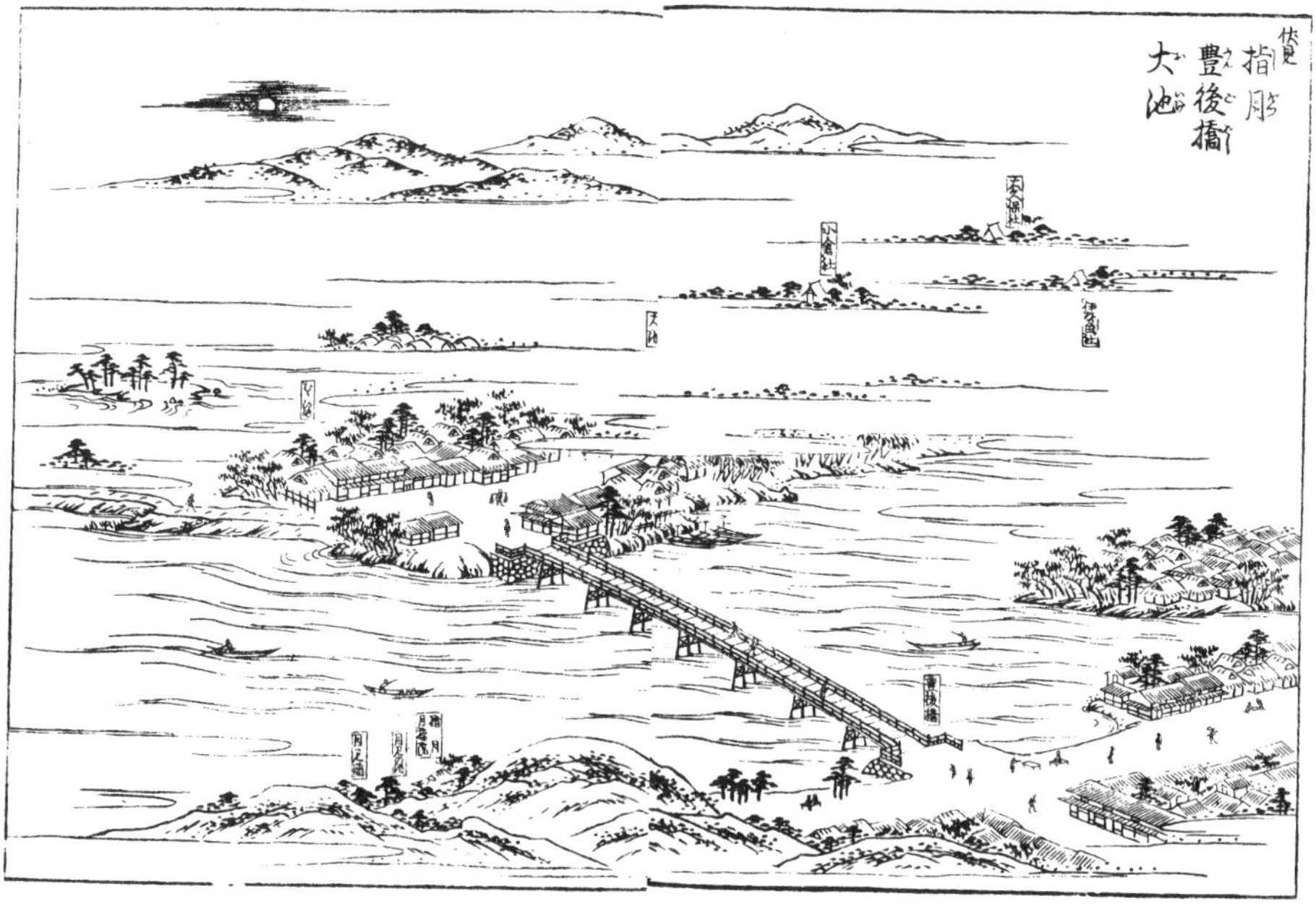

図30　豊後橋（『都名所図会』）

荷車を通りやすくするため轍《わだち》の溝を彫りこんだもので、京都付近では竹田街道、大坂街道、東海道にあり、「車道《くるまみち》」と呼ばれた。

奉行所跡の南、宇治川北岸の豊後橋町から対岸の向島橋詰町へ架かっていたのが「豊後橋」。伏見の南には昭和八（一九三三）年に干拓が始まり、現在のような農地となるまでは、周囲四里、面積八〇〇町歩とされる巨椋《おぐら》池の水面が広がっていた。宇治川も古くはこの巨椋池に流れ込んでいたのだが、秀吉が伏見城築城に伴い、槙島堤によって宇治川を分離させ、巨椋池東岸を小倉堤（巨椋堤）で固定させ、堤上に奈良街道を付け替えた。その時に伏見の南側を流れる宇治川に架けたのが豊後橋である。豊後国の大名、大友豊後守吉統《よしむね》（義統）がその工事を担ったとも、橋の北詰にその屋敷があったので、橋の名となったともいう。街道の付け替えで、上流、宇治に古くからある宇治橋を移築したとされる。江戸時代は幕府が管理する公儀橋であったが、鳥羽伏見の戦いで焼失、明治六（一八七三）年に橋が架けられた際、周辺が月の名所ということから橋の名は「観月橋」となった。橋の北詰にある京阪観月橋駅の脇には「（指印）きやうかいたう」「（指印）やまとかいたう」の道標が忘れられたように立っている。

観月橋の上からは下流に架かる近鉄澱川《よどかわ》橋梁が見える（写真134）。宇治川に橋脚無しで架かる長大な鉄橋で、奈良電気

写真 128　聖母女学院本館

写真 129　直違橋（四之橋）

写真 130　深草の家並

写真 132　鳥羽伏見の戦いの弾痕

写真 131　伏見京町

写真 133　伏見奉行所跡

写真 134
澱川橋梁

軌道（通称「奈良電」）の架橋計画に対し、この周辺が工兵第十六大隊の渡河訓練場であったため、京都師団側から当初、橋梁の無橋脚化が条件として出された。長大な鉄材は国内での調達が難しく、アメリカからの輸入部材が到着したのが昭和三（一九二八）年一月、その年の十一月に京都御所で行われる昭和天皇の即位大典になんとか開通を間に合わせたいと工事は急ピッチで進められたが、開通を迎えた十一月十五日には京都御所での御大典の行事は終了していた。架橋後九〇年経った今も現役で、登録有形文化財となっている。

伏見から宇治へ（古奈良道・宇治道）

伏見街道（奈良街道）から東に折れて、藤ノ森小学校北側を東へ進むと、京都教育大学の東側にある西福寺には寺の前にあったらしい道標が移設されている。「左　いか　いせ　大和かい道」「京　右　大ふつ　ちおんいん　大谷　道／左　本願寺　竹田かい道」としており、JR藤森駅の手前の辻を北へ行くのが、大津道で東海道につながり、南へ行き、墨染通りを東へ進み、八科《やじな》峠を越えるのが、古い奈良街道（奈良道・大和街道）で、伊賀、伊勢へも通じる道であったことがわかる。

墨染通りの南西は伏見城の北堀跡で、坂を上ると、左手に「古御香宮《ふるごこうのみや》」がある。文禄三（一五九四）年、豊臣秀吉が伏見築城にあたり、城内鬼門除けの神として「御香宮」をこの地に遷したのであるが、秀吉の没後、天下人となった徳川家康は慶長十（一六〇五）年に神社を再び元の地に戻した。秀吉がここに神社を祀ったのは、隣接する「大亀谷陵墓参考地（桓武天皇陵の参考地）」を保護するためでもあったという説もある。

古御香宮の東、八科峠の北側にある仏国寺の山号は天王山。寛文元（一六六一）年に隠元禅師の招きで中国福建から来日した高泉性潡《こうせんしょうとん》がこの地にあった永光寺を復興して仏国寺と名づけたのがその始まりとされる。境内にある正徳元（一七一一）年の開山高泉碑（重要文化財）は中国風の銅碑で、小堀遠州（遠江守政一）の墓もある。

また、仏国寺には「桓武さんの石棺」なるものがあることも知られる。この「桓武天皇陵の石棺」とする説がある石造物は、蓋石四枚、側石四枚、底石五枚の花崗岩の切石を組み合わせた「石槨」とも呼べるようなもので、長さ二・六四メートル、幅一・二八メートル、高さ一・一〇メートル。蓋石の中央側辺寄りに径三一センチの円孔がある。この「石棺」は、昭和初期、薮だった「仏国寺境内接続地」を「整理中」に発見されたもので、発見時には内部に蔵骨器とみられる壷（現在行方不明）があったらしい。仏国寺の北側は明治初年に桓武天皇柏原陵の有力候補地であった「大亀谷陵墓参考地」であり、仏国寺の山号が「天王（皇）山」というのも何か気になる。古図にはこの付近に「柏原陵」を描くこともあって、この構造物こそが桓武天皇陵の石棺であり、古御香宮の社殿前にある大きな花崗岩板石は、この「石棺」の台石だというのである。桓武天皇陵は伏見城造営の際に移設されたという説もある。明治十三（一八八〇）年、現在の桓武天皇陵地（伏見区桃山町永井久太郎）治定《じじょう》のもととなった谷森善臣の考証では、桓武陵は伏見城築造の際、秀吉の侍医であった施薬院全宗が密かに移し、近江坂本に桓武天皇廟なるものを営んだとする。この坂本の廟は慈眼堂（天海僧正の廟所）にある桓武天皇御骨塔に該当するらしいが、秀吉が御香宮を大亀谷に移したのと同じく、城内に入る桓武陵も大亀谷に改葬し、「石棺（石槨）」を新造、これが仏国寺の「石棺」で、遺骨（陵墓の土？）を蔵骨器に入れてこれに納め、桓武天皇と縁ある延暦寺にも供養塔（御骨塔）を建立し、祭祀したという可能性はないのだろうか。話としてはおもしろいのだが、果たしてどうだろうか。桓武天皇陵の所在については稲荷山の南、深草あたりに求める説もあり、江戸時代には桓武天皇の菩提を弔うための浄

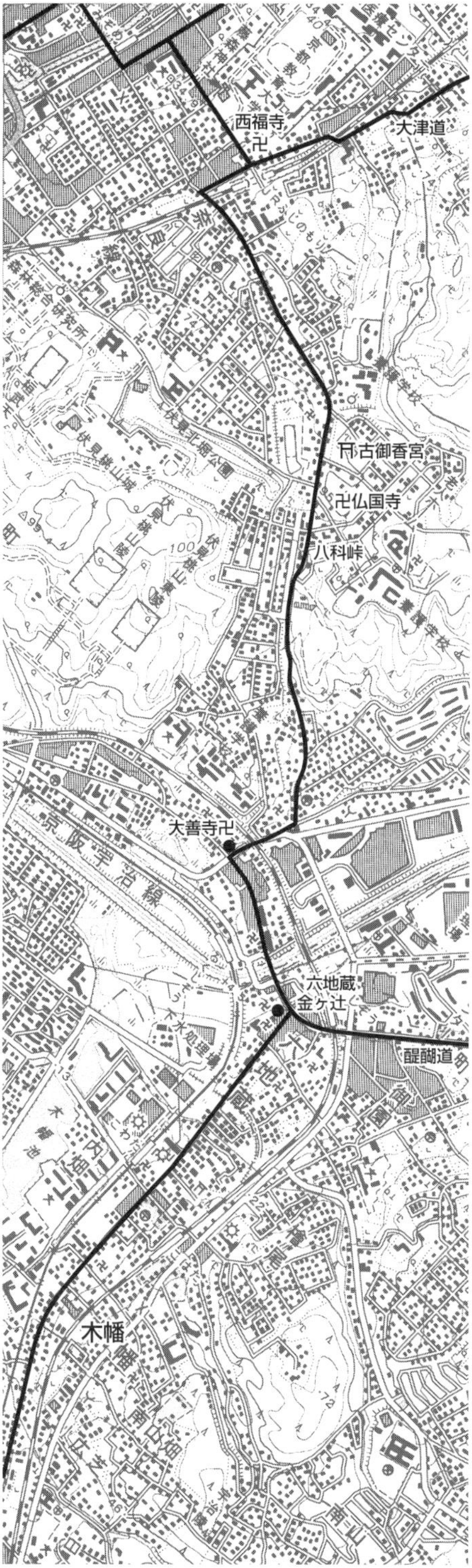

地図 32　墨染から六地蔵、木幡へ

蓮華院も営まれている。大和から決別して平安の新王朝を開創した桓武天皇ですら、陵墓の位置がわからない。調べると、世の中にはわからないことが多い。

　八科峠には「八科峠　右　京みち／左　六ぢぞう」の石標が立つ。傍らには逢坂の車石も置かれている。峠から急坂を下り、府道7号京都宇治線に出る。南へ進み、JR奈良線を潜ると、道の右側に六地蔵として知られる大善寺がある。六地蔵は平清盛が京都の街道口六か所（伏見六地蔵・山科地蔵・鞍馬口地蔵・常盤地蔵・桂地蔵・鳥羽地蔵）に六角堂を建て、小野篁《おののたかむら》が刻んだ地蔵菩薩を安置させたと伝える地蔵尊で、八月二十二日、二十三日にこれを巡拝し、色紙の「お幡《はた》」を授かって、家の門口に吊るしておくと、ご利益が授かれるとされている。大善寺の前には「右　京みち　法名未徹」「左　ふしミみち」「ひたり　おうはく／うち　道」の道標が立つ。六地蔵は山科から近江大津へ向かう醍醐道（この道も奈良街道と呼ばれる）と京から伏見山（桃山丘陵）を越える道との分岐、合流点で、交通の要衝。京阪電鉄六地蔵駅や大善寺（六地蔵）は山科川の西、京都市伏見区にあり、JRや京都市営地下鉄の六地蔵駅は宇治市六地蔵奈良町にある。

　櫃川と呼ばれた山科川は紀伊郡と宇治郡の境、川を渡り、京都市から宇治市に入る。東に進むと、札ノ辻町のT字路北にある永谷宗園茶店前に「六地蔵宿立場高札場跡」という宇治ライオンズクラブが建てた石標がある。この辻は「金ヶ辻」と呼ばれ、高札場があった六地蔵の「札ノ辻」である。東へ行く道が山科へ向かう醍醐道、奈良時代に平城京から宇治、山科を経由する旧東山道、北陸道で、この道が本来の古い「奈良街道」で、平安遷都以後の京都からの「奈良街道」とはここで合流する。辻の西南角には地蔵を彫った「長坂地蔵尊」「右　長坂地蔵／うち／すく　大津　みち」「左　長坂地蔵／うち　／すく　伏見舟乗ば　みち」「左　伏見舟乗場　京／右　大津　みち」とする天保十五（一八四四）年五月の道標が立つ。自動車に当てられないか心配だ。長坂地蔵は宇治道から石山に通じる長坂峠にあった地蔵尊であるが、明治になって麓の正覚院に移されている。また、桃山丘陵の南を六地蔵から伏見へ向かう伏見道も江戸時代には利用されるようになったことがわかる。宇治道を南へ百メートルほど進んだ柿ノ木町の角には「左　長坂地蔵尊みち　是より十八町」とした天保十五年五月の道標がある。世話方が伏見京橋浜の町人衆であり、金ヶ辻の道標と同時に立てたものであることがわかる。ここを東に入ると、正覚院があり、長坂峠へと道が続いている。

南に進むと、木幡。木幡の読みは、ＪＲ駅は「こはた」だが、京阪電鉄駅は「こわた」。町中には「こばた」の読みも見られる。木幡中学校の読みは「こはた」だそうだが、中学生のユニホームには「ＫＯＷＡＴＡ」の文字がある。読みはあまり気にされていないようだ。東方の丘陵、木幡山は平安時代の藤原氏の墓域で、木幡小学校の地に藤原一族の菩提を弔う浄妙寺があった。宮内庁が宇治墓とする三十七地点（十七陵三墓）が住宅地の中に散在し、許波多《こはた》神社付近まで広がっているが、古墳時代の小円墳も中にはあるようだ。「この世をばわが世とぞ思ふ望月の欠けたることもなしと思へば」（『小右記』）と詠い、全盛を極めた藤原道長の墓も木幡の地に営まれたはずであるが、その地は特定できない。世は無常である。

五ヶ庄大林の西方寺の西側には古墳時代後期の前方後円墳、宇治二子塚古墳がある。墳丘長一一二メートル、古墳時代後期では山城地方最大の古墳で、墳形が同時期の継体天皇の墓とみられる今城塚古墳（大阪府高槻市）とも相似する。中期の久津川古墳群（城陽市）の被葬者に替わり、このあたり、宇治の勢力が新しい継体朝を支えたことをものがたっている。

京阪電鉄宇治線の踏切を渡ると、萬福寺のある黄檗《おうばく》、街道の西側は陸上自衛隊宇治駐屯地である。萬福寺は黄檗宗の大本山。開山の隠元隆琦《いんげんりゅうき》は中国福州の人。承応三（一六五四）年に弟子とともに来日。寛文元（一六六一）年に伽藍を草創、建築様式は明の黄檗山萬福寺を模し、法式・風習すべて明制を取り入れている。「山門を出《いず》れば日本ぞ　茶摘《ちゃつみ》うた」の句が有名だが、この句は寛政二（一七九〇）年に萬福寺を訪れた女流俳人の田上菊舎（一字庵）が詠んだ一句である。萬福寺伽藍の異風は江戸時代から有名で、当時の人々は耳目を驚かしながら、黄檗山を拝し巡り、誠に唐土の心地し、山門を出て緊張が解けたのであろう。京阪宇治線に沿って南へ進むと、京阪三室戸駅がある。駅名の読みは「みむろど」であるが、西国三十三所十番札所の寺は「みむろとじ」である。寺伝では宝亀元（七七〇）年、光仁天皇の勅願で奈良大安寺の僧行表を開山とする。本尊千手観音は志津川の岩淵の水底から出現したとされ、「御室堂《みむろどう》」が本来であったかと思われる

宇治は宇遅、菟道、莵道とも表記されるが、宇治市菟道は「とどう」読ませている。応神天皇の皇子の菟道稚郎《うじのわきいら》

子皇子《つこのみこ》は応神天皇の皇太子で、異母兄の仁徳天皇に皇位に就かせるために自害したと『日本書紀』が伝える人物で、明治二十三（一八九〇）年に「浮舟の杜」と呼ばれていた円丘を整え、その宇治墓としている。道沿いにある伝賀《か》陽豊年《やのとよとし》墓も「浮舟の古跡」とされていた地。賀陽豊年は平安時代初期の文人で弘仁六（八一五）年に、宇治の別業（別荘）で没したとされる。菟道稚郎子と仁徳天皇の故事を知り、平城上皇と嵯峨天皇の兄弟対立に重ね合わせ、生前、仁徳天皇の「地下（あの世）の臣」になると言ったという。

宇治川右岸（東岸）の宇治神社（離宮下社）・宇治上神社（離宮上社）のあるあたりが菟道稚郎子の離宮の地とされ、菟道稚郎子を祀り、両社は宇治離宮明神と呼ばれた。宇治上神社本殿（国宝）は平安時代、十一世紀中頃の建築とされ、「現存最古の神社建築」である。

宇治川の渡河点には有名な宇治橋が架かる。東岸にある橋寺と呼ばれる放生院は、かつては宇治橋を管理する寺であった。鎌倉時代後期の弘安九（一二八六）年に宇治橋を再建した南都西大寺の叡尊によって再興され、叡尊が宇治川の中洲（塔の島）に浮島十三重石塔（重要文化財）を造立し、橋寺で放生会を行ったことによって、院号が放生院となった。日本現存最古の石碑として知られる宇治橋断碑（重要文化財）がこの寺にある。断碑は、石碑の上部三分の一の破片であるが、書法は北魏様で刻法も素朴、書法の手本としても知られる。宇治橋の由来を記して

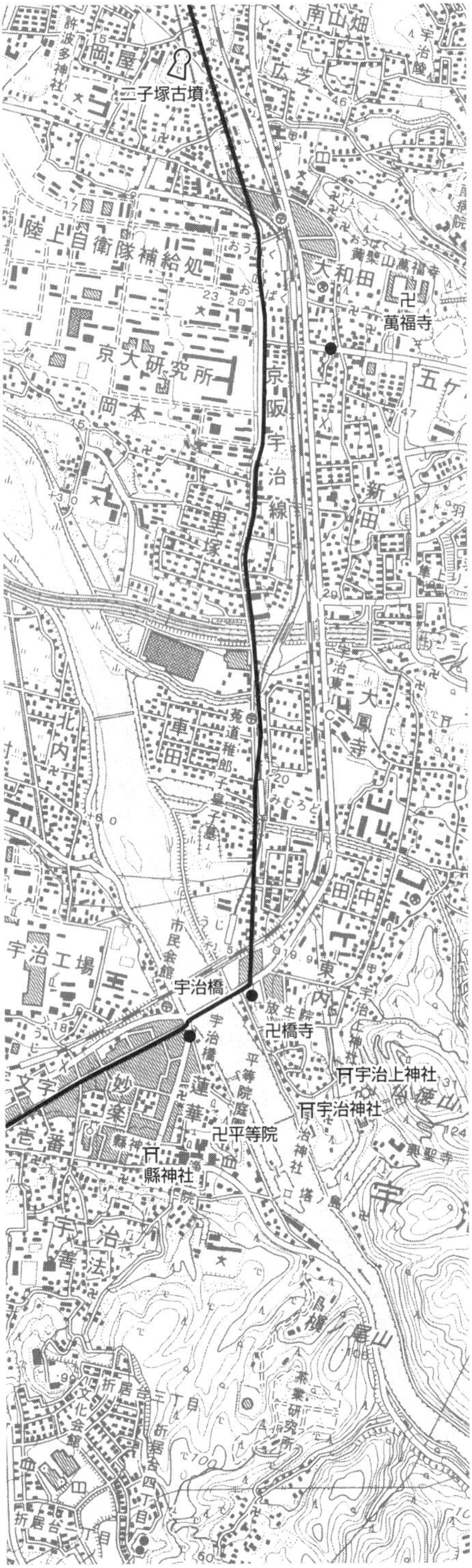

地図33　黄檗から宇治へ

おり、寛政三（一七九一）年に放生院の境内（一説では宇治河畔）で発見されたと伝え、史料をもとに欠損部を補刻し、碑は寛政五年に復元されている。碑文は次の通り（傍点部分が残存部）。

浼浼横流　其疾如箭　修修征人　停騎成市　欲赴重深　人馬亡命　従古至今　莫知航葦
世有釈子　名曰道登　出自山尻　恵満之家　大化二年　丙午之歳　構立此橋　済度人畜
即因微善　爰発大願　結因此橋　成果彼岸　法界衆生　普同此願　夢裏空中　導其苦縁

この碑文では宇治橋は大化二（六四六）年に道登が架けたとしているが、正史である『続日本紀』の道照（道昭）の卒伝（文武紀四年三月己未）では「乃ち山背国の宇治橋は、和尚の創造《つく》りしものなり」としており、道登が古くに宇治橋を架け、道昭が再架橋したという説もある。

宇治橋あたりに巨椋《おぐら》池を隔てて淀津と対向してあった古代の宇治津は、近江の木材などを藤原宮や平城京へ運ぶ中継点ともなった港津で、宇治は水陸交通の結節点であった。また、京都防衛上の要衝として、いく度か合戦の場となった。なかでも寿永三（一一八四）年の木曽義仲、源義経の宇治川合戦はよく知られ、この時の梶原景季《かじわらかげすえ》と佐々木高綱による「宇治川先陣争い」は、『平家物語』の有名な一節である。橋の上から見る宇治川の流れは「宇治橋断碑」にあるよう今も「浼浼《べんべん》たる横流、其の疾《はや》きこと箭《や》の如し」である。

宇治橋東詰の茶店前には「すぐ　京　大津」「右　ゑしん院　こうしやうじ／左　みむろ　わうばく」「右　なら」とする文政四（一八二一）年の道標が立っている。恵心院は「往生要集」の著者として知られる恵心僧都源信の再興。源信は『源氏物語』宇治十帖で「浮舟」を助ける「横川の僧都」のモデルともされる。また、橋際に建つ茶屋は永暦元（一一六〇）年創業という通圓茶屋。茶屋の前には「宇治川ライン　橋を渡り左へ／即ちライン勝景」「平等院橋を渡り　左へ三丁／あがた神社　同　四丁／浮島十三塔　同　四丁」「橋寺　半丁／宇治神社　一丁／興聖寺　三丁」とする昭和四（一九二九）年の「三宅安兵衛碑」が立ち、宇治の観光名所を案内している。「宇治川ライン」は宇治川渓谷の観光船で、大正十五（一九二六）年に宇治川汽船により就航したが、昭和五十年に廃止されている。

宇治橋の上流側には張り出し部があり、「三の間」と呼ばれ、橋の守り神である橋姫を祀るという。豊臣秀吉は

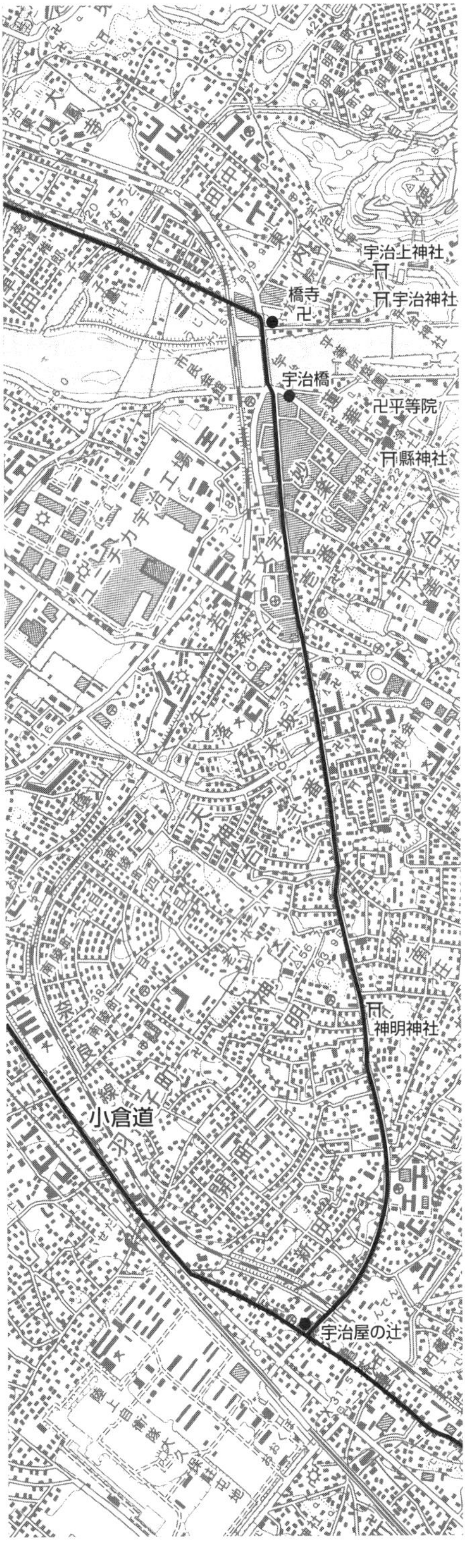

地図34　宇治から広野新田へ

茶屋の通圓に毎朝ここから水を汲ませ、使いの者が伏見城へ届けたという。通圓には三の間から水を汲む千利休作とする釣瓶を伝えている。

　橋を渡った西詰で、真っ直ぐに行く奈良街道（府道15号・宇治橋通り）、鳥居が立つ縣《あがた》神社の参道（府道3号・あがた通り）、平等院へ向かう道（平等院通り）が分かれる。平等院通りとあがた通りの間にある宇治駿河屋の前に「右　あがた」「左　平等院／じゅぶ山」とする道標がある。平等院は、藤原頼道が藤原氏の別業であった宇治殿を寺に改めたもので、天喜元（一〇五三）年にできた西方極楽浄土をこの世に出現させたかのような阿弥陀堂（鳳凰堂・国宝）があまりにも有名。棟の上に鳳凰が載るが、仏殿全体が鳳凰を象《かたど》るとされ、左右の回廊を両翼、後ろの廊を尾とする。「鳳凰堂」と呼ばれ、庶民の信仰を得るようになったのは江戸時代のこととされる。縣神社は明治の神仏分離以前は平等院の鎮守社であった。鷲峯山《じゅうぶせん》（標高六八二メートル）は南山城地域の最高峰、宇治田原町と相楽郡和束町にまたがる山岳信仰の霊場で山頂に金胎寺《こんたいじ》があり、宇治川をさかのぼり、宇治田原から登る。

　宇治橋通りを行き、JR宇治駅へ行く道を過ぎて、さらに進むと、宇治神社御旅所前で道は本町通と合流する。この角には「右　あかた　平等院／みむろ　道」という道標がある。奈良街道を宇治へ向かってきた旅人に宇治名所を教える道標で、本町通を行けば、縣神社、その先が平等院、宇治橋を渡って三室戸寺という順路である。宇治郷を出て、一之坂を上る。奈良街道（府道15号宇治淀線）が宇治丘陵（栗隈山）を越えるところには、伊勢神宮を勧請した神明神社があり、今神明、今伊勢、宇治神明と呼ばれる。ＪＲ奈良線の踏切を渡れば、小倉堤道と合流する「宇治屋の辻」は近い。

伏見から長池・玉水・木津へ（奈良街道）

宇治川の南は巨椋池。奈良時代の東山道、北陸道は宇治から山科に通じており、これが奈良（大和）街道となり、秀吉の伏見城築城以前、奈良街道は墨染から大亀谷、八科峠を越えて六地蔵、木幡、宇治を経由していたのだが、近世には、距離の短い小倉堤を行くようになった。観月橋南詰交差点で右折し、堤の上を通る街道へと入る。向島中島町あたり道の両側は、周りより明らかに高く、堤の上を歩いているのがわかる。近鉄京都線の向島駅の東側、向島本丸町や向島二の丸町という町名は秀吉が伏見城（指月城）の支城として築いた向島城跡に因む。駅の西側は、かつての巨椋《おぐら》池の水面で、干拓で出来た水田が広がる。京滋バイパスの高架をくぐり、府道69号線を越えると、式内社の巨椋神社がある。もとは春日神社で、境内には「玉露製茶発祥之碑」がある。天保六（一八三五）年に山本山の六代当主の山本嘉兵衛が，小倉で茶葉を露のように小さく丸く焙り，これに「玉露」の名をつけたのが、その始まりとされる。その後、明治初期に辻利右衛門によって棒状に焙る方法になり、現在の玉露が完成したという。近鉄「小倉駅」の東を通り、道は右にカーブして、小倉西山交差点で府道69号城陽宇治線と合流する。近鉄伊勢田駅をすぎた信号の所で、府道と分れ、左手へ入る。新田郵便局のある広野町東裏交差点は宇治屋という旅籠があったという「宇治屋の辻」（写真135）。ここで東から来た古奈良道（宇治道・旧奈良街道）と合流する。宇治道は、平安京以前は六地蔵から北上し、山科に通じる奈良時代の「東山道」、「北陸道」でもあったようだ。交差点の東北角に立っていた「右　うぢミち」「左　京道」を指す「十一面観音」像を彫った道標は、平成九年十一月の「交通災害」で新調されている。（旧碑は西北角にあった「すぐ　くぎぬき地蔵道」の道標とともに宇治市広野公民館に移設されている。）

街道を南下すると、近鉄久津川駅の手前、街道の東側の山が墳丘長約一八〇メートル、五世紀後半の南山城最大の前方後円墳である久津川車塚古墳。明治二十七（一八九四）年、後円部が奈良鉄道の土取場になり、現在、京都大学に収蔵される巨大な長持形石棺や大量の副葬品が出土している。北西にある全長約一一〇メートルの前方後円墳の芭蕉塚古墳や東方の帆立貝形前方後円墳の丸塚古墳とともに久津川古墳群を形成しており、このあたり、久世郡一帯が南山城の中心地であったことをものがたっている。街道の西側にある平川廃寺跡は法隆寺式伽藍配置をもつ南山城の代表的な奈良時代寺院。ＪＲ奈良線の踏切の東側の久世神社境内は法起寺式伽藍配置をもつ久世廃寺跡で、久世神社本殿は室町時代中期の建築で重要文化財。東の丘陵上にある正道官衙遺跡は古代の久世郡衙跡と推定され、久世廃寺は郡寺とも考えられる。久世神社横の坂が万葉集に詠われた「久世の鷺坂」だとされる。近くには三世紀中頃の出現期の古墳（前方後方形墳丘墓?）の芝ヶ原古墳もある。

ＪＲ城陽駅の西側にある寺田小学校を過ぎると、水度《みと》神社の参道が左手奥へ続く。本殿（室町時代）は重要文化財。街道は府道69号線（城陽新池から国道24号線）に合流し、アルプラザ城陽のある城陽荒見田交差点で左手の旧道へ入る。旧道に入ると長池宿。街道の右手に昭和三（一九二八）年の「三宅安兵衛碑」が立っており「是北　京都街道　新田廿五丁　伏見二里　京都五里　長池驛」「南　奈良街道　玉水一里□丁　木津三里余　奈良四里半」

地図35　小倉

「東富野三丁　水主渡船所十七丁　中富野八丁　大住一里　枇杷庄十三丁　田辺一里余」としており、「長池の碑」と呼ばれている（写真136）。長池は京都、奈良間、十里の中間地点で、京都から五里、奈良へも五里ということで、「五里五里の里」と呼ばれ、長池で昼食をとる旅人が多かったという。

ＪＲ長池駅前の「菓子司　松屋」（写真137）はもと旅籠屋、芋羊羹が名物。長池の隣、寺田の名産は寺田芋と呼ばれるサツマイモ、奈良電（近鉄京都線）はシーズンに「芋ほり電車」を出していた。余談だが、伏見の舟宿の寺田屋の名はその初代が寺田の出身だったという。寺田芋は、江戸時代に琉球芋宗匠と呼ばれた嶋利兵衛がこの地に広めたとされる。利兵衛は、宝永・正徳年間（一七〇四～一六年）に長池で薬種問屋を営んでいたが、扱っていた薬草の中に御禁制の品があった罪で、喜界島（壱岐ともされる）に流罪となった。享保元（一七一六）年に許されて、戻るとき、頭髪の中に芋苗を隠し入れて持ち帰り、木津川によって運ばれた水はけの良い肥えた土が適し、栽培が一帯に広まったという。少し先にある大蓮寺にある利兵衛の墓（供養碑・写真138）はサツマイモ形をしており、建立世話人は「松屋治郎兵衛　菓子屋清蔵」である。同じく大蓮寺にある「助郷碑」（明治二十一年）は文久年間に長池宿の助郷の軽減に尽力したとされる大道（大同）栄造（栄蔵）の顕彰碑で、「露の身と思へば易し朝の風」という栄造（洗心）の和歌を刻んでいる。助郷《すけごう》は宿場の人足や馬の補充のため、宿場周辺の村落から人馬を徴発する制度

地図36　伊勢田から寺田へ

で、幕末、大和における山陵普請や勅使派遣などで奈良街道の往来が煩雑になり、負担に耐えられなくなった長池宿と富野村が文久三（一八六三）年に幕府に助郷村の増加を願い、同じく奈良街道の宿場である玉水も助郷の軽減を嘆願、その結果、大和の諸村が長池宿の助郷村に定められたという。長池宿や玉水宿の負担は軽減されたのであるが、五里以上も離れた大和の村々にとっては、金銭代納であっただろうが、新たな負担が生じることになった。この長池宿の助郷役を負わされたのは最終的には南山城と北大和の二九か村に及び、過重の負担として赦免嘆願を行っている。

長池駅の東側の丘陵上は縄文時代後期の集落跡、森山遺跡があり、遺跡公園として整備されている。JR奈良線に沿って街道を行くと、右側の旧家の門前に「明治十年二月八日／木戸孝允公御中飯処」という石碑が立っている。明治の元勲、木戸孝允が明治十（一八七七）年の大和行幸に随行し、長池で昼食をとった「梅本甚兵衛」宅である。この木戸孝允が随行した行幸は西南戦争の前夜に行われたもので、二月十一日の紀元節に合わせた畝傍陵参拝を目的としていた。一行は京都を二月七日に出発、宇治で一泊し、長池、玉水、木津を経て、八日の夕方に奈良に到着している。木津川にはこの時、仮橋が架けられた。奈良の行在所は東大寺東南院。翌九日に春日神社参拝、午後に明治天皇は大仏殿回廊で奈良博覧会社の陳列品を見た後、金春流の能楽を鑑賞し、正倉院の「蘭奢待」を切った。十日は小雨で辷《すべり》坂を経て城戸通りを南下、中街道をとり、横田村・上之庄村で小休、さらに田原本の浄照寺で昼食をとり、今井の町に到着。行在所は称念寺であった。二月十一日に畝傍陵参拝、大和行幸の日程を終えた一行は、十二日、激しい吹雪のなかを高田・下田・藤井を通って、堺へ向かった。この十二日に木戸孝允は病状が悪化し、行幸列から離れ、単身で京都に戻っている。木戸のかつての盟友西郷隆盛が兵を挙げたのは、その三日後の十五日のことで、三か月の病臥の後、五月二十六日に木戸は、かつての盟友、西郷のことを気に病みつつ亡くなっている。享年四十五歳、死因は大腸癌の肝臓転移とされる。長池での昼食時も体調は悪かったであろう。

長池を出た街道はJR奈良線の踏切を渡り、南城陽中学校の角を南下しJR線を渡って奈島へ入る。奈島は梨間、菜島とも記され、中世には京都、奈良間の宿駅としての機能を果たしていた。「延元の役　梨間の宿跡」（写真139）とする「三宅安兵衛碑」が立ち、長池から十五丁、玉水へ三十丁とする。『太平記』に延元元（一三三六）年の後醍醐帝の吉野潜幸の時に記される「梨間宿」である。山城青谷駅は青谷コミュニティセンターとの合築駅舎。駅東方の青谷梅林は明治から大正にかけてよく知られた観梅地であるが、遊興的な花見と異なり、文人趣味の観梅が周辺環境の変化とともに衰退化しつつあるのは、奈良の月ヶ瀬梅林と変わらない。

奈島の十六は街道沿いにあった丈六仏（像高一丈六尺の仏）を祀る丈六堂の丈六が訛《なま》ったものとされ、街道は青谷川を渡り、南下して木津川堤上の国道24号線に合流し、吸収されてしまう。小倉堤と同じく堤の上を人が歩けば、堤防が踏み固められ丈夫になり、距離も短いということで、近世には木津川堤を行くようになったのだが、玉水の手前まで国道24号線には歩道が無く、危なくて歩けない。この区間は道を東にとり、JR奈良線沿いに並行する府道七〇号上狛城陽線あたりを歩くしかない。青谷川は川底の高い天井川でJR線は川の下の青谷川トンネルを通る。明治二十九（一八九六）年に開通した奈良鉄道の煉瓦積トンネルが現役である。昭和三十（一九五五）年開業の山城多賀駅はJR奈良線で最も利用者が少ない駅だそうだ。東にある万灯呂山《まんどろ》（標高三〇四メートル）は知る人ぞ知る南山城の夜景絶景地で、自動車で登れる。

玉水は奈良街道に設けられた近世の宿場で長池宿から一里八町、木津宿へ二里四町である。東方の台地上には奈良時代の橘諸兄《たちばなのもろえ》創建の井堤寺（井手寺、円堤寺）跡、平城京の大安寺創建瓦を造った石橋瓦窯跡（棚倉瓦屋）があ

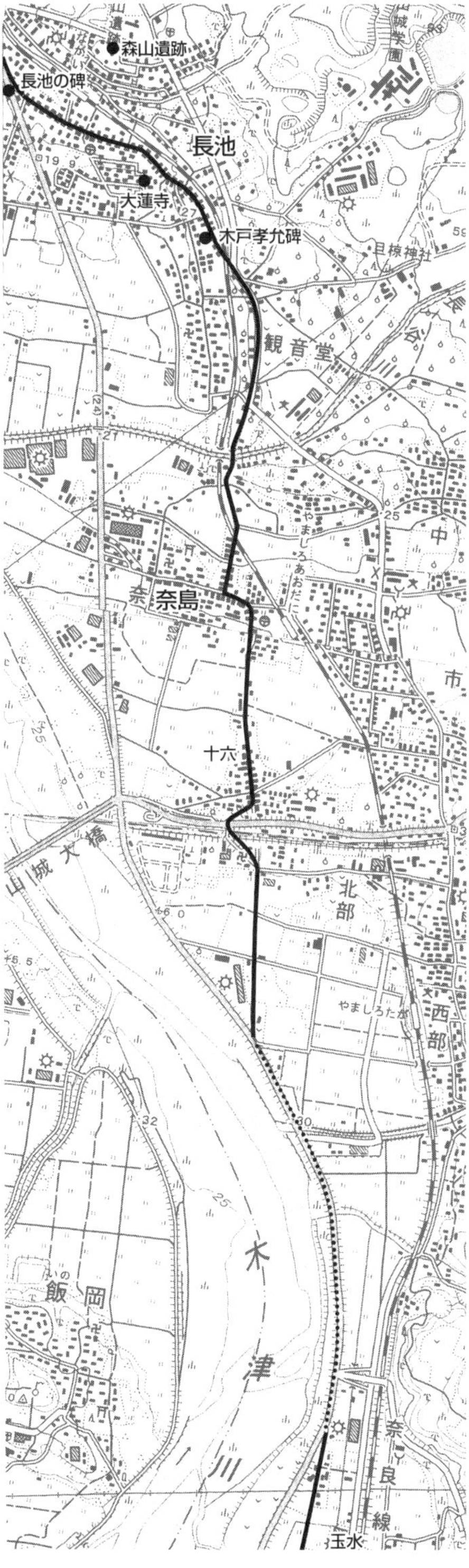

地図37　長池から玉水へ

写真 135　宇治屋の辻

写真 136　長池の碑

写真 137　長池

写真 139　「梨間の宿」石碑

写真 138　嶋利兵衛の墓

写真 143　泉橋寺の地蔵石仏

写真 140　玉水の三宅安兵衛碑

写真 141　以仁王墓

写真 144　挑川の石碑

写真 142　山城茶問屋ストリート

図31　井堤の玉川（『都名所図会』）

る。橘諸兄の相楽別業《さがらかのべつぎょう》や聖武天皇の玉井頓宮《たまいのとんぐう》もこの玉水周辺に推定されている。駅前通りの西、井手町役場に向かう交差点東北に昭和三年の「三宅安兵衛碑」があり（写真140）、井手の史蹟・名勝と近隣への里程が細かに記される。JR玉水駅ホームには昭和二十八（一九五三）年の南山城水害の土石流をものがたる五メートル大（約六トン）の巨石が残され、水難碑が立つ。玉水駅や玉水郵便局は八月十三日のこの土石流で埋没、約三十戸が流出し、井手町を中心に死者行方不明者は三三六名を数えた。「集中豪雨」という言葉が使われたのはこの時が最初である。

玉水の地名の起源ともなっている町の南を流れる玉川は和歌に詠まれる「六玉川」のひとつ。玉水から山城町平尾の開橋まで近世の奈良街道は最短の木津川堤防に通じているが、この区間も国道24号線と重複していて歩けない。中世以前の大和街道は東の山際を綺田《かばた》、平尾、椿井に通じていたとみられ、むしろこのルートを踏襲する府道70号のほうを歩く方が、周辺の見所は多い。

渋川を越えると、木津川市山城町。高倉神社は後白河法皇の第三皇子高倉宮以仁王《もちひとおう》を祀る神社で、隣接して以仁王墓がある（写真141）。治承四（一一八〇）年、源三位頼政とともに平家打倒の兵を挙げたが、平家の追討を逃れ、南都興福寺を頼って落ちる途中、この地で流れ矢にあたり落命した。平家

図32　綺田蟹満寺、高倉宮社（『都名所図会』）

物語ゆかりの地である。

古来稀なる頼政のむほんなり（古川柳）

天神川の南、東山裾にある蟹満寺《かにまんじ》は綺幡寺《かばたでら》、加波多寺、蟹《かに》満多寺《また》とも記される古代からの寺で、蟹の恩返し伝説と丈六の白鳳仏、国宝銅造釈迦如来坐像で知られる。JR線が潜る不動川トンネルも明治二十九（一八九六）年開通の奈良鉄道の煉瓦積トンネル。明治二十二年に平尾と綺田《かばた》は『万葉集』に歌われた棚倉野《たなくらの》に因み、棚倉村になっており、現在は棚倉駅にその名が残る。山城特産の筍《たけのこ》の卸売市場がある棚倉駅の東にある和伎《わき》神社は『延喜式』に記される和伎座天乃夫岐売《わきにいますあめのふきめ》神社。神社の森は一夜にして湧出したというので、「湧出《わきでの》宮《みや》」と呼ばれる。境内は弥生時代中期の集落址とみられる湧出宮遺跡としても知られている。

椿井には全長一八五メートル、南山城随一の大型前方後円墳、椿井大塚山古墳がある。明治二十七（一八九四）年の奈良鉄道（JR奈良線）の敷設によって、後円部が切断され、昭和二十八（一九五三）年の大雨でこの切り通しが崩壊、竪穴石槨が見つかり、三角縁神獣鏡を中心とした三十六面もの大量の青銅鏡が出土した。この古墳から出土した三角縁神獣鏡と日本各地の古墳から出土した同型鏡（同笵鏡）との関係から中央政権からの鏡の分与、配布が想定されており、古代から交通の要所であった南山城の重要性を物語る。椿井大塚山の出土遺物は京都大学に所蔵され、京都大学総合博物館で見ることができるが、地元の山城中学校には椿井大塚山古墳の石槨天井石が保管されており、山城図書館（アスピアやましろ）には、椿井大塚山古墳出土の銅鏡のレプリカが展示公開されている。

国道24号線を上狛で横断、山城町上狛の集落中央を通る道は「作り道」という名も残り、恭仁京右京の中軸で、奈良時代前半の山背国府の中軸とも推定されている。JR線の東にある高麗寺《こまでら》跡は七世紀後半の東側に塔、西側に金堂を配するいわゆる「法起式伽藍」をもつ寺院跡。高句麗《こうくり》系渡来氏族である狛《こま》（高麗）氏が造営した氏寺とするのが通説であるが、飛鳥寺や川原寺の創建軒瓦もここからは出土する。「高麗寺式」軒瓦は相楽郡、綴喜郡、久世郡の南山城の白鳳期寺院跡から共通して出土し、高麗寺は中央がその造営に関わった南山城地方の中心的古代寺院であったと考えられている。また、『日本書記』の欽明天皇三十一年に高句麗の使人を迎えた外交客館「高槭館《こまひのむろつみ》」や「相楽《さがらか》の館」が高麗寺の前身施設とみる説もある。

上狛には茶問屋が多く、明治に南山城の茶は「上狛の浜」から神戸港へ川船で積み出されたという。明治には横浜港から積み出される絹と神戸港から積み出される茶が日本の主要輸出品であった。日本の近代化は絹と茶によって推し進められたともいえる。上狛の浜に通じる道は「山城茶問屋ストリート」（写真142）という愛称がつけられ

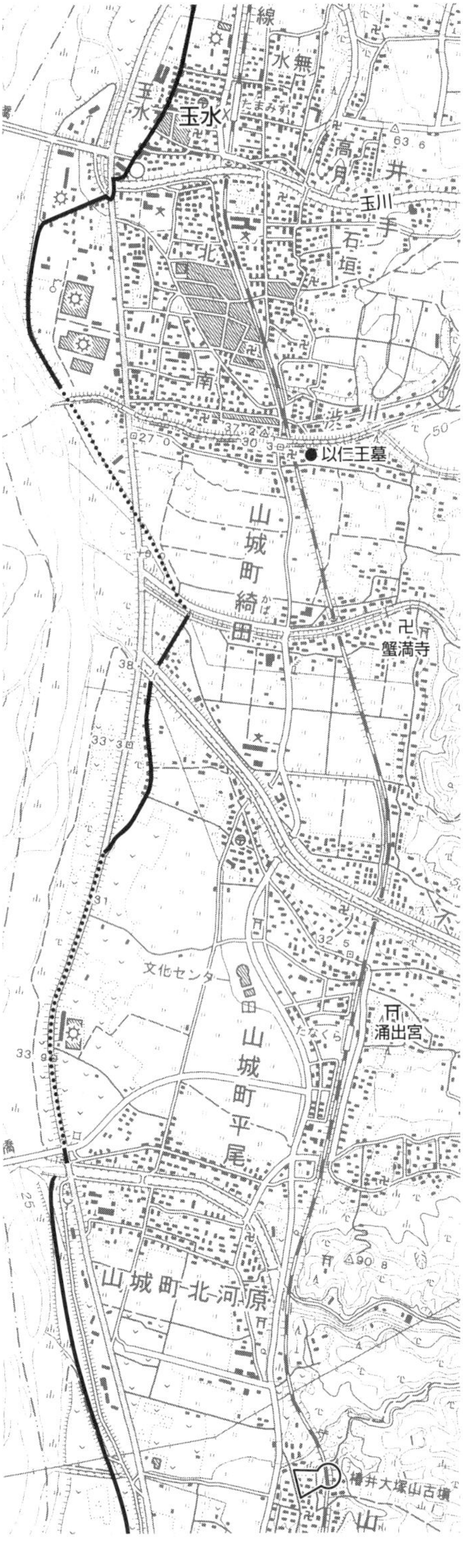

地図38　玉水から上狛へ

ている。

　木津川には天平年間に行基が往来の便を図るため、泉橋《いずみばし》を架けたと伝えるが、泉橋はたびたび流失し、仮橋の架橋も試みられるが、平安時代以降、明治まで基本的には渡船で、木津渡（泉河渡）と呼ばれた。泉橋寺《せんきょうじ》は行基が泉橋とともに建立した泉橋院、橋寺《はしでら》で、行旅人を救済する布施屋《ふせや》も設けられた。泉橋寺の地蔵石仏（写真143）は、徳治三（一三〇八）年に上棟した地蔵堂が応仁の乱で焼失し、以来、露座となっている。行基が架けた泉橋の橋脚は鎌倉時代になお、川の中に残っていたと伝え、光を放つこの橋柱から彫り出したのが南岸にある大智寺（橋柱寺）の文殊菩薩像（国重要文化財）だと伝えている。文殊菩薩は鎌倉時代に民衆の救済を図った西大寺の叡尊や弟子の忍性、慈真らが帰依した仏であり、行基は文殊菩薩の化身ともされた。古代の泉橋や泉河渡の位置はこの大智寺と泉橋寺を結ぶ位置とみられるが、近世の渡し場はやや下流に位置し、北岸の上狛と南岸の大路を結んでいた。明治になって、奈良街道の延長上には、たびたび橋が架けられたが、その度に流失。大正七（一九一八）年には、鉄筋コンクリートの橋台をもつ吊橋の泉橋が架けられた。川の中には昭和二十八年の山城水害で流失したこの泉橋の橋台が残っているのが見える。八月十五日午前七時頃、橋とともに流された人は、奇跡的に下流の八幡（京都府八幡市）で無事助けられたという。堤の北岸で木津川堤を来た近世の奈良街道とも合流。木津川北岸堤防に『古事記』『日本書紀』の武埴安彦《たけはにやすひこ》反乱の「挑川《いどみがわ》故蹟」や里程を示す「三宅安兵衛碑」が建つ（写真144）。泉川（木津川・写真145）の名はこの「挑川」に由来すると「記紀」は記す。

　旧泉橋の上流約五〇〇メートルには昭和二十六（一九五一）年に架けられた国道の鉄橋、「泉大橋」が架かる。長さ三八三・六メートルのトラス鉄橋で、「日本百名橋」に選定されている。その東には、JR奈良線の木津川橋梁が

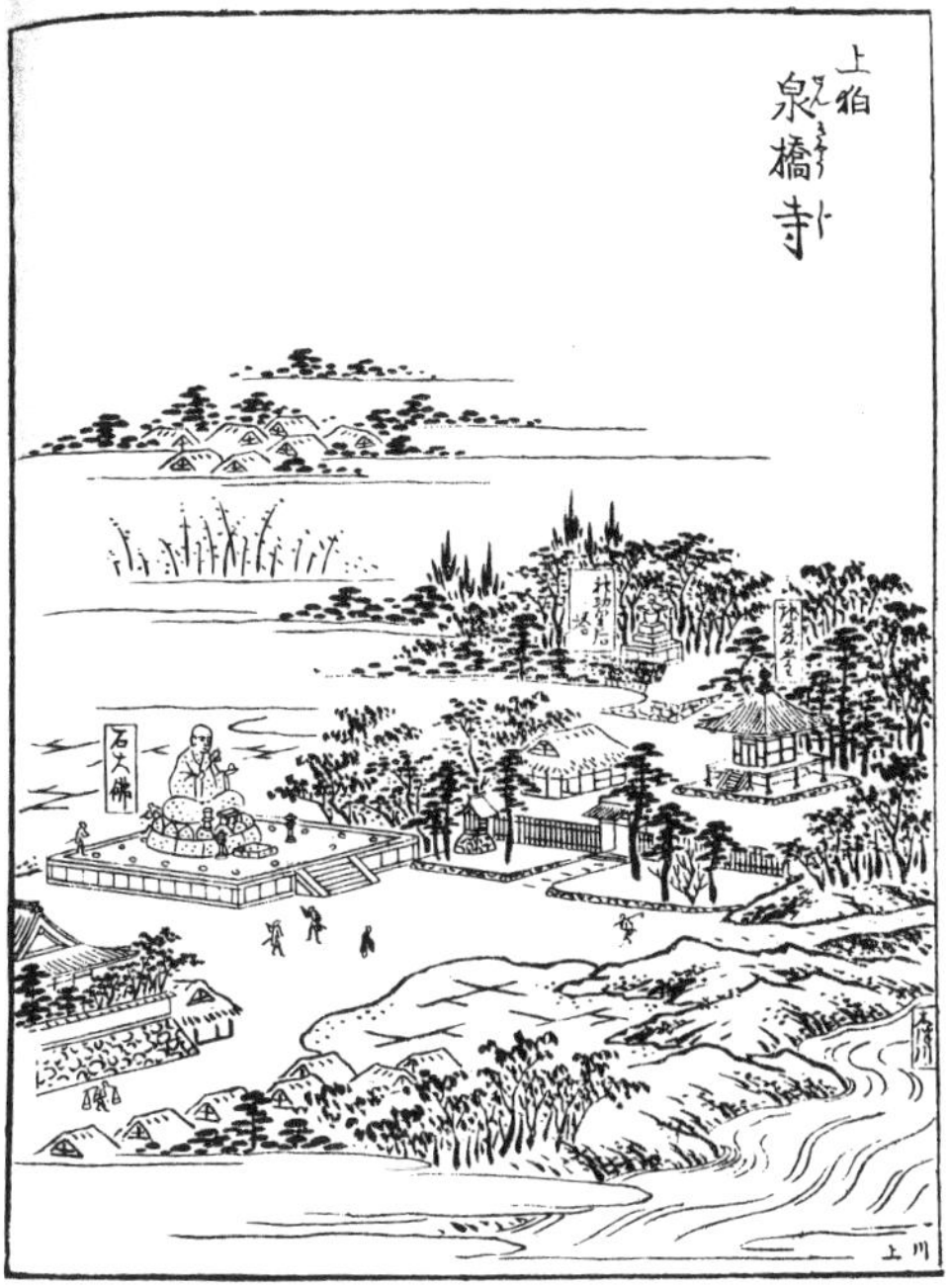

図33　泉橋寺（『拾遺都名所図会』天明７年）

並行して架かる。南岸の木津川河原は治承四（一一八〇）年十二月（十二月は一一八一年）に奈良を攻め、東大寺、興福寺を焼いた平重衡《たいらのしげひら》の処刑地と伝え、重衡の「首洗い池」や「成らず柿」、安楽寺の供養塔（十三重石塔）などがある。

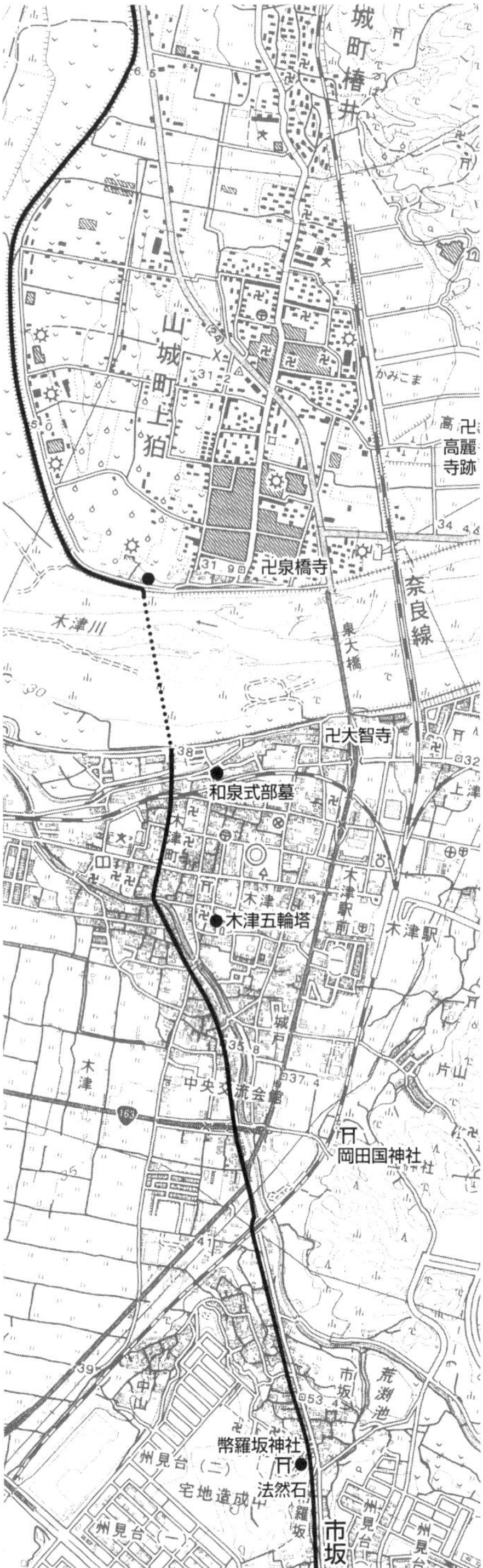

地図 39　木津

木津から奈良へ（奈良街道）

木津は平城京の外港、「泉津《いずみのつ》」であり、その地名は東大寺大仏殿や平城京の造営材の陸揚げ地であったことによる。奈良の都を支えた大量の物資は水運によって運ばれ、木津で荷揚げされ、平城山越えで都に運ばれた。木津川（泉川）の水運の便は平城遷都の理由のひとつと考えてよいだろう。南岸には平安中期の歌人として知られる和泉《いずみ》式部《しきぶ》の墓という五輪塔もある（写真146）。和泉式部の墓というのは各地にあるが、泉津と呼ばれた木津出身で、故郷で晩年を過ごしたと木津では伝えている。また、木津川市役所の南にある正応五（一二九二）年の木津惣墓五輪塔（高さ三・四五メートル）や正覚寺の正徳四（一七一四）年の木津川洪水犠牲者供養の阿弥陀石仏など木津の歴史を物語るものは多い。

図34　奈良坂般若路（『大和名所図会』寛政３年）

木津川市役所の西約三〇〇メートルの旧街道沿いに木津町道路元標があり、川岸から南下するのが奈良街道、井関川沿いに続く街道沿いの木津の町（写真147）には京風のベンガラ格子の家も見られ、奈良に隣接するとはいえ、山城国であることを感じさせる。国道163号線を潜るが、左手に岡田国神社の鳥居が見える。神社は木津郷五か村の氏神で、本殿下に能舞台を囲むように拝殿、詰所が配され、中世南山城の惣社の姿をよく残している。街道の西側には、弘化二（一八四五）年の大きな常夜燈が立ち、このあたりが木津の南の出入り口となる。「木津奈良道」の交差点で不退寺越道を踏襲する国道24号線を渡る。

大和と山城の間にある平城山丘陵を越える道は、西から歌姫越、不退寺越、奈良坂越（般若寺越）の三路があり、大和盆地を縦貫する古代の官道である「下つ道」、「中つ道」、「上つ道」がこれに対応している。このうち、現在の国道24号線やJR関西本線が通る不退寺越が最も緩やかで、古代には最も多く利用されたとみられる。「奈良坂」も古くは、この不退寺越であったとみられ、平安貴族の春日詣にもこの道が多く利用された。その後、東大寺や興福寺を中心に中近世の奈良の町が形成されると、東方の般若寺の門前を通る般若寺越が奈良坂越と呼ばれるようになっていく。般若寺越道は山城の加茂、笠置、伊賀の上野から加太

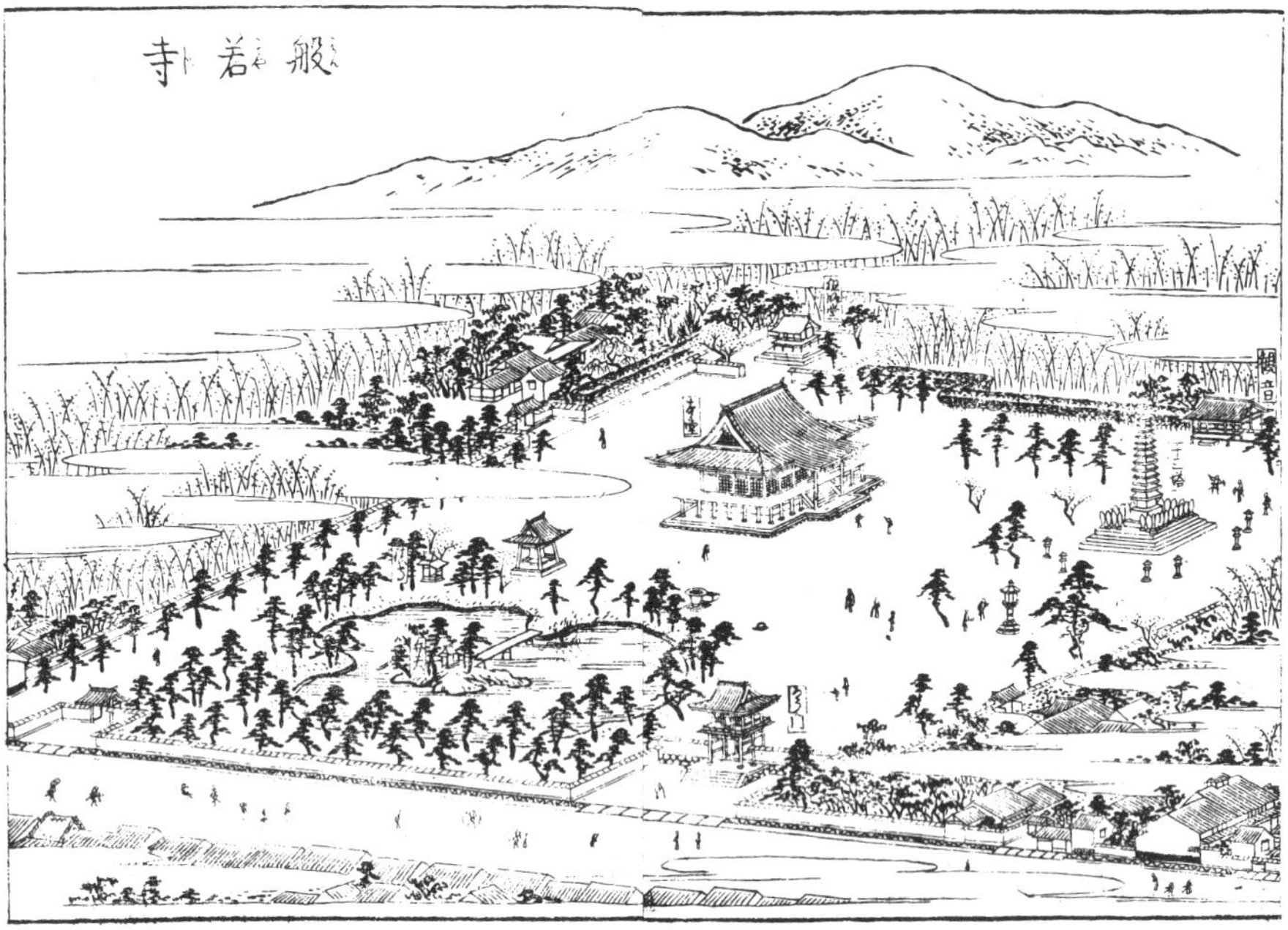

図 35　般若寺（『大和名所図会』）

越で「東海道」の関にも繋がっており、奈良から江戸へはこの「伊賀奈良街道（伊賀越・大和街道）」が使われることが多かった。なお、大和の郡山藩の参勤交代では、自領である歌姫越を通り、相楽《さがなか》に出て、木津から「大和街道（伊賀越）」を経て東海道をとるルートがとられた。この下つ道の延長上にある歌姫越の道は山背《やましろ》（山城）に入ると、相楽から吐師《はぜ》、祝園《ほうその》、山本と木津川西岸を北上し、淀や八幡に至り、西岸の道は「山陽道」、「山陰道」に繋がったとみられ、中つ道の延長上にある不退寺越や上つ道の延長上の般若寺越は木津で合流し、木津川を渡り、その東岸を行く道が古代の「東山道」、「北陸道」に繋がっていたと考えられる。

般若寺越えの京都府道・奈良県道７５４号木津横田線（旧国道24号線）をとり、ＪＲ関西本線（大和路線）のガードをくぐると、市坂。市坂は「一坂」とも書かれ、平城山丘陵にかかる最初の坂。集落の東方にある馬場南遺跡からは、発掘調査で『万葉集』の和歌を記した木簡、多くの奈良三彩陶器、「神雄寺」と記した墨書土器が出土しており、奈良時代の山林寺院跡とみられる。街道に面してある幣羅《へら》坂《さか》神社は市坂の氏神で、もとは春日神社。「記紀」が記す大彦命《おおびこのみこと》が山背平坂《ならさか》（幣羅坂）で童女の歌によって、武埴《たけはに》安彦《やすひこ》の謀反の企てを知った地だとされる。神社下にある堂

図36　一の坂（『拾遺都名所図会』）

内の「法然石（校量念仏石）」（写真148）は法然上人が奈良からの帰途、南無阿弥陀仏と念仏を記した紙を石の下に差し込み、この石を浮かせ、念仏の重みを人々に示したと伝えている。「動《ゆるぎ》観音」は大永四（一五二四）年の銘がある室町時代の石仏で、右手に錫杖、左手に水瓶をもつ長谷寺式の観音菩薩。もと奈良の春日山にあり、誰も動かせなかったのが、市坂の村人が手を触れると簡単に動き、市坂に祀られるようになったと伝えている。

　州見《くにみ》台住宅地の道路橋（州見橋）をくぐり、府県境（大和・山城の国境）を越える。府県境付近には歩道が無く、自動車に注意が必要。府県境を越えたあたり、県道の東側に旧道が分岐するところに「南無妙法蓮華経」の題目碑が立っている（写真149）。城和の国境にあった高座《こうざ》の刑場はこのあたりと伝えるが、高座は山城側の地名である。左へ入るのが旧街道であるが、県道44号から先は青山住宅地となり、道が残っていない。県道44号奈良加茂線は旧関西鉄道（「大仏鉄道」と愛称される）の路線跡。青山梅谷口交差点を西南に行くと、道路下に関西鉄道鹿川隧道が残っている。県道754号は上りになり、角に二月堂常夜燈の石燈籠が立つ。「奈良阪」バス停の所で右へ旧道に入る。奈良阪町の奈良豆比古《ならづひこ》神社前には「北　すぐ　かすが　大仏／左　いが　いせ　道」、「東　右　京　うぢ／左　かすが

写真 145
木津川

写真 147　木津の家並

写真 146　和泉式部の墓

写真 148　念仏石

写真 149　高座・城和国境

写真 151　般若寺楼門

写真 150　奈良阪の道標

写真 152　夕日地蔵

写真 153　北山十八間戸

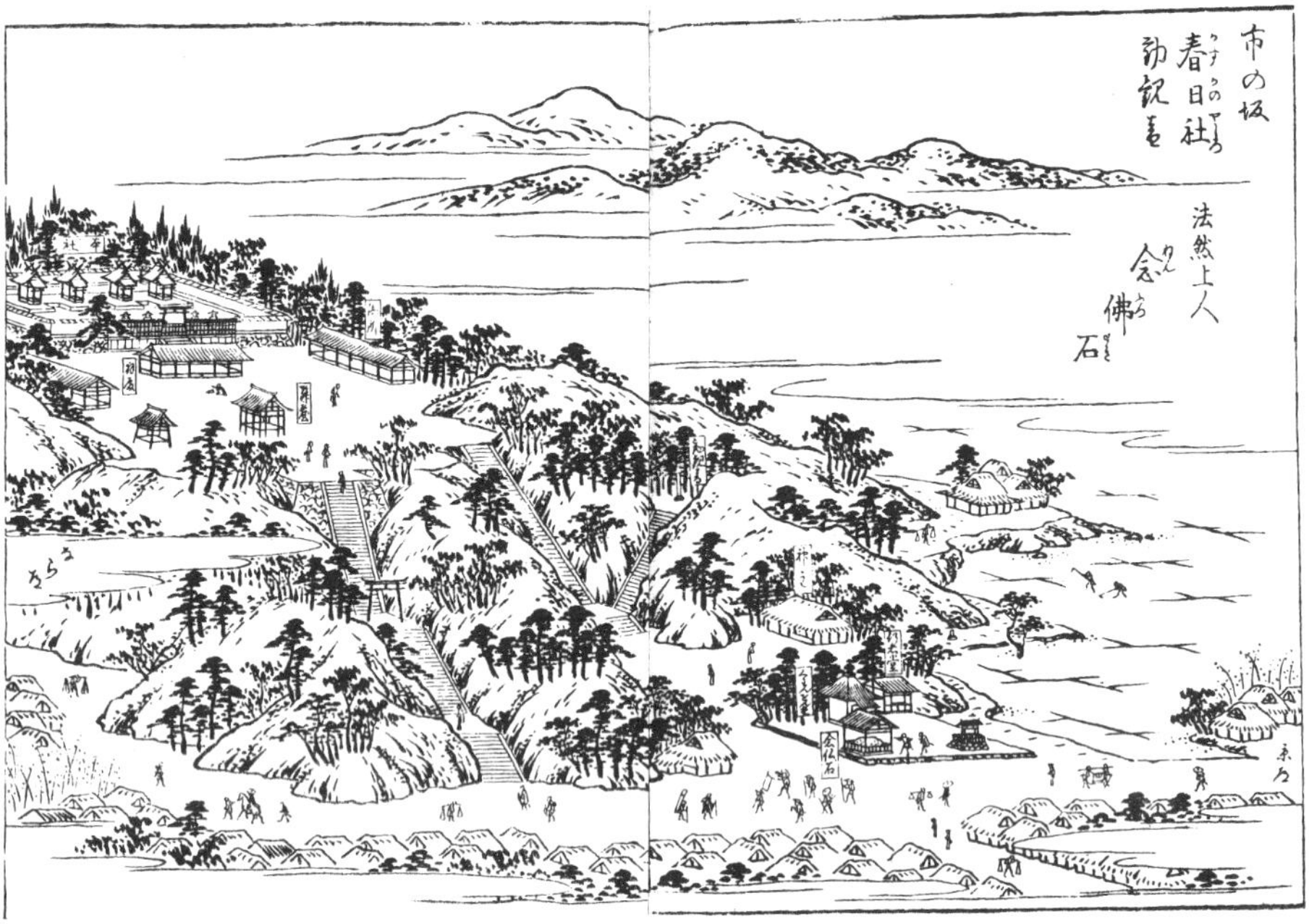

図37　市の坂、春日社、動観音、法然上人念仏石（『拾遺都名所図会』）

大仏　道」、「南　右　いが　いせ／すぐ　京　うぢ　道」とする弘化四（一八四七）年の道標があり（写真150）、高札場が復原されている。奈良七口のひとつ奈良坂口で、ここから東へ加茂、笠置、上野、加太へと行く伊賀街道（伊賀越・大和街道）が奈良時代の「東海道」であった可能性が高い。

　街道の左手の般若寺楼門（写真151）は鎌倉時代の国宝。境内の石造十三重塔は鎌倉時代、南宋から来日した石工・伊行末《いぎょうまつ》《（いのゆきすえ）》によってつくられた大塔。伊行末の嫡男、伊行吉《いぎょうきつ》《（いのゆきよし）》が父のために建てた石造笠塔婆もある。般若寺門前にある植村牧場は明治十六（一八八三）年創業の奈良市内最古の牧畜場。初代が病弱だったため「自分の健康のために飲むつもり」で乳牛を飼いはじめたのがはじまり。現在は三〇頭の牛を飼育し、牛乳とソフトクリームのおいしさでよく知られる。

　夕日地蔵（写真152）は永正六（一五〇九）年の興福寺僧浄胤の造立、会津八一の「ならさかの　いしのほとけのおとがいに　こさめながるる　はるはきにけり」と詠ったのはこの石仏とされる。

　北山十八間戸《きたやまじゅうはちけんと》（写真153）は国史跡。鎌倉時代末に律僧の忍性がハンセン病患者のために建てたもので、寺院僧房の形式をとる。もとは般若寺東北にあったものだが、江戸時代の寛文年間（一六六一～七三年）にこの地に再建され、江戸時代は光明皇后の施浴伝説によって阿閦寺《あしゅくじ》の遺跡とされた。坂を下って行くと、右手にあるのが、煉瓦造の奈良市水道計量室跡。奈良市の上水道は明治四十二（一九〇九）年に、布設が提議され、大正三（一九一四）年に水道布設案が市議会で可決、大正四年から建設を開始、水源を京都府の木津川に求め、奈良市内まで送水管を布設し、大正十一年九月三十日に給水を開始した。分岐から西北へ行くと、明治の「五大監獄」のひとつ、元奈良少年刑務所（写真154）。明治四十一（一九〇八）年の煉瓦造の西洋建築。ロマネスク調の表門（正門）や本館庁舎などがよく残り、閉鎖後の保存活用が注視される。

道を下りきると、佐保川に架かるのが「石橋」（写真155）。慶安三（一六五〇）年に奈良奉行所が架けた公儀橋で、当時、奈良には他に石橋が無かったことから、橋の名も「石橋」である。京街道の奈良入口の重要な橋で、コンクリートで拡幅されているが、橋下には石製の三間の橋脚、橋梁、橋桁が残る。宝永元（一七〇四）年、東大寺大仏殿の大虹梁を木津から運ぶ際には、橋上に土砂を盛り、材木で橋を補強して石橋を損なうことなく渡したという。「今在家《いまざいけ》」で国道369号線に合流する。ここからの道は東大寺の西面大垣に沿った平城京東七坊大路（東京極大路）を踏襲している。

転害門（写真156）は東大寺の西面北門で、門前から平城京の一条大路が西へのび、佐保路門とも呼ばれる。手向

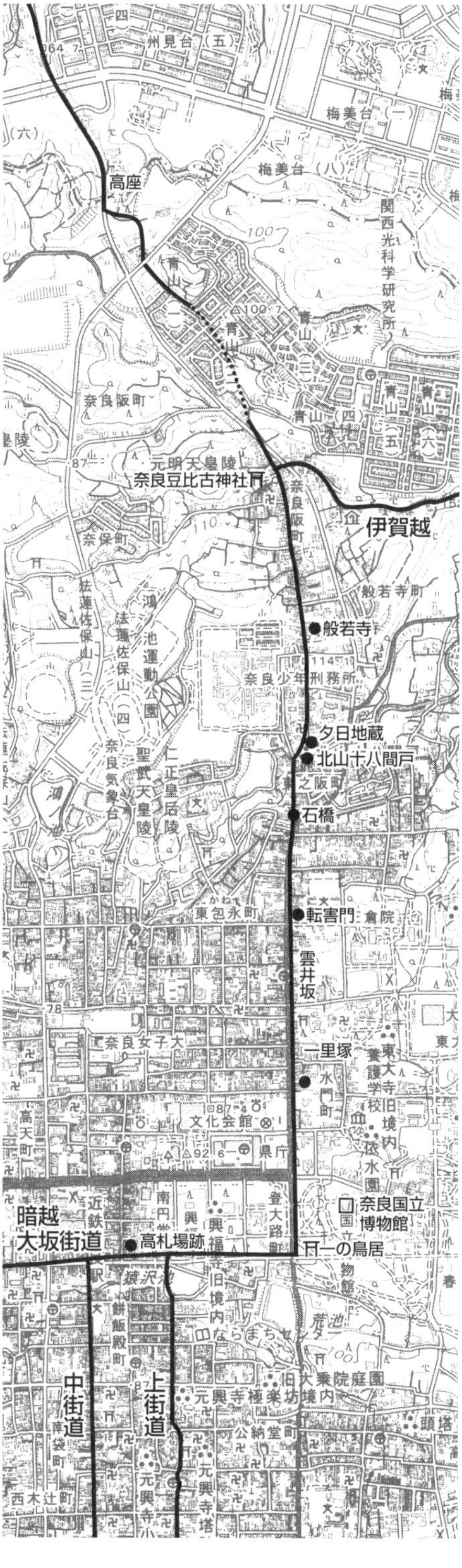

地図40　木津から奈良へ

山八幡の転害会のお旅所となるため、転害門の名がある。鎌倉時代に大修理されているが、奈良時代の八脚門で、国宝。宇佐から八幡神の神幸を待ちかねた行基がこの門から手招いたから手掻《てがい》という話も伝わる。鎌倉時代の大仏供養の際、平景清《たいらのかげきよ》がこの門にひそみ、供養に参向する源頼朝の命を狙ったということから景清門の名もある。

周辺の今小路町や手貝（手掻）町には旅籠屋が多く、京からの旅客はこのあたりに宿泊することが多かった。「柿食えば鐘が鳴るなり法隆寺」の句は明治二十八年に正岡子規が手貝町にあった旅館、対山楼（角定）に泊まり、その日に訪れた法隆寺のことをこの宿で柿を食べて偲んだ句だという。

東大寺の西面中門は中御門《なかみかど》、慶長十一（一六〇六）年に焼失し、「焼門《やけもん》」と呼ばれ、その礎石が残る。門の東南にある御拝壇は、聖武天皇が大仏を御拝三礼した地とされる。円融天皇、後白河天皇もこれに倣い、この石敷壇から大仏を遥拝されたとする。押上町《おしあげちょう》は雲井坂に沿った町、町名は荷車を押し上げたことに由来するという。押上町にある八坂神社の祇園会《ぎおんえ》には、室町時代には東大寺七郷の町々が京都の祇園祭と同じく山や鉾を出していた。

東大寺の西面南門は国分門《こくぶもん》、西大門とも呼ばれる。門から西にのびる道が平城京の二条大路跡。門の礎石もあって、石碑も建っているが、位置的にはやや北東の地が本来の門跡とみられる。「金光明四天王護国之寺《こんこうみょうしてんのうごこくのてら》」の額が掛かる門で、東大寺の正門は、本来、この門だとされる。治承の兵火後も再建されたが、天正十一（一五八三）年に倒壊した。現在、門跡とされる地には一里塚跡のエノキの大木の枯れ株がある（写真157・この榎は目通り約四・二メートル、高さ一五メートルあったという）。京街道の起点であったのだろうか。ただ、京街道には他に一里塚跡とする場所はあまり聞かない。東大寺境内外の護神八箇所（外八興社）を祀った地だとも、聖宝《しょうぼう》理源大師が退治した大蛇を埋めた地だともいう。門跡の南にある小池が「みどり池」と呼ばれる。ここから一の鳥居が見え、池に映る「見鳥居池《みとりい》」として名所であった。この池からの流れに掛かる橋が「南都八景」のひとつ轟《とどろき》橋とされ、歩道に敷石で表示され、石標が建つ。「南都八景」は近江八景などと同じく中国の「瀟湘《しょうしょう》八景」をモデルとして、室町時代には確立しており、佐保川蛍、東大寺鐘、三笠山雪、春日野鹿、南円堂藤、猿沢池月、雲居坂雨、轟橋旅人。この中の雲居坂は雲井坂、轟橋の北、押上町の京街道（国道３６９号線）の坂である。轟橋はその豪壮な名にふさわしくないみどり池から流れ出る小溝に架かる小橋で、雲井坂の下に流れる吉城《よしき》（宜寸）川に架かる威徳井《いとくい》橋がふさわしいという説もあるが、はたしてどうだろうか。

南側の県知事公舎西には幕末から明治にかけて農事改良に尽くした「明治三老農」の一人中村直三（一八一九－一八八二）の顕彰碑が立つ。奈良県庁の東、登大路交差点の東北角には安政四（一八五七）年の道標があり、「右　大坂　はせ　とりゐのまえよりにしへ／左　うぢ　京」「右　かすが　大ぶつ」「すぐ　なんゑんどう」を示す。ここにある小祠は拍子《ひょうし》神社、雅楽の名手、狛近真《こまのちかざね》（一一七七－一二四二）を祀り、舞楽の陵王面を土中に封じるという。音曲、芸能の守り神で、楽の拍子が良い、商売の拍子が良いと信仰を集めた。

県庁東の交差点の地下道を通り、南に出ると奈良国立博物館（写真158）。明治二十八（一八九五）年開館の帝国奈良博物館（後に奈良帝室博物館）である。旧本館はネオバロック風の奈良最初の本格的西洋建築。西側が正面で、道路東側溝にかかるセメントに砕石を入れて磨いた人造石の橋も奈良で最も古く、工事中は見物で賑わったと伝える。博物館の構内は宝蔵院槍術で知られた興福寺宝蔵院の跡地で、構内西北にある鎌槍発祥之地碑の東北に板石で蓋された宝蔵院の井戸跡が残る。

博物館の南側は春日の参道。平城京の三条大路（三条通り・大坂街道）の東端に春日大社の大鳥居、「一の鳥居」が立つ（写真159）。奈良街道の一応の終着点となる。一の鳥居は木造の春日鳥居で柱間五・二メートル、高さ六・七五メートル、柱径九八センチ。社伝では承和三（八三六）年の創建とし、文献では十一世紀中頃には確実に存在していることが確認できる。柱は八角の杉柱を心柱として桶側式に檜厚板一六枚を張り立てて円柱としており、二か所を金輪で締結する。地下一・九メートルに埋置した礎石上に掘立として建てられている。「旧国寶」で、現在は春日大社本社二十七棟のひとつとして重要文化財に指定される。鳥居の左右に立てられる榊《さかき》の背が高い年は奈良の米の値も高くなると言われており、低くしてもらうよう願い出る人もあったとか。猿沢池の龍が興福寺の宝物、「面向不背の玉」を狙い一の鳥居上に現れるため、榊は北側だけに取り付けたともいう。江戸時代には一の鳥居は、仏道修行の初門、「発心門」とされていた。

一の鳥居の南西には明治の和風旅館菊水楼、続いて石子詰めで知られる十三鐘（興福寺菩提院大御堂）、北側は興福寺寺内、このあたりを奈良名所見物していると、なかなか道がはかどらない。五十二段の石段の東側の木立が保

写真 154　旧奈良監獄

写真 155　佐保川の石橋

写真 156
東大寺転害門

写真 158　奈良国立博物館

写真 157　一里塚跡

写真 159　春日一の鳥居

写真 161
橋本町里程元標と
高札場の復元

写真 160　猿沢池

元の乱に敗れた宇治左大臣藤原頼長が興福寺に開門を求めたという「左府《さふ》の森」。石段の西脇には奈良奉行川路聖《かわじとし》謨《あきら》の「植櫻楓碑」と楊貴妃桜。薪能が行われる興福寺南大門前の「辷《すべ》り坂」を下ると猿沢池（写真160）。奈良の町の中心である橋本町に到着となる。三条通の南東角にあった奈良市の道路元標が北側に移設され、道路北側には「奈良縣里程元標」（写真161）や江戸時代の高札場が復原されている。大坂からの暗越《くらがりごえ》奈良街道（大坂まで八里八町）の終点でもあり、京や大坂を早朝に出ると、奈良は宿泊せざるを得ない距離にあることから、猿沢池周辺の樽井町、池之町、今御門町などには、江戸時代から旅籠屋や旅館が数多くあった。小刀屋《こがたなや》善助、印判屋《いんばんや》庄右衛門、魚屋佐平などがよく知られる。樽井町の南側には樽井という井戸があったとされ、弘法大師が初めに橋本町の微《かすり》井《い》を掘ったが、水が不足し、この井戸を掘り「足井《たる》」と名付けたと伝える大師信仰も残る。

また、采女神社から猿沢池の西側を南下するのが上街道で、奈良からの長谷街道、伊勢街道でもあり、伊勢参りでは奈良で一泊の後、この道がとられた。

奈良から二階堂へ（中街道）

江戸時代に奈良盆地の中央を南北に縦貫したメイン街道が「中街道《なかかいどう》」。現在の国道24号線がその機能を踏襲し、盆地の南北を結ぶ動脈である。奈良から横田、二階堂、田原本、八木を経て五條、あるいは芦原峠を越えて吉野に至る。奈良盆地に古代に約二・一キロの等間隔で設定された三本の南北道、「上《かみ》つ道」「中つ道」「下つ道」のうち、中街道は奈良付近、盆地北部では、「中つ道」のルートをとるが、西へ進み、二階堂（天理市）からは「下つ道」と重複して南下し、見瀬（橿原市）までの一四・五キロは、ほぼ直線道になっている。

なお、盆地の東部を南北に通じる古代の「上つ道」は近世の伊勢街道、「上街道」であり、中街道と分かれた「中つ道」は近世には飛鳥の橘寺に通じる道として「橘街道」と呼ばれた。平城京の南北メインストリートである朱雀大路は「下つ道」を基準にして造られており、「下つ道」が平城京と飛鳥を結ぶ古代奈良盆地の幹線メイン道路であった。北は、平城山を歌姫越で越えて、奈良時代の「山陽、山陰道」に繋がり、南は飛鳥檜隈《ひのくま》からは西南に向かう「巨勢道《こせみち》」となり、宇智を経て、紀州に至る「紀路《きのみち》」、すなわち「南海道」ともなる。近世には飛鳥から重《へい》坂《さか》峠を経て五條に出るこの道は大和巡りの後に高野山に向かう街道として、大和南部では「高野街道」とも呼ばれ、沿道には高野山を指し示す道標も多く残る。

奈良の町の出入り口は、奈良坂口（京・伊賀）、三条口（大坂）、柳町口（郡山）、椚《くぬぎ》口（初瀬、伊勢）、綿町口（高野、吉野）、高畑口（東山中《さんちゅう》）、紀寺口（名張・東山中）の七つがあり、「奈良七口」と呼ばれる。高野山へは奈良の西口である郡山へ向かう柳町口を出て、郡山、箸尾、高田、御所、五條と「下街道」を使っても行くことができるのだが、綿町の西にある文化七（一八一〇）年の八軒町の道標は北側に「右　古ほり山道／左　かうや道」としており、高野山へは、「綿町口」から「中街道」をとることがわかる。町の出入り口の綿町や京終《きょうばて》地方西側町《じかたにしがわちょう》には「神武天皇陵／橿原神宮　吉野　高野」を示す明治二十八年の道標が存在したことも知られるが、現存しないのが残念である。

「綿町口」へは三条通りの角振町《つのふりちょう》の隼《はやぶさ》神社（角振明神）の角で南に折れ、椿井町、東城戸《じょうど》町、南中町、南城戸町、浄言寺町と奈良の町が広がる台地西縁を南下する。城戸通りは京街道の手貝通り、大阪街道の三条通りとともに奈良では早くに舗装された目抜き通りであった。角振町は「もとの木阿弥」で知られる黙阿弥（木阿弥）が住いしていたという。大和の戦国大名、筒井順慶の父、筒井順昭が病死した時、順慶が幼く、その死を隠すために、順昭と容姿や声の似ていた黙阿弥を寝所に寝かせ来訪者を欺き、順慶の成人後、黙阿弥はもとの境遇に戻されたという話である。椿井町の角にある古梅園は天正五（一五七七）年に松井道珍が創業したという奈良墨の老舗。奈良の墨は室町時代興福寺の二諦《にてい》坊で燈明の煤《すす》と膠《にかわ》を和して作ったのに始まると伝える。「南都見物の御かた　晒にても油煙墨にても御もとめ候ハんにハ　宿のていしゅ御頼ミ有て御かい候へハ安し」とされ、墨は奈良みやげに重宝された。古梅園六代松井元泰は元文四（一七三九）年長崎に行き、唐墨について唐人の教えを乞い。墨の研究と改良に努めた。膠の研究のため、将軍徳川吉宗から象の鼻の皮を拝領したという。現在もその名が良く知られる「紅花《こうか》墨《ぼく》（通称お花墨）」は七代の松井元彙が完成させたもの。宮中や将軍家の御用御墨所として、江戸時代から京、大坂に出店を持ち、大坂の狂歌師、鯛屋貞柳は古梅園の墨に因み「月ならで雲のうへまですみのぼる　これはいかなるゆゑん成らん」という狂歌を残している。古梅園の向かい側にある椿井小学校は明治五（一八七二）年に設立された「陶化舎」以来の歴史をもつ小学校。明治八年に西洋風二階建ての校舎が奈良ではじめて新築された学校で、もと「奈良第一尋常小学校」。

東城戸町や南城戸町の城戸とは、中世南都の西南際に木戸惣門があり、木戸を城戸《きど》と書き城戸《じょうど》と読むようになったという。東城戸町には江戸時代、奈良晒《さらし》の豪商が多く、その名残がうかがえる家並が残っていたが、駐車場やマンションが増えている。浄言寺町や綿町は奈良に隣接する木辻村内に形成された町場で江戸時代から町の扱いを受けた。市内循環バスの通る市内循環道路は昭和十一（一九三六）年に完成、当時、「南大路」と呼ばれた。道を渡ると、「京終《きょうばて》」。京終郷は鎌倉時代から知られ、奈良の町の南限、かつてはこのあたりで家並も果てたという。街道の西側が京終地方西側町、東側が京終地方東側町である。農村である京終村の年貢地（地方《じかた》）に出来た町並み。JR桜井線（万葉まほろば線）の踏切を渡り、すぐ西に折れる。桜井-京終間の鉄道は明治三十一（一八九八）年に開通。京終駅（写真162）はこの時に奈良の南の終着駅として開設された。高畑町の連隊の最寄り駅でもあり、大正八（一九一九）年には大和高原の小倉までを繋ぐ奈良安全索道も通じ、京終は凍り豆腐や野菜、薪炭、木材などの集散地として栄えた。

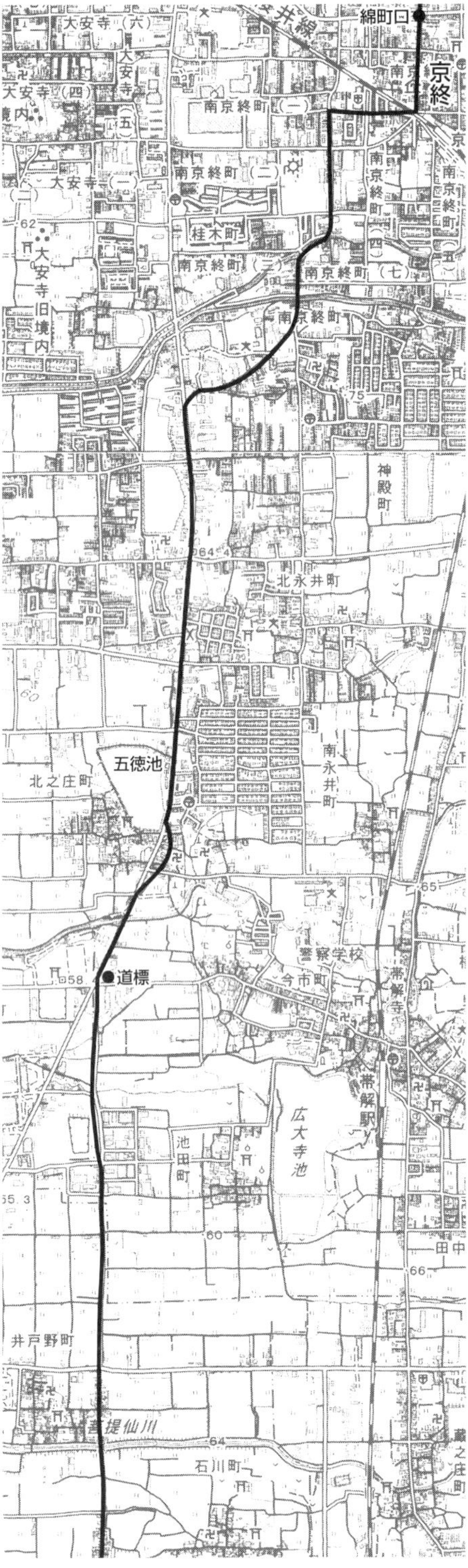

地図41　奈良綿町口から井戸野へ

街道は市道六条奈良阪線、通称「やすらぎの道」に出て南下、県道122号京終停車場薬師寺線を西へ行き、次の角を左折、南下する。東側がコンクリート工場、西側は奈良運輸局跡地、能登川の恵比寿橋を渡り、下流の京終橋まで南堤を行き、南下して岩井川の大黒橋を渡る。橋の名は能登川が恵比寿で岩井川が大黒、何時、誰がつけたのかわからないが、なんともめでたい名前である。分岐で道を右にとり、済美南小学校の南側を通って、県道754号木津横田線（旧国道24号線）に合流する。この道路は中街道に替わる国道（当時は15号線）として昭和十五（一九四〇）年の紀元二千六百年事業として奈良-橿原間の大改修工事で設置されたもので、当時は県内唯一の長距離舗装道路であった。沿道の街路樹としてサクラを植えたが、これは戦時中に伐採されたという。やや西側に平城京の東四坊大路が推定され、南下した神殿町交差点で交差する県道41号奈良大和郡山線は平城京八条大路。さらに南下した南永井町交差点が平城京の東南隅に該当し、市道九条線が九条大路となる。県道の西側にある五徳池は唐長安城の曲江池《きょくこうち》を模した園池跡と推定されている。北之庄町の蓮台寺前付近にわずかに旧街道の痕跡が残る以外、街道は旧国道に吸収され、上三橋交差点まで旧道はまったく残っていない。

　上三橋交差点の東北は奈良市今市町で、ここに高さ二メートル近い安政五（一八五八）年の道標がある（写真163）。「北／右　郡山　矢田山／すぐ　高野さん／左　帯解地蔵道」「南／右　帯解／左　郡山」「西／右　高野山／左　なら道」としている。世話人の竹本入榮太夫連中は浄瑠璃の社中でもあるのだろうか。南へ直進する県道51号天理環状線が「中街道」でここからの中街道は古代の「中つ道」と重なる。寛弘四（一〇〇七）年の藤原道長の御嶽《みたけ》詣《もうで》では八月二日に京を立ち、三日に大安寺、四日に井外堂《いどどう》（天理市東井戸堂町・西井戸堂町）に宿泊しており、「中つ道」を使ったことがわかるが、五日は軽寺《かるでら》（橿原市大軽町）、六日は壺坂寺に泊まっており、吉野へは「中つ道」を直進して飛鳥から妹峠《いもとうげ》を越えるのではなく、途中で行路を西へそらせて「下つ道」をとったことがわかる。近世の中街道は途中の白土《しらつち》町（大和郡山市）の先で「中つ道」から西へそれることになる。

　駐車場との境界がわからないような県道を南下し、工業団地内を行き、井戸野町の南、菩提仙川にかかる高橋の南詰には明治三十五（一九〇二）年の大峰三十三度登拝供養碑が立っている。さらに南下すると、道は県営住宅白土団地の南側の楢川の堤に出る。川に架かる辻堂橋を渡らずに、地蔵堂横の天理市との市境にもなっている右岸の

写真 162　京終駅

写真 164　和爾下神社（横田町）

写真 163　今市の道標

写真 165　南六条の道標

写真 166　下ツ道歴史広場

写真 167　二階堂の家並

写真 168　二階堂地蔵堂

写真 169　大和川堤の一字一石経塚

堤を西へ行く道が街道。白土上池、白土池、芝池を過ぎ、大和郡山市に入り、横田下池の東南角で南へ折れる。このあたりの溜池も最近はソーラーパネルを設置しているところが多い。高瀬川を渡って南に進み、櫟枝《いちえだ》町で県道192号福住横田線に出る。櫟枝の地名は櫟田庄の庄園名を起源とするようだが、東方約二キロの櫟本にあった大櫟の枝がここまで延びていたという話のほうがなにやら楽しい。福住横田線は、西は河内への竜田越、東は「都祁山《つげのやま》道《みち》」に繋がる古くからある盆地北部の東西道で、在原業平《ありわらのなりひら》の高安の里通いの道として「業平道」と呼ばれる。西へ行くと横田町に入り、和爾下神社《わにしたじんじゃ》がある（写真164）。「延喜式」神名帳の添上郡「和爾《わに》下神社二座」の一座に比定され、櫟本（天理市）の和爾下神社（上治道宮）に対して下治道《しもはるみち》宮、下治道天王と呼ばれ、横田郷の郷社となっている。門前の「業平道」が「治道」であり、「墾道《はりみち》」、新しく拓いた道の意で、古代の東西方向の直線計画道路と考えられる。

街道は横田駐在所の角で左折、南下して西名阪自動車道を潜る。次の四つ辻の東南に「右　よしの　かうや／左みわ　はせ　道」とした天保十四（一八四三）年の三角形自然石の供養碑道標がある（写真165）。この辻で西へ折れ、葛下池で南に折れ、南六条北方（江戸時代は南柳生村）の集落を過ぎて、西へ向かうと、国道24号線の南六条交差点に出る。交差点を横断し、パチンコ店とホテルの間の県道193号筒井二階堂町線を西へ行くと。道の北側に「下ツ道歴史広場」が整備されている（写真166）。二〇一一年、西名阪自動車道と京奈和自動車道の郡山ジャンクション建設に伴う発掘調査がこの地点で実施され、東西の側溝間二三メートルの「下つ道」の遺構が検出され、側溝からは奈良時代の祭祀遺物が多く出土した。「下つ道」はここから北へは環濠集落として知られる稗田《ひえだ》（大和郡山市）まで道をたどることができるが、それより北は平城京羅城門跡まで佐保川となっている。

中街道はここからは古代の「下つ道」と重なり、橿原市見瀬町までほぼ直線で南下する。八条の集落の北、珊瑚《さんご》珠《じゅ》川に架かる橋が「嫁取り橋」。昔、筒井の茶屋に「こよの」という十八歳の娘がおり、大坂へ通う飛脚の若い男に惚れたが、男の方が逃げ出し、八条淵の一本松に隠れた。男を追ってきた娘は月の光で木の上の男の姿が水面に映るのを見て、淵へ飛び込んで果てた。それ以来、花嫁行列がこの橋に差し掛かると、大雨が降り、花嫁が姿を消すという怪事が起こるようになった。男を他の若い女にとられまいという嫉妬心が娘を大蛇に変え、花嫁をさらったのである。以後、花嫁行列はけっしてこの橋を渡ることは無くなったという。また、この大蛇は後に退治され、退治した刀が石上神宮に伝わる名刀「小狐丸《こぎつねまる》」だともいう。

京奈和自動車道の北側、八条の集落内には街道に面して菅田神社の鳥居が立つ。菅田神社は八条天神社、一夜松天神とも称し『延喜式』の添下《そえしも》郡の菅田神社に比定される。大和郡山市八条町の地名は古代の田地区画、条里制の添下郡（平群《へぐり》郡）八条に由来する。奈良盆地の条里制も下つ道が基準になっている。集落の南で街道は二階堂へと続いていたのだが、現在は京奈和自動車道で遮断されており、西へ迂回して街道にもどる。

近鉄天理線二階堂駅あたりまで、道の東側は天理市、西側は大和郡山市。道の西側にうなぎがご飯に載っておらず、ご飯の間にうなぎが入っている「間蒸し《まむし》」が名物の「綿宗」があり、近鉄天理線を渡る。左手に二階堂駅。天理線は大正四（一九一五）年に天理軽便鉄道が新法隆寺駅-天理駅間に開業したのが始まり。大正十（一九二一）年、大阪電気軌道（大軌）によって買収され、新法隆寺駅-平端駅間は昭和二十（一九四五）年に休止後、廃止された。この路線の廃止で安堵村には鉄道駅が無くなり、斑鳩の里は近鉄の沿線観光地ではなくなった。奈良盆地の鉄道網は戦前のほうが充実していたと思うのは私だけだろうか。

県道１０９号天理斑鳩線の交差点東南には明治三十六（一九〇三）年の大峯七十五度供養碑が再建されている。

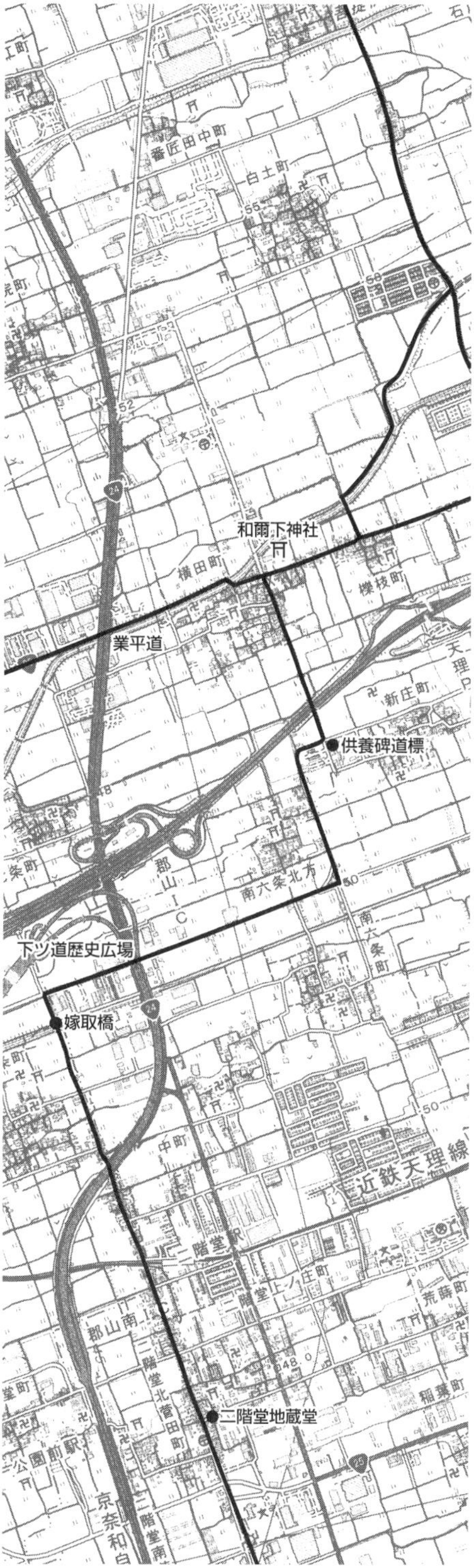

地図 42　井戸野から二階堂へ

「すぐ　大峯山上／東　天輪王命　道」「すぐ　奈良／郡山　道」で、横の石仏が旧碑の残欠らしいが、ここにあった文政二（一八一九）年の道標を兼ねた大峯山上三十三度供養碑や享和元（一八〇一）年の「東　たんば市／南かうや　よしの山上　道」「北　なら郡山／□　大坂　道」の自然石道標などは移転されたものとみられ、付近に見当たらない。

二階堂から田原本へ（中街道）

二階堂（写真167）は現在、天理市だが、江戸時代には、中街道の東側が上ノ庄村、西側が菅田村の出垣内で、街道沿いの街村が町場化して、「二階堂町《まち》」と呼ばれるようになった。二階堂という地名の由来は香久山の北にあった膳夫《かしわで》寺がこの地に移され、その堂が二階堂（重層?）であったためだとされ、街道沿いにある二階堂地蔵堂（写真168）が膳夫寺跡だと伝えている。

新しい県道１０９号天理斑鳩線が横切る池の西北には、地蔵堂、金毘羅燈籠、太神宮燈籠があり、「御上長久村中安全」とする太神宮燈籠は文久十三（一八三〇）年、おかげ参りがあった「おかげ年」の建立である。二階堂小学校を過ぎ、嘉幡《かばた》川沿いに南下し、布留川北流の天神小橋、大和川の天神橋を南へ渡る。大和川の南堤にある慶応元（一八六五）年の題目碑（写真169）には「すく京、な良／郡山」「右　与し野／加う野　道／左、者せ／い勢道」と道教えが彫られており、法華経の一字ずつを小石に書いて納めた一字一石経塚だと伝える。法華経は「一部八巻二十八品六万九千三百八十四文字」と言われ、文字の総数は六万九千三百八十四文字、一文字ずつが仏そのものとされるのだが、小石を集めるだけでもたいへんだ。

県道36号天理王寺線を横断、天理市庵治《おうじ》町の地名は正倉院文書や『日本霊異記』にみえる奈良時代の地名「奄《あむ》知《ち》」に由来するとされるが、恩智《おんち》神社がある海知《かいち》町あたりまで含めて考える説もある。

道の右手、入口に六地蔵が立つ唐古《からこ》西代《にしんだい》共同墓地のあたりからは田原本町に入る。西代の地名の「代」は古代の「田部《たべ》」に由来するという。道沿いにある大峯山上七十二度供養碑（写真170）には「すぐ　よしの　高野」「す

ぐ　京　奈良」の道教えが刻される。南へ行くと地蔵堂の手前、理容店の横に文化十一（一八一四）年の大乗妙典六十六部回国供養碑があり、「なら　こう里山　道」「すぐ　よし乃　かうや道」と記す。

今里《いまざと》は寺川東岸に位置し、大和川水運の魚簗舟《やなぶね》は、この今里まで寺川を遡上することができ、大和国中の川港があった。蔵を備えた問屋があり、春は大坂から干鰯《ほしか》や油粕《あぶらかす》などの金肥《きんぴ》、塩や雑貨が上り、荷揚げされて、中街道を田原本へと運ばれたという。今里は、ワラと麦ワラで大きな蛇体を作り、子供たちがこれを担いで地内を巡行、杵築《きづき》神社のエノキに巻き付けて五穀豊穣と村中安泰を願う「蛇巻《じゃま》き行事」でも知られる。

西代、今里の東が唐古。唐古の地名は古代の軽部《かるべ》に由来する説があり、地名は鎌倉時代には確認できる。弥生時代の大遺跡として知られ、「弥生時代の近畿の王都」ともされる唐古遺跡のある唐古池は応神天皇の時代に韓人に造らしめた韓人池とする説もあるが、池の築造は江戸時代であることが判明している。この唐古池が国道工事の土取り場となり、昭和十二（一九三七）年に調査が実施され、この発掘調査が我が国の弥生時代研究の礎となった。街道から二五〇メートル東、国道24号線沿いの唐古・鍵遺跡は史跡公園として整備され、道の駅もある。少し街道から離れるが寄り道したいところだ。

田原本北中学校の西側にある安養寺橋で寺川を渡ると、安養寺がある。安養寺の阿弥陀如来立像（重要文化財）

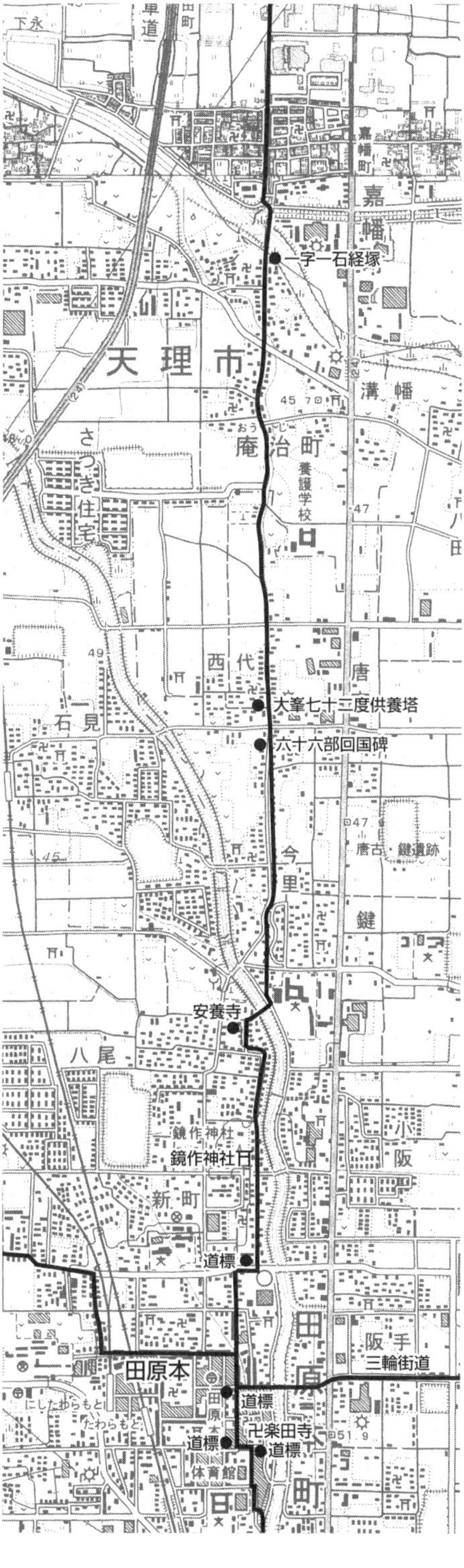

地図 43　嘉幡から田原本へ

は、「安阿弥様《あんなみよう》」の作風がうかがえる鎌倉時代、快慶の初期の作。門前の道標（写真171）は文化元（一八〇四）年に安養寺が建てたもの。各面に金剛界四方仏の梵字（東　阿閦如来・南　宝生如来・西　阿弥陀如来・北　不空成就如来）を彫り、東面「左　大峯山上／よしの　かうや　道」、南面「右　京　なら　郡山／左　法里うじ　大坂　さかい道」、西面「みわ　はせ」とする。

南へ進むと、鏡作神社（写真172）。『延喜式』神名帳の鏡作坐天照御魂《かがみつくりにいますあまてるみたま》神社に比定される式内社。祭神の石凝姥命《いしこりどめのみこと》は三種の神器のひとつ八咫鏡《やたのかがみ》を作った神とされ、鏡作連《かがみつくりのむらじ》の祖神でもあり、鏡の製作技術が神格化された神と考えられている。社宝として古墳時代の三角縁神獣鏡、三神二獣鏡の内区を伝える。神社を支える鏡作宮郷は式下郡内の八か村におよぶ。境内の鏡池では江戸時代の造鏡師が鋳鏡を清めたといい、鏡研磨に用いたという鏡石もある。社前の狛犬は天保三（一八三二）年、大坂の鏡屋中から寄進されたもので、大坂から舟運で運ばれてきたものである。鏡鋳造の神として信仰されており、現在も鏡製造や化粧品関係者の崇敬者も多い。田原本町内では、式内社の鏡作伊多神社が保津と宮古、鏡作麻気神社が小阪に比定されており、古代の式下《しきしも》郡鏡作郷はこの一帯と考えられている。

道を進むと、新町の街道筋（写真173）には庄屋だったという竹本家住宅があり、奥座敷が旧重要美術品にも指定されていた建物なのだが、何らかの保存策が望まれる。

街道は田原本町役場前に出る。道の西北角に元治元（一八六四）年の「大峯山／よし野／かうや／道「左　京／なら／こう里山／道」の道標が立つ。

田原本は「賤ヶ岳の七本槍」と称され、賤ヶ岳の合戦の功積で秀吉の天下取りに寄与した平野権平長泰が文禄四（一五九五）年に大和国十市《とおいち》郡内に五千石の領地を与えられ、長泰が教行寺に方三丁の寺内町を建設させたのが町の起り。二代目の長勝が陣屋を建設し、陣屋は現在の田原本町役場からその南、南北約三〇〇メートル、東西約一〇〇メートルの敷地を占めていた。教行寺は箸尾（広陵町）に移され、その跡地には円城寺（現在の浄照寺）と平野氏の菩提所の本誓寺、二つの寺が移された。浄照寺の表門は平野氏が秀吉から拝領した伏見城の城門を移したものと伝え、畝傍、今井、高田、御所とともに「本願寺大和五ヶ所御坊」のひとつとされる。江戸初期の本堂は奈良県指定文化財。本誓寺には、二代長勝（享保二＝一七一七年建立）と九代長発《ながゆき》（安政二＝一八五五年建立）の霊廟がある。田原本を領した平野氏は準大名ともいえる交代寄合衆の旗本であったが、慶応四（一八六八）年七月に実高一万一石として、田原本藩が立藩された。ただ、その二か月後には明治改元となり、明治四（一八七一）年の廃藩置県によって田原本藩はわずか三年で消え去った。街道沿いにある日本聖公会田原本聖救主教会（写真174）は十字架の入った棟瓦が載った昭和八（一九三三）年建築の小さな教会。ＮＨＫの連続テレビ小説『芋たこなんきん』、『マッサン』のロケにも使われたことでも知られる。

田原本は大和盆地の中央に位置し、中街道は田原本で三輪街道とも繋がり、町の西方には、斑鳩と飛鳥を結んだという筋違《すじかい》道（太子道・法隆寺街道）も通じる。交通の便に恵まれ奈良盆地中央部の商業中心地として栄え、「大和の大坂」とも呼ばれた。中街道沿いに残る商家の町並み（写真175）が、その繁栄をものがたっている。徳岡薬局（写真176）の角、田原本町道路元標の横に立つ味間町の道標（写真177）は、天保十己亥（一八三九）年の建立とみられ、欠損しているが「すぐ　大峯　吉野　高野／左　伊勢　初瀬　三輪」「すぐ　龍田　法隆寺　大坂」「すぐ　京奈良　郡山」とし、ここが町の中心で、三輪街道あるいは法隆寺街道の起点ともなっていることがわかる。

材木町を南へ行くと、道の左手に楽田寺《がくでんじ》がある。寺伝では奈良時代の開創で、本尊十一面観音は長谷寺と同材というが、『大乗院寺社雑事記《だいじょういんじしゃぞうじき》』に「田原本寺」と記され、室町時代に栄えた寺であることがわかる。右手には「松風」で知られる和菓子店雲水堂があり、その角に堺町の道標（写真178）がある。「左　大峯山／よし野／かうや」「右　京／なら／こふ里山」としており、ここで街道は左折する。右へ行けば、津島神社。牛頭天王を祭神とする祇園社で、平野氏の故郷である尾張の津島神社と祭神が同じであり、平野氏の尊崇も厚く、明治になって社名を津島神社に改めている。津島神社の祇園祭は中和最大の夏祭りとして知られる。楽田寺から左へ行くと、次の角には、天保四（一八三三）年の南町の道標がある（写真179）。「右　大峯山／吉野／高野」「左　京／奈良／郡山」であり、右折して南下、新地地蔵堂前で少し左へ折れ、南へ行くと寺川の西堤に出る。このあたりの寺川堤には「権平並木」と呼ばれる榎並木があった。

写真 172　鏡作神社

写真 170　西代の大峯七十二度供養碑

写真 173　田原本新町

写真 174　田原本聖救主教会

写真 171　安養寺の道標

写真 175　田原本寺町通

写真 176　田原本味間町

写真 177　味間町道標

写真 178　堺町道標

写真 179　南町道標

田原本から八木へ（中街道）

県道14号桜井田原本王寺線は大和鉄道《やまとてつどう》（ヤマテツ）の田原本-桜井間の路線跡。大和鉄道は大正七（一九一八）年に新王寺駅-田原本駅間を開業。大正十二年には桜井まで路線を延伸し、昭和三（一九二八）年には国鉄桜井駅に乗り入れたのだが、戦時中の昭和十九（一九四四）年に田原本-桜井間は不要不急線として休止線となり、後に廃止された。新王寺駅-田原本駅間はその後、電化され、信貴電（信貴生駒電鉄）を経て近鉄（近畿日本鉄道）に合併、田原本線となっている。天理軽便鉄道が奈良盆地西側の路線が廃止されたのに対し、大和鉄道は盆地東側の路線が廃止されたのである。高校時代の地理の先生の話によると、「走りながら、おーいと手を振ると、発車を待ってくれるようなのんきでええ鉄道やった。」そうで、ヤマテツの蒸気機関車は小型で馬力も強くなく、「借金、シャッキン」という音を立て走っていたが、飛鳥川の堤防を登るのには、いつも手こずっていた。盆踊りの囃し言葉に「♪押したれや　押したれや　ヤマテツ押したれや」というものがあったという。のどかなかつての大和の風景が偲ばれる。

秦庄《はたのしょう》で堤防を右に降りる。聖徳太子に仕えた秦河勝《はたのかわかつ》の創建と伝える秦楽寺《じんらくじ》があり（写真180）、秦氏が拓いた地と伝える。江戸時代には秦楽寺村と九品寺村で、明治に秦庄村になっている。近鉄の笠縫《かさぬい》駅の名は秦楽寺境内に笠縫神社があり、付近が崇神天皇が天照大神を祀った「倭の笠縫邑」の候補地のひとつとされたためである。街道は寺川堤に戻り、県道50号大和高田桜井線を越えると多《おお》。古代の十市郡飫富《おふ》郷、太とも書く。式内の名神大社、多坐《おおにいます》弥志理都比古《みしりつひこ》神社があり、街道に面して多神社の一の鳥居が立つ（写真181）。多池の南、街道西側の近鉄線との間の田の中に「松の下の塚」という小塚がある。松の木は寺川の洪水で流されたと伝え、塚は『古事記』の編者「太《おおの》安万侶《やすまろ》墓」として伝承されてきたが、昭和五十四（一九七九）年に奈良市此瀬町で太安万侶の墓誌が発見され、墓が確定してからは、電車の車窓から見えた看板も無くなっている。多氏の居館跡ともされ、大事にしたい小塚ではある。

橿原市に入ると、寺川とは別れ、米川に沿って南下する。新口《にのくち》は近松門左衛門の浄瑠璃、「梅川、忠兵衛」で知られる『冥土《めいど》の飛脚』の舞台。新口町の善福寺、葛本町の安楽寺に梅川、忠兵衛の供養碑がある。新口村を領地とした伊勢藤堂藩の城代家老の日記『永保記事略』の宝永七（一七一〇）年正月二十五日の記事によれば、新口村の百姓の四兵衛の倅《せがれ》の清八は六年以前に大坂で養子となり、「亀屋忠兵衛」として養家を継いでいたが、忠兵衛は盗んだ金で遊女を身請けし、上里村（香芝市？）の親類を頼って逃げ隠れた。両名は見つかって捕縛、大坂に送られて入牢となった。親の四兵衛は大坂町奉行所より処罰せぬとの知らせによって、忠兵衛が盗んだ金を弁償したというのが実話らしい。「新口村の段」では忠兵衛の実父孫右衛門に比重が置かれ、子を思う切ない親心という内容が人々の共感と感動を得た。大坂では昔、「番頭は近江から、養子は大和から」と言われた。番頭は商い上手な近江の人が良いが、養子にするなら、家を潰す心配がない、野心家でない、家風を継いでくれる大和の人がいいという意味だとされる。これは大和の人間は、温和な環境で育ち、野心を持たない人が多く、出世はあまり期待できないということと表裏であるのだが、自分自身や周りを見渡すと、なにやら納得させられるところもある。

県道１０５号中和幹線を横断し、米川からも離れると、右手の上品寺《じょうぼんじ》古池の東北隅に「大峯山是ヨリ十三リ」とした自然石地蔵がある。南へ行き、新賀町交差点で国道24号線と交差、近鉄大阪線の踏切を渡ると、北八木《やぎ》町。伝統的な町家建物が増えてくる。

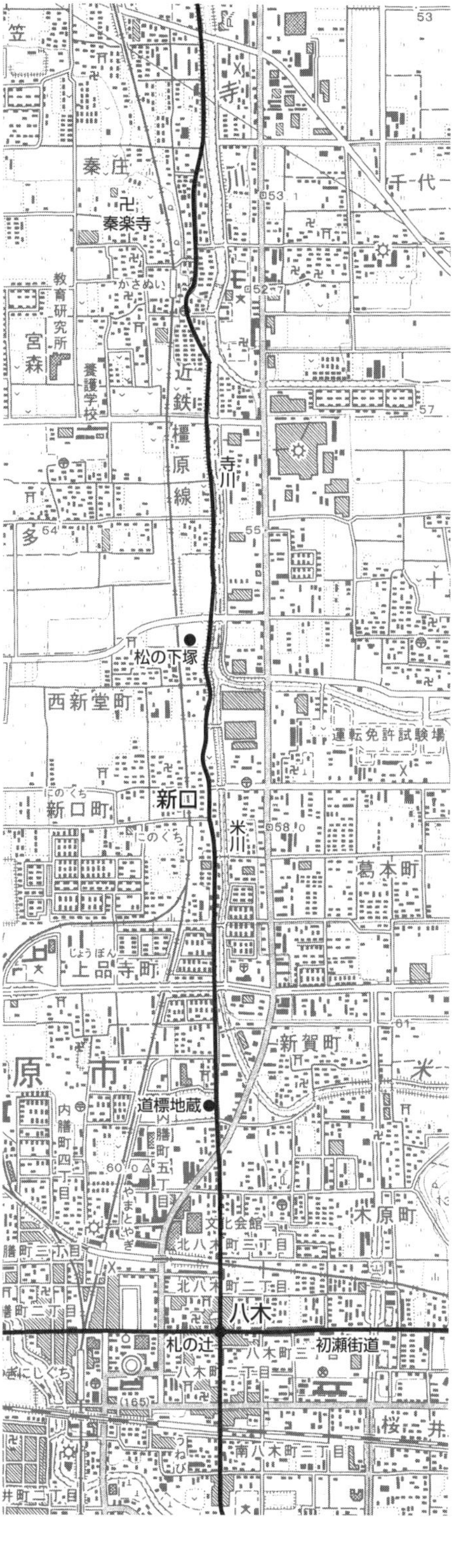

地図44　秦庄から八木へ

図38　八木札の辻（『西国三十三所名所図会』）

八木の町は八本の古木があったというのが地名の由来。古代の南北道、下つ道を踏襲する中街道と東西道、横大路を踏襲する初瀬街道（竹内街道）が交差する辻を中心に町が発達している。古くから通行往来が盛んな奈良盆地南部の交通の要所で、辻には高札場があり、「札の辻」と呼ばれる（写真182）。辻を挟んで東西に建つ二階屋のもと旅籠屋、東西の平田家は八木の町の象徴ともいえる。東の平田屋は「橿原市札の辻交流館」となっており、内部見学できるので、立ち寄りたい。東西の初瀬街道（竹内街道）が郡境になっており、北側の北八木村は十市郡、南の南八木村は高市郡に属し、賑やかな街道町ながら公的には一般農村と同じく庄屋、年寄を置く村として支配された。商家、旅宿、茶屋が多く、八木は本来の宿駅と認定されない（税の免除等の補償がない）まま、宿駅と同じく公用の人馬継立を担わされており、これは大きな負担になっていた。これは大和国内の街道に沿った御所・戸毛《とうげ》・土佐・飛鳥・初瀬・赤埴《あかはね》・三輪・丹波市・横田・二階堂・田原本なども同じであった。

八木から五條へ（中街道）

伝統的な町家の多い八木の町を南に行き、国道１６５号線、ＪＲ桜井線（万葉まほろば線）を渡る。西側にある畝傍駅は明治二十六（一八九三）年に大阪鉄道の駅として開業。駅舎は皇紀紀元二千六百年にあたる昭和十五（一九四〇）年に昭和天皇の橿原神宮行幸に際して建築された寺社風の木造駅舎。駅舎内には貴賓室が残り、かつては

橿原神宮前駅との間を近鉄小房線が結んでいた

　街道の東側にある晩成小学校には八木出身の幕末の儒学者、谷三山の坐像がある。谷三山は南八木村生まれ、幼少期に目と耳を患い、聴力を失ったが、独学で正史経学に励むとともに、京都に遊学し、私塾「興譲館」を開き、多くの門弟を指導し、高取藩の藩儒ともなった。「尊王攘夷」の立場をとったが、海外の歴史や地理に造詣が深く、欧米列強諸国の現状をよく把握しており、西洋の優れたところを学び、積極的に活用して国力の充実をはかるべきと説いた。吉田松陰も二度、八木を訪ね、谷三山の教えを請うたという。吉田松陰は、谷三山を「師の師たる人」、「日本一の大学者」と評している。王政復古が宣言された二日後の慶応三（一八六七）年十二月十一日にこの世を去り、墓は街道の西、飛鳥川沿いの八木醍醐共同墓地にある。

　晩成小学校前で道は二つに分かれる。右は、飛鳥川の堤に出て、橋を渡って西へ行き、四条新町を通る道、左は小房《おうさ》町を通り、飛鳥川の神道橋《じんどうばし》を渡る道である。どちらをとっても国道小房交差点で合流する。街道は新町と小房、複線になっていたようだ。新町通りの角には享保二十（一七三五）年の「左　山上　かうや　道」「右　京　なら／左　大坂　たゑま／道」「南　よしの／東　たふのミ祢／道」とする道標があり、南へ行くと「右　小房くわんぜおん／左ハ八木ステーション」「右　神武天皇御陵」の明治三十三（一九〇〇）年の道標がある。「八木ステーション」は近鉄大和八木駅や八木西口駅ではなく、畝傍駅である。小房（写真183）の方へ行き、飛鳥川の手前を東に入ると「おふさ観音」として知られる観音寺がある。寺は「おふさ観音」だが、所在地は「おうさ」。飛鳥川の堤には北側に文化四（一八〇七）年の太神宮常夜燈、南岸に明治三十四（一九〇一）年の太神宮常夜燈があり、飛鳥川の北堤は県道２０６号豊浦大和八木停車場線。飛鳥方面への道である。

　東西の国道１６５号線と南北の１６９号線が交差する小房の交差点の東南角には、「かしはら万葉ホール」があり、ここから見瀬町までは街道は国道１６９号線と重複する。スーパーやコンビニ、ファミレスには不自由しないが、旧街道の風情は無い。大久保町の畝傍北小学校の南には「是ヨリ五町西　神武天皇御陵」「すぐ　壷坂　下市上市／右　神武天皇御陵／吉野　大峯　高野　道」「すぐ　小房観音　初瀬　伊勢／左　神武天皇御陵／奈良　郡山　西京　道」「すぐ　飛鳥社　岡寺／橋寺　多武峰」とする明治十三（一八八〇）年のりっぱな神武天皇陵への

図39 『南都名所集』（延宝３年）が描く神武陵（神武田）

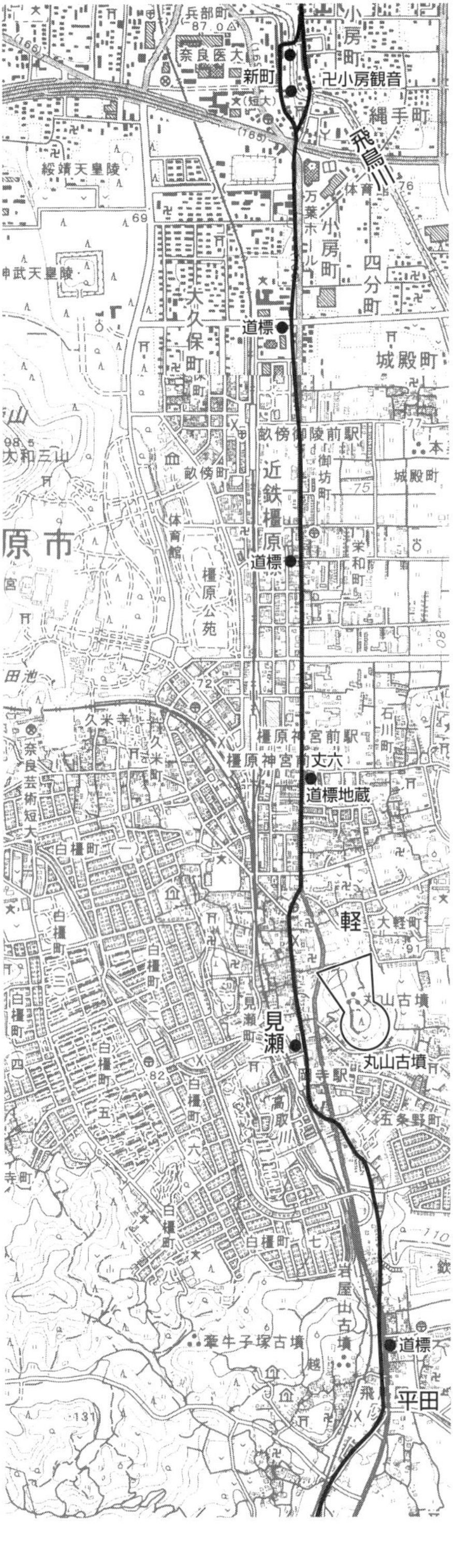

地図45 小房から見瀬、平田へ

道標がある（写真184）。初代の天皇である神武天皇は実在そのものが疑われる神話上の存在であるが、『日本書紀』には「壬申の乱」の時に「神日本磐余彦天皇《かむやまといはれびこのすめらみこと》の陵《みささぎ》」を祀ったという記事があり、七世紀後半には、始祖王を祀る廟のようなものがあったことがわかる。『日本書紀』が「畝傍《うねび》東北陵《うしとらのみささぎ》」、『古事記』は「畝火山之北方白檮尾上《かしのをのうへ》」とする神武陵については、江戸時代には元禄の幕府の陵墓探索によって、四条村の塚山（現在の綏靖《すいぜい》天皇陵）に擬せられていたのだが、幕末には異論も生じ、孝明天皇の神武陵への攘夷祈願のための大和行幸に先立ち確定する必要があり、文久三（一八六三）年二月十七日に勅命で山本村の「ミサンザイ」、「ジブデン」と呼ばれていた地に決定された。攘夷祈願するのにも肝心の神武陵があやふやでは仕方ないのである。決定後、一万五千両余りの費用をかけ、急ピッチで修築工事が実施され、九か月後の十二月に完成したのが、現在の神武天皇陵である。

文久の山陵修補では、神武陵が最重要視されたが、公武合体策として、他にも一一六か所の陵墓が修補され、大和でも二六陵の周濠拡張、土堤の嵩上げ、拝所の整備等が行われた。工事は文久三（一八六三）年から慶応元（一八六五）年までの三年間続けられ、最大推計二〇万両以上の経費が幕府、山陵修補を建白した宇都宮藩や献金でまかなわれたが、山陵治定地の村々は労働力の提供や役人接待の負担に苦しんだという。文久修陵が行われていた最中、文久三年八月十七日に天誅組事件が起こり、大和国南部は騒然となったが、修陵は中断されることなく続けられた。この山陵修補も奈良街道沿いの長池宿の助郷負担の増加の一因であった。また、当時、一般の人々はこうした山陵修復を「御宮《おみや》の御造営」だと思っていたようだ。天皇陵は実際の墓であるかどうかはともかく、天皇を祀る「御宮（神廟・霊廟）」なのである。幕末の人々は天皇陵の本質を見抜いていたと言えよう。古墳では無さそうな神武御陵はさておき、幕末の水準で古代の墓の遺跡（古墳）を陵墓に治定、修復し、現在までそれが維持継続されていることは我が国の古代史や考古学研究にとっては大きな不幸といえよう。

図40　神武天皇御陵（『西国三十三所名所図会』図は四条塚山）

南へ進み、栄和町北交差点の西南には「是より西／うねび山じんぐうかうごう／御やしろゑのみち／じんむてん王　すいぜいてん王／あんねいてん王　いとくてん王／御びやう所ふもとにあり」という道標がある。「畝傍山神功皇后御やしろ」というのは現在の畝火山口神社で、かつては畝傍

写真 180　秦楽寺

写真 181　多神社参道

写真 182　八木札の辻

写真 183　小房

写真 186　森の道標

写真 185　平田の道標

写真 184　神武御陵の道標

写真 187　市尾墓山古墳

山の山頂にあり、道標は幕末のものと見られる。橿原神宮東口の丈六交差点東南の地蔵堂内には安政二（一八五五）年の「右　よしの　左　なら」とした地蔵石仏碑が祀られている。東から来た安倍山田道が下つ道と出合う地点で、古代の「軽街《かるのちまた》」はこのあたりと推定され、掘立柱建物が発見されている丈六遺跡は「軽国府《かるこう》」と呼ばれた大和国府に関連する可能性が考えられている。藤原道長の御嶽詣で宿所となった軽寺は大軽町の法輪寺付近にその寺跡が残る。『万葉集』には神亀元（七二四）年の聖武天皇紀伊国行幸時の歌に「天飛ぶや軽の路より玉たすき畝傍をみつつ　あさもよし紀路に入り立ち　真土山越ゆらむ君は」（巻四-五四三）と詠われており、紀伊国へは軽路から畝傍山をみつつ紀路に入り真土山を越えることがわかる。

見瀬《みせ》の交差点を過ぎると、旧道は右へ分岐するが、国道は東へ振り、五条野丸山古墳の前方部西北隅を削って南下しており、「下つ道」はこの丸山古墳を基点として設定された可能性も指摘されている。丸山古墳は六世紀後半から七世紀初頭に位置付けられる全長約三一〇メートルの巨大前方後円墳で、おそらくは大王陵としては最後の前方後円墳となる。二つの家形石棺を納めた横穴式石室をもっており、欽明天皇（五七一年崩御）と堅塩媛《きたしひめ》（六一二年改葬）が合葬された檜前坂合陵《ひのくまさかあいのみささぎ》とみる見方があり、飛鳥王朝の始祖ともいえる大王陵が道路の基点ともされたのであれば、大阪の竹内街道（丹比《たぢひ》道）の設定が誉田山《こんだやま》古墳（応神陵）と大山《だいせん》古墳（仁徳陵）と関わる可能性を考える上でも興味深い。

見瀬は古代の「身狭《むさ》」。近鉄岡寺駅の西に牟佐坐《むさにいます》神社がある。岡寺駅前には大正十四（一九二五）年に大阪皇陵巡拝会が建てた「天武天皇／持統天皇／御陵東十丁」「欽明天皇御陵南六丁」「孝元天皇御陵東北□」とする道標がある。岡寺駅を過ぎると、国道169号線に出て、これを横断、国道の東側山手を行き、明日香村の「みみなほし地蔵」で国道に出る。

近鉄飛鳥駅の北約一〇〇メートル、国道の東側に文久三（一八六三）年の「つぼさか　かうや山／こんがうさん／よしの　山上」「おか寺　はせ　いせ／あすか社　かぐ山／とふのみね　あべ／道」「なら　京　大坂／久米寺　たへま／法隆寺　たつた／道」とする道標（写真185）がある。文字も美しく彫りも深い。石材は古墳や礎石に使われるいわゆる飛鳥石（石英閃緑岩）である。近鉄飛鳥駅はもと橋寺駅、昭和四十五（一九七〇）年に駅名を変更した。

飛鳥駅からは吉野へ向かう国道から分かれ、高取川沿いに進む。明日香村から高取町に入り、高取川を渡り、近鉄吉野線の踏切を渡る。右手は県立高取国際高校、左へ丘を越えて行くと、高取中学校の横を通り、草壁皇子《くさかべのみこ》の墓とみる説がある束明神古墳《つかみょうじんこふん》のある佐田に通じる道に出合う。角の田んぼの土手には「右／はせ／いせ」の道標石が埋め込まれている（写真186）。『続日本紀』には天平神護元（七六五）年十月十五日、称徳天皇の紀伊行幸の際、小治田宮《おはりだのみや》を出た車駕《しゃが》が「檀山陵《まゆみのみささぎ》を過ぐるときに、陪従《ばいじゅ》の百官に詔《みことのり》して、悉《ことごと》く下馬せしめて、儀衛にその旗幟《はた》をまかしめたまふ」という記事がある。奈良時代、飛鳥から紀伊へ向かう称徳天皇の行幸列は天皇の曽祖父になる草壁皇子の陵前を通る時に下馬敬礼したことがわかるのだが、おそらくは称徳天皇行幸列が敬礼を表したのはこの佐田へ向かう辻だったのではないだろうか。南に進むと、左手に大正十三（一九二四）年の太神宮燈籠があり、森の「木ノ辻（紀ノ辻）」。「木ノ辻」は紀州への道の起点の意で、東へ行く道は高取城下へつながる土佐街道。文久三（一八六三）年八月二十六日明け方、高取城攻略のため、五條から重坂峠を越え、中街道（高野街道）を進んで来た天誅組隊士と十津川から強制動員された疲労困憊の十津川郷兵およそ千名がこのあたりにさしかかった時、鳥ヶ峯（高取町役場の地）に据えられていた高取藩の大砲が火を噴き、戦いの火蓋が切られた。高取方の砲は四門、さびついて照準がきかず、つねに寄せ手の頭上を飛び越すというものもあったが、破裂弾に驚いた十津川郷兵が崩れたち、我先に五條へと逃げ出してしまい、戦いは一時《いっとき》ほどであっけなく勝敗が決まった。この一戦をもとに作家司馬遼太郎は「おお大砲」という短編作品を書いている。

辻から西へ吉備川沿いに進み、御所《ごせ》へ向かう大坂街道と分かれ、左へ橋本橋を渡る。県道１２０号五條高取線は中街道の延長で、このあたりでは紀州に行く道として「高野街道」、「紀州街道」と呼ばれる。国道１６９号線の高架橋を潜ると市尾。近鉄市尾駅の北、街道のすぐ北側の田んぼの中に市尾墓山古墳が見える（写真187）。墳丘全長六六メートルの前方後円墳で、墳丘に樹木が無いので、二段築成された墳丘全体を一目で見ることができる。墳丘を囲む周濠跡もよくわかり、西側と北側には、田畑より一段高く外堤も残っている。墳丘の二段目を高く造っており、高さは約一〇メートル、後円部と前方部が、ほぼ同じ高さ、いわゆる「二子山」になっている。街道から見ると、墳丘と外堤が一体に見え、百メートル級の前方後円墳のようにも見える。昭和五十三（一九七八）年の発掘調査で、後円部中央で横穴式石室が見つかり、石室には二上山凝灰岩製の刳抜式家形石棺《くりぬきしきいえがたせっかん》が納められていた。盗掘を受けていたが、馬具、鉄刀、玉類、須恵器、土師器などが出土しており、出土遺物から古墳時代後期初頭（六世紀初頭）の築造であることがわかり、巨勢谷では今のところ最も古い古墳である。被葬者については、『日本書紀』が男大迹王《をほどのおおきみ》（継体天皇）の即位を支持し、大臣に任ぜられたと記す許勢《こせ》（巨勢）男人《おひと》とみる説がある。墓山古墳は古代の「紀路」（高野街道）を意識して造営されていることは明らかで、大型横穴式石室をもつ古墳時代後期の前方後円墳であり、許勢（巨勢）氏がその被葬者である可能性は高い。巨勢氏は六世紀以降、朝鮮半島との外交・軍事に従事することによって台頭した新興豪族であり、横穴式石室をもつ後期古墳が多い巨勢谷の古墳のあり方はこのことともよく合致する。『日本書紀』では継体朝に大臣となった男人を始め、欽明天皇期の稲持《いなもち》、崇峻天皇期の猿《さる》・比良夫《ひらふ》、推古天皇期の大麻呂《おおまろ》、孝徳天皇期の左大臣である徳陀《とくた》などの名が知られる。

道を進むと、右手に天満神社の丘がある。神社参道入口にあるクスノキの根は龍神の頭に見えるとして信仰されている。丘の上の神社の本殿東側に市尾宮塚古墳（国史跡）がある。墳丘の全長約四七メートル、市尾墓山古墳の墳丘二段目と同じ規模をもつ前方後円墳で、後円部に横穴式石室が開口している。石室内には刳抜式家形石棺が納められている。金銅装や銀装の大刀《たち》、金銅装馬具、金銅製の鈴、歩揺《ほよう》など豪華な副葬品が出土しており、市尾墓山

地図46　平田から戸毛へ

古墳に続いて六世紀前半に営まれた巨勢谷の首長墓と考えられている。この丘陵の西麓には藤原宮の瓦を焼いた瓦窯、高台瓦窯跡がある。天満神社の西、曽羽神社がある丘陵は曽羽城跡。越智氏方の城郭として中世に築かれ、永禄四（一五六一）年に松永方に攻められた「ソワノ城」とみられている。近鉄吉野線に沿って進むと、街道は曽我川に沿った巨勢谷へと入り、御所市戸毛《とうげ》で西から大口峠を越えて御所から来る下市街道と合流する。戸毛の西、稲《いな》宿《いど》の安楽寺には大日堂と呼ばれている鎌倉時代の三重塔初層部が残る。延宝年間（一六七三～八一年）に三重塔相輪部が転落、上部の二層を失い、初層のみが残ったという。「安楽寺塔婆」として重要文化財に指定される。

南へ高野街道を歩くと、「右　いせ／左　大坂」の道標があり、さらに南下すると、街道右手に明治二十六（一八九三）年に建てられた「女医　榎本住《えのもとすみ》紀念碑」がある（写真188）。榎本住（一八一六－一八九三）は戸毛村に生まれ、名医の評判高く、高取夜襲で銃弾を受けた天誅組の吉村寅太郎の鉄砲傷の手当を行ったことでも知られる。シーボルトの娘で西洋医術の楠本イネ（一八二七－一九〇三年）が「日本最初の女医」として有名だが、この榎本住も同時代に活躍した女医で、碑文は「診察を請う者続続絶えず」、「齢七十八にして少しも衰をみせず」、「妙訣、神の如し」と讃えている。碑の向かい側には現在の医療法人榎本医院がある。

近鉄吉野線の高架の手前で曽我川を渡って西へ行くと、近鉄線とJR和歌山線との間に巨勢寺跡（国史跡）があり、大日堂がある塔跡基壇上に塔心礎が残る（写真189）。直径九〇センチ、深さ一二センチの円柱孔の中央に二段に彫った舎利孔があり、その周囲に二重の円溝を掘り、排水溝に繋ぐという珍しい形態をもっている。一九八七年から国道３０９号線バイパス建設に伴う発掘調査が実施され、瓦積基壇をもつ講堂跡（桁行七間・梁間四間）、講堂に取り付く回廊や寺域を囲む築地跡などが見つかり、東側を通る高野街道（紀路・巨勢道）側を正面にした東向きの法隆寺式の伽藍配置をもつ寺院であることがわかり、寺跡背後になる山の西麓から瓦窯や平安時代とみられる梵鐘鋳造遺構も発見されている。出土瓦から七世紀中頃の創建とみられ、古代豪族、巨勢氏の氏寺とみられる。寺跡には「巨勢山のつらつら椿　つらつらに見つつ偲はな　巨勢の春野を」（『万葉集』巻一－五四）に因みヤブツバキがある。この歌は大宝元（七〇一）年に持統太上天皇の「紀牟婁湯《きのむろのゆ》」（現在の白浜温泉）への行幸に従い、巨勢路を通った坂門人足《さかとのひとたり》が詠んだ歌である。

写真 189　巨勢寺塔心礎

写真 188　女医榎本住紀念碑

写真 190　奉膳の道標

写真 191　水泥古墳

写真 192　薬水拱橋

写真 193　重阪峠

写真 194　五條市民俗資料館（代官所長屋門）

巨勢谷に通じているＪＲ和歌山線の前身は明治二十九（一八九六）年に開通した南和鉄道。吉野口駅はその終着駅、「葛駅」として開業、その後、明治三十六年に吉野山への最寄り駅として「吉野口駅」に改称。大正元（一九一二）年には吉野軽便鉄道（現在の近鉄吉野線）が吉野駅（現在の六田駅）との間に開業し、吉野の最寄り駅ではなくなった。現在は近鉄とＪＲの共同駅となっている。かつては柿の葉寿司の駅弁も売られていた乗り換え駅でもあったのだが、今はそれも無い。木造駅舎や待合室、駅前の旅館などが歴史を偲ばせている。曽我川の右岸が旧街道で、南へ進むと、奉膳《ぶんぜ》。橋の横に常夜燈を兼ねた「傘燈籠型」のりっぱな道標（写真190）が「左　大峯」、「右　かうや」と、下市街道との分岐を示している。大阪の山上講社の若岩講が建てたもので、吉野まで鉄道が延びるまでは、この辻を左にとり、車坂峠を越えて、吉野大峯に向っていたのである。右をとれば、重阪《へいさか》（重坂）峠を越えて五條から高野山に至る。

南へ巨勢谷を遡って行くと、巨勢谷の最も奥まった位置に水泥《みどろ》古墳（国史跡）がある。古くから良く知られた古墳で、二基の横穴式石室をもった円墳があり、大淀町今木《いまき》に近いことから、かつては蘇我蝦夷《そがのえみし》・入鹿《いるか》の「今来《いまき》の双《ならび》墓《はか》」ともされていたが、古墳の時期は七世紀中頃よりも古い。水泥塚穴古墳とも呼ばれる北古墳は、民家の裏庭に全長一三・四メートルの大型の横穴式石室が開口している。巨石を用い、ほぼ垂直に積み上げており、石室の平面

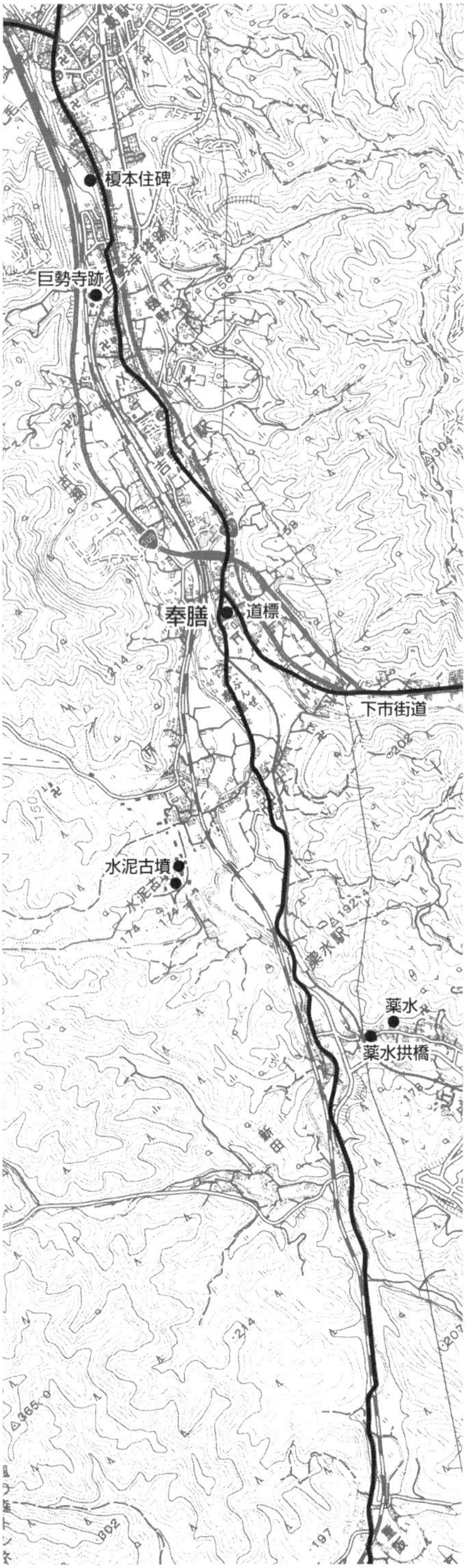

地図47　戸毛から重坂峠へ

プランは桜井市にある茅原《ちはら》狐塚古墳と同プランである可能性が高いとされる。六世紀末頃に築造された古墳とみられるが、七世紀に改修されたらしく、排水管として使用された玉縁付土管が出土している。南古墳（水泥古墳・写真191）は六葉単弁の花文（蓮華文？）の浮き彫りがある家形石棺があることで知られており、玄室部は北古墳の石室よりもひと回り小さく、羨道部が長い。玄室と羨道に刳抜式家形石棺を納めており、玄室のものは二上山凝灰岩だが、羨道のものは兵庫県高砂市の播磨竜山石を使っている。追葬された羨道にある石棺の蓋の前後（短辺）の縄《なわ》掛突起《かけとっき》に六弁の花文が彫られており、仏教文化が古墳に与えた影響例とされ、百済武寧王陵にみられる花文との関連性も説かれているが、棺の飾金具にもみられる六花文につながるものとも考えられる。七世紀初頭に築造され、七世紀中頃に花文のある羨道部の石棺の追葬が行われたとみられる。

近鉄薬水《くすりみず》駅の南にある近鉄線の「薬水拱橋」（写真192）は、大正元年の道路と薬水川をまたぐ煉瓦積みの二連アーチ橋。アーチ橋側面を門として捉え、煉瓦の格子帯や西面の扁額など意匠面の工夫が施されており、土木学会選奨土木遺産に選定されている。駅名になっている「薬水」は弘法大師が村人を疫病から救うために教えたという「薬水の井戸」。薬水拱橋の東約一〇〇メートルにある。

薬水からは近鉄線から離れ、重阪までＪＲ和歌山線と並行して進み、ＪＲの踏切を渡ると、やがて道はＪＲ線路からも離れて、峠への登りになる。重阪峠（写真193・江戸時代は重坂、標高二〇三メートル）は奈良盆地と吉野川沿岸を結ぶ交通の要地。文久三（一八六三）年の天誅組の高取出撃では八月二十五日夜、五條の人々に提灯をもたせ付き添わせたが、恐ろしさのあまり、人々は重坂峠で隙をみて、五條に逃げ帰ったと伝わる。重坂峠では高取藩の斥候、西島源左衛門が天誅組に捕らえられ斬殺された。また、高取城下焼き討ちを狙った吉村寅太郎は二十六日夜、高取への夜襲を図ったが、「木の辻」で腹部に銃創を負い、女医榎本住の治療を受けたのは重坂の庄屋、西尾清右衛門宅であった。

峠は明治六（一八七三）年に改修され「開路記念碑」が立っている。峠の五條市側は「ならテクノパーク」や木材団地になっている。住川《すがわ》で御所から風の森峠（標高二五八・九メートル）を越えて来た下街道《しもかいどう》（この道も奈良県西南部では「高野街道」と呼ばれる。国道１６８号線）と合流する。金剛山の南麓は『万葉集』に「たまきはる宇智の大野に馬並めて朝踏ますらむその草深野」（巻一－四）と詠われ、しばしば行幸や遊猟のあった宇智野《うちの》。住川の西方、向山丘陵（近内丘陵）には、風の森峠、重阪峠といった奈良盆地西南の出入口を押さえるように古墳時代中期（五世紀）の大型古墳が営まれており、「近内古墳群」と呼ばれている。前方後円墳でなく、円墳と方墳であるのが特徴的で、その中で最大の規模をもつものが近内鑵子塚《かんすづか》古墳、直径八六メートルの大円墳で、丘陵の最高所に営まれており、五世紀前半の築造とみられ、最も古くに位置づけられる。丘陵の東裾にある丸山古墳は直径三七メートルの円墳で周濠と外堤を備え、時期は五世紀中頃から後半、さらに一辺五四メートルとみられる方墳、西山古墳（市史跡）が五世紀後半に続いて営まれたとみられる。これら宇智の古墳はこの時期の大王陵群である古市古墳群や百舌鳥古墳群とほぼ同時期に築造されており、『日本書紀』に登場する「有至臣《うちのおみ》（内臣）」との関わりも考えられる。

道をさらに下ると、三在《さんざい》で、宇野峠を越えてきた高見越伊勢街道（伊勢南街道）と合流する。合流地点には「是より　長谷道」「左ハ　いせ　よしの道」「たゑま道」と彫った長脚五輪塔が立つ。宇野は大和源氏宇野一族の本拠地。大和源氏は六孫王経基《ろくそんおうつねもと》の子、源満仲《みなもとのみつなか》（多田満仲）の次男で大和国司となって、勢力を拡大した源頼親《よりちか》に始まる。中世、大和で活躍した越智《おち》氏も大和国高市郡越智庄を領した宇野親家を祖とする。宇野氏は諸国に拡散し、幕

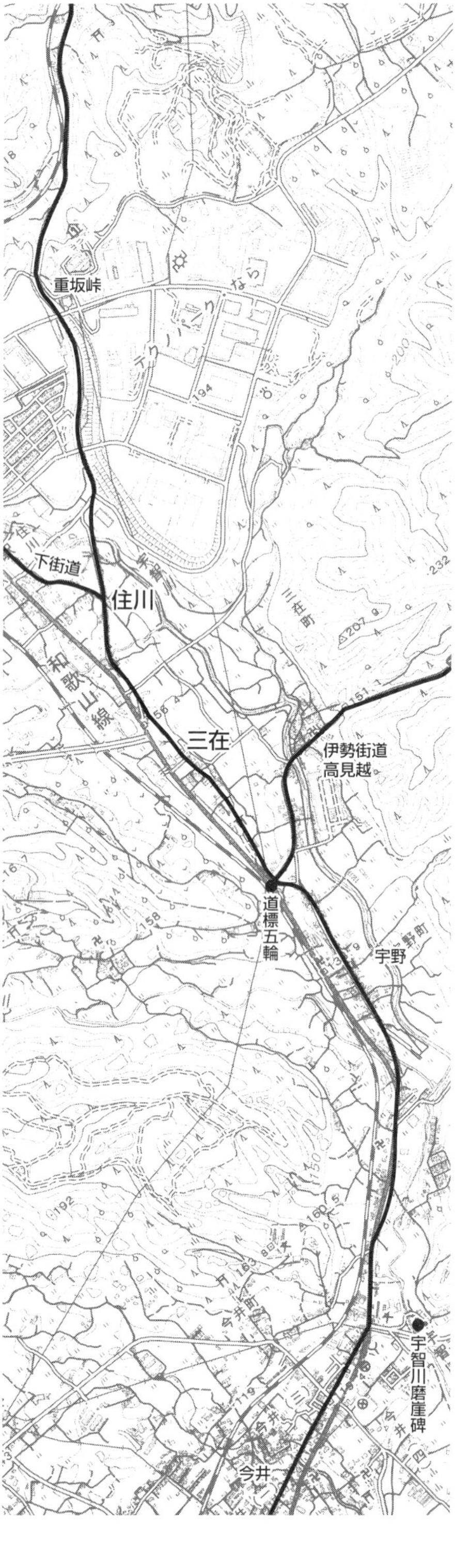

地図48　重坂峠から今井（五條）へ

末、西洋砲術を普及させた伊豆韮山《にらやま》代官の江川英龍《えがわひでたつ》（太郎左衛門）も先祖は宇野氏だという。街道は国道に出て、今井町交差点までは国道を行く。今井町交差点から東へ入ると、宇智川東岸に奈良時代、宝亀九（七七八）年銘のある大般涅槃経の一部と観音像を岩壁に彫った「宇智川磨崖碑（国史跡）」があるが、摩滅が著しい。なお先には栄山寺がある。古く前山寺《さきやまのてら》と書かれ、「さき」に「栄」の好字を用い、後に音読みされるようになったとされる。養老三（七一九）年、藤原武智麻呂《ふじわらのむちまろ》の創建とされ、寺の背後の山頂に武智麻呂墓がある。八角円堂（国宝・奈良時代）は天平宝字七（七六三）年頃に藤原仲麻呂（恵美押勝）が建立したものとみられ、堂内には「消え消えの美」で知られる極彩色の内陣壁画が残る。本堂本尊の薬師如来、十二神将（重要文化財）は室町時代。弘安七（一二八四）年の石燈籠（重要文化財）、鎌倉時代の七重石塔（重要文化財）など文化財が数多く、延喜十七（九一七）年銘のある梵鐘（国宝）は高雄神護寺、宇治平等院の鐘とともに「平安三絶の鐘」として知られる。

　五條には寛政七（一七九五）年に五條代官所（本町一丁目、現在の五條市役所の地）が設置され、大和吉野・宇智・葛上・高市・宇陀の五郡七万千余石と紀伊国伊都郡八万石の天領（幕府領）を支配していた。文久三（一八六三）年八月十七日に武装した天誅組は、「大和行幸の先駆け」を称し、千早峠から五條に下り、十七日夕刻にこの代官所を襲撃、五條代官鈴木源内と役人三人を討ち取り、代官所を焼き払った。五條新政府を唱え、本陣を櫻井寺（須恵一丁目）としたが、翌日の京都での「八月十八日の政変」によって大義名分を失い、高取藩を攻めて敗退。和歌山、彦根、津、郡山など諸藩の追討を受け、四十日余り吉野各地の逃避行の後、鷲家《わしか》口（東吉野村）で壊滅した。天誅組には五條の医師の乾十郎《いぬいじゅうろう》、井沢宣庵《いざわぎあん》らが加わったが、五條の人々のほとんどにとっては恐怖でしかなく、逃げ出すことともままならず、「怖くて、怖くて、ともかく朝から晩まで戸を締め切っていた。」と伝えられている。また、周辺の村々は代官所が燃えているのに半鐘が鳴らないので事件を知ったという。櫻井寺には鈴木代官の首を置いたという手水鉢が今も残り、百六十年前の事件の生々しさを今に伝えている。この事件の後、代官所は元治元（一八六四）年に別の場所（新町三丁目、裁判所跡）に再建され、明治以後、五條縣庁として利用された。この五條代官所の長屋門は五條市民俗資料館（写真194）として利用されており、街道から少しそれるが、寄り道したい。

図41　五條（『大和名所図会』）

五條から橋本へ（和歌山街道）

五條から吉野川（紀ノ川）北岸を西へ向かう道は紀路、奈良時代以前の南海道で、牟婁の湯や和歌浦に向かう紀伊国行幸に用いられた。大和と紀伊の国境である真土山（待乳山）は、「麻裳《あさも》よし　紀へ行く君が真土山　越ゆらむ今日ぞ　雨な降りそね」（巻九－一六八〇）など『万葉集』に詠われる。中央構造線沿いに紀伊半島を東西に横断する道で、和歌山街道あるいは紀州街道（和歌山からは大和街道）とよばれ、東は高見峠（標高八九九メートル）を越して伊勢へつながる。江戸時代には本城（和歌山）と紀州藩領であった伊勢松坂（三重県松阪市）を結ぶ藩道として、紀州藩が本陣や伝馬を整備し、伊勢参りにも用いられたことから伊勢街道（伊勢南街道）とも呼ばれる。

幕府の代官所のあった五條はこの街道の宿駅でもあり、寛永十六（一六三九）年に公儀伝馬所が設けられ、紀州藩の本陣もあった。現在も十津川や熊野への道が分岐する交通の要衝である。国道24号線から国道168号線が分岐する本町の「本陣交差点」西南には安政二（一八五五）年の「左　かうや　わか山／四國／くまの　道」「右　いせ　はせ　なら／大峯山上／よしの　道」の火袋、屋根のついた「傘燈籠型」道標がある（写真195）。「四国」とあるのは和歌山の加太から徳島に渡る航路があり、高野詣の後、四国八十八か所巡礼や金毘羅参りにも利用されたためである。道標から南へ行くと、重要文化財の栗山家住宅がある。慶長十二（一六〇七）年の棟札が発見されており、建築年代が判明する民家としては、我が国最古の建物である。現在も住居として使用されているため、内部は公開されていない。新町口で右に折れ、一ツ橋餅店（写真196）横の鉄屋橋で西川を渡り、新町に入る。

新町は関ヶ原合戦の軍功により、二見一万石を与えられ、二見城主となった松倉重政が五條、二見間の街道沿いに新たに町割りを行った町で、切妻造、平入り、瓦葺き、つし二階の伝統的な家並が残り（写真197）、「五條市五條新町伝統的建造物群保存地区」として国の重要伝統的建造物群保存地区に指定されている。「まちや館」はもと辻家住宅。内部が公開されている。次の角には「赤根屋半七宅跡」の碑が立っている。人形浄瑠璃『艶姿《はですがた》女舞衣《おんなまいぎぬ》』のモデル、元禄八（一六九五）年、悲恋の末、大坂千日寺の墓地で遊女の三勝と心中して果てた赤根屋半七の生家跡とされる。「今頃は半七さん。どこでどうしてござろうぞ……去年の夏の患《わずら》いにいっそ死んでしもうたらこうした難儀はせぬものを」というクドキは有名。櫻井寺に三勝と半七の供養の比翼塚も立てられている。「まちなみ伝承館」前を通り、東浄川の新町橋を渡ると、道の南側に新町松倉公園があり、「松倉豊後守重政之碑」が建てられている。この先の西方寺には、松倉重政墓碑（頌徳碑）もある（写真198）。新町にとっては恩人とされる松倉重政は、もと筒井氏の家臣で、大坂の陣の軍功により、元和二（一六一六）年には、肥前島原四万三千石に加増移封され二見を去った。島原転封後の重政は島原城の築城など苛政を行い、キリシタンや年貢を納められない農民に対し残忍な拷問や処刑を行い、子の勝家と共に「島原の乱」の主因を作ったとされる。「日本史の中で松倉重政という人物ほど忌むべき存在は少ない」とさえ評価される。松倉重政ほど評価の分かれる人物も少ない。

寿命川に架かる神田橋の手前には工事途中で放置されたコンクリート高架橋が街道を跨いでいる。幻の鉄道「五新線」の橋脚である。五條と和歌山県新宮を結ぶ鉄道「五新線」は、昭和十二（一九三七）年に建設着工されたが、太平洋戦争で中断、昭和三十二（一九五七）年に工事再開し、五条駅から西吉野村城戸（五條市西吉野町城戸）まで路盤が完成したのだが、当時の西吉野村がバス路線としての開業を主張、近鉄が吉野口経由の電車乗り入れ構想を表明したり、南海電車も橋本駅経由での気動車運転の構想を表明するなどして混乱。昭和五十四（一九七九）年に

写真 196　五條新町口

写真 195　五條本町の道標

写真 197　新町の家並

写真 198　松倉重政墓碑（西方寺）

写真 199
五新線の橋脚

写真 200　烏ヶ森堂

写真 201
犬飼山転法輪寺

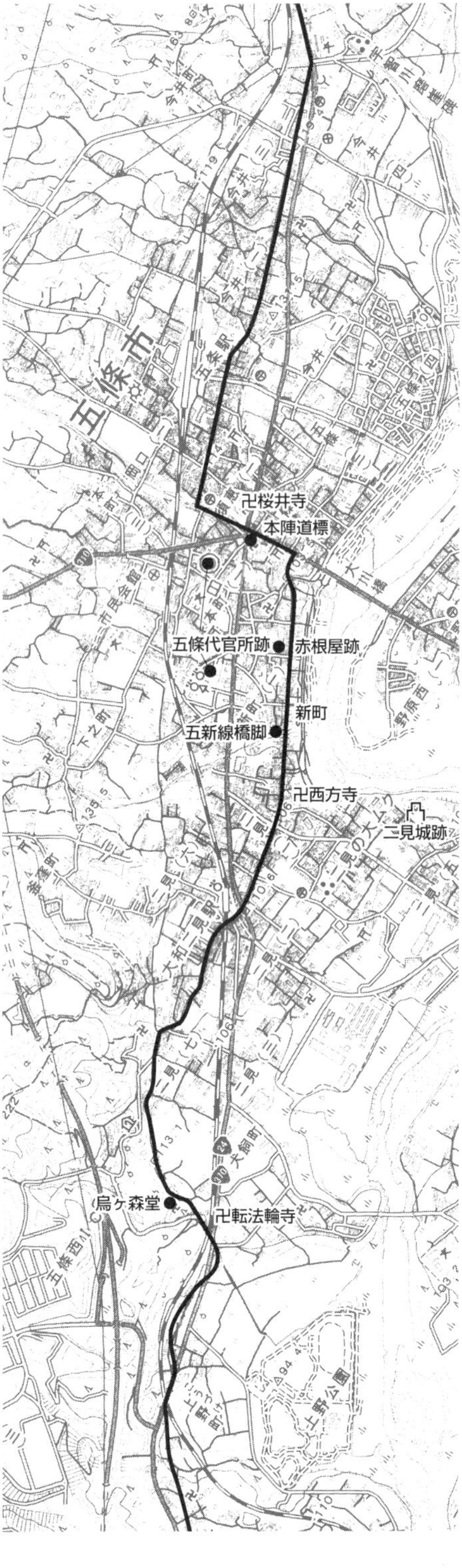

地図49　五條から真土峠へ

なって、建設予算は凍結、昭和五十七（一九八二）年には工事自体が全面凍結となり、列車は走ることなく計画は中断された。一部の路線を走っていたバスも平成二十六（二〇一四）年に運行を中止しており、この五條市内に残る五条駅から吉野川に向かうコンクリート橋脚（昭和十六＝一九四一年竣工・写真199）がその夢の跡。完成していれば、奈良から鉄道で柿の葉寿司の駅弁でも食べながら、十津川温泉へも行けたであろうし、大峰山系の登山にも便利だろうし、熊野三山も近くなっていたなどいろいろと思われて……残念。

街道はJR大和二見駅前の国道24号線を横断、駅西の踏切を渡る。二見は「二水《ふたみ》」。曲折した吉野川に囲まれた丹生川との合流点の意味。駅の東南七百メートル、吉野川岸にある法住寺が松倉重政の二見城跡。

寺名に因んで境内に蓮が多く植えられている生蓮寺前から西へ進み、国道24号線に出る手前に十一面観音を祀る烏《からす》ヶ《が》森《もり》堂がある（写真200）。弘法大師がこの地を通りかかった時、大雨が降り難儀されていると、大きなカラスが現われ、翼で風雨から大師を守った地だとされ、カラスは観音菩薩の化身だったという。江戸時代に五條周辺にできた「大和新四国八十八所」番外札所となっている。

国道の南には、犬飼山転法輪寺がある（写真201）。弘法大師空海が高野の地を開く契機となった狩人の姿をした「狩場明神（高野明神）」に出会った地と伝え、大師はここから白黒二犬に導かれ、高野山に至ったという。空海の

図42　弘法大師と狩場明神との出会い（『紀伊国名所図会』）

『性霊集《しょうりょうしゅう》』には「少年の日、好んで山水を渉覧せしに、吉野より南に行くこと一日にして、更に西に向かって去ること両日程、平原の幽地あり。名づけて高野という」という記述があり、若い頃の金峯での山岳修行に伴い、大峰から高野に至ったことも考えられるのだが、一般にはこの道が高野山開山の道だと見られていたのである。本堂裏に大師塚古墳、明神社裏に明神塚古墳があって、いずれも横穴式石室をもつ後期（六世紀後半）の古墳。塚上に「南無大師遍照金剛」「南無丹生大明神」の碑が建っている。

　寺からは、真土峠への登り坂になる。旧道は国道の北側を行き、国道に出るのだが、その先の歩道が無いので、国道の南側の歩道を歩き、上野町に入る。国道24号線の畑田信号で北へ入り、次の角で左折すると、県境の落合川（境川）。古来、紀和国境とされる真土山（待乳山）は奈良県五條市側の丘陵とみられる。「まつち」は「松乳」で、松ヤニのこと、あるいは「真土」=普通の黒土の意味だとされる。江戸時代には峠の茶店で弘法大師が製法を教えたという腫物の妙薬「待乳膏薬」を売っており、黒と黄があり、峠の土と峠の井戸水に松ヤニを入れて練ったもので、ヒビ、アカギレに良く効いたという。国道24号線の県境には昭和九（一九三四）年に奈良県が建てた「従是東奈良縣管轄」「距奈良縣庁□□／宇智郡五條町□□」「但シ川ノ中央ヲ以テ境界トス」という県境碑がある。また、『紀伊国名

図43　真土山（『紀伊国名所図会』）

所図会』は「古は峠より少し南の方を越ゆるを南海道とす」としており、国道の南には落合川を挟んで両岸から大きな岩が迫り出した「飛越《とびこえ》」（写真202）と呼ばれる地があり、ここが古代の道の一部だとされる。

和歌山県側は橋本市隅田《すだ》町真土。24号線に出て、切り下げられた小越峠を越えて、隅田へと下り、ジオスターの工場の角で南側の旧道に入る。隅田郵便局から北へは六百メートルほど先の高台にある隅田八幡宮への参道がつづく（写真203）。かつては街道に面して神門と常夜燈があったという。隅田八幡は石清水八幡宮の荘園だった隅田庄に営まれた別宮。中世、隅田庄に勢力をもった武士団、隅田党に崇敬された。神社には古墳時代の人物画像鏡が伝わり、「癸未年八月日十大王年男弟王在意柴沙加宮時斯麻念長寿遣開中費直穢人今州利二人等取白上同二百旱作此竟」（癸未の年八月　日十大王の年、男弟王が意柴沙加《おしさか》の宮におられる時、斯麻が長寿を念じて開中費直　穢人〈漢人？〉今州利の二人らを遣わして白上同〈真新しい上質の銅〉二百旱をもってこの鏡を作る）という銘文があり、江戸時代から「本国、古器これを最第一」とするとされた。我が国最古級の文字使用資料として国宝に指定される。癸未年を西暦四四三年とみて、大王は允恭《いんぎょう》天皇とみる説、五〇三年とみて、男弟王が継体《けいたい》天皇で、斯麻が百済の武寧王とみる説がある。原

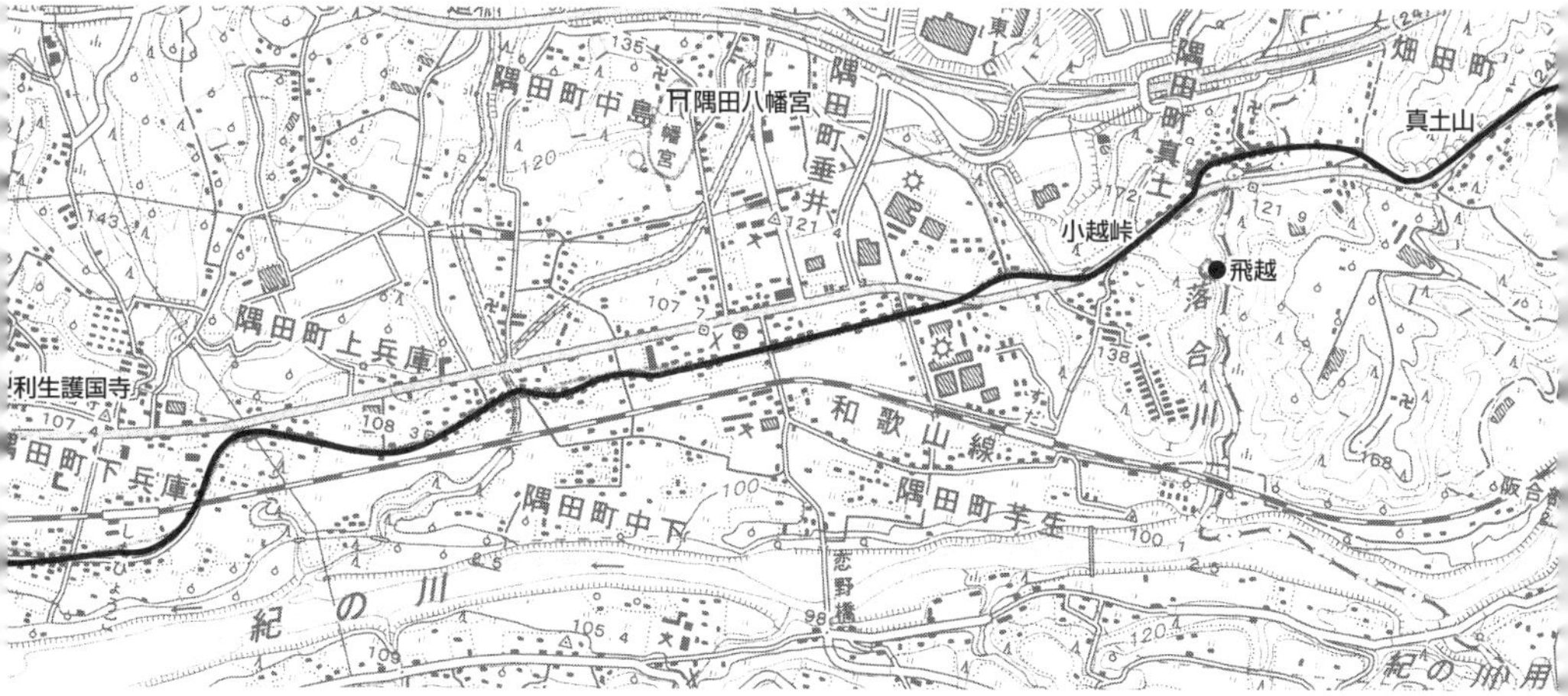

地図50　真土から隅田、下兵庫へ

鏡（母鏡）となった画像鏡が東高野街道沿いの郡川西車塚古墳（大阪府八尾市）から出土しており、銘文中の開中費直（かわちのあたい・河内直）との関係が興味深い。神社の西には緑泥片岩を積んだ整美な横穴式石室をもつ古墳時代後期の隅田八幡宮古墳があるが、鏡よりも時期が新しい。

隅田の西で高橋川を渡り、国道24号線とJR和歌山線の間を西へ行く。街道は24号線で左に折れ、下兵庫駅の東側で踏切を渡るが、24号線を三百メートルほど西へ行くと、利生護国寺がある（写真204）。真言律宗西大寺末で、地元では「大寺さん」と呼ばれている。寺伝では行基の創建で、最明寺（北条）時頼が再興。鎌倉幕府の祈祷寺三十四か寺の一つに挙げられたという。本堂（重要文化財）は天授年間（一三七五〜八一年）の再建と伝えている。隅田一族の氏寺とされ、当本堂裏には裏山にあったという隅田一族の中世の墓石が並ぶ（写真205）。天文年間（一五三二〜五五年）のものが多い。

下兵庫と河瀬との間は「闇《くらがり》峠」と呼ばれ、二つの饅頭を合わせた夫婦饅頭が名物で、『紀伊国名所図会』（天保九＝一八三八年）にも「闇饅頭屋」を名所にあげている。スーパーセンターオークワの前で国道24号線に出る。ここからの街道は国道と重複し、南海高野線を越え、紀ノ川岸に出る。古佐田郵便局の手前を橋本駅方向に入った角には「左　かうや　古かは／き三井寺　わか山」「右　いせ　山上　よしの／なら　はせ　たへま」とする嘉永年間の道標がある（写真206）。24号線を西へ行くと左手に旧橋本本陣だったという池永家住宅がある。この周辺がかつての宿場の中心。少し西へ行った橋本橋北詰交差点の東北にある橋本戎神社前には「左　いせ　よしの」「右　わか山　大坂／左　かうや」「右　いせ　よしの」「右　わか山　こかは　大坂

写真 202　飛越石

写真 203
隅田八幡宮参道

写真 204　利生護国寺

写真 205　隅田一族の墓石

写真 206　古佐田の道標

写真 207　橋本の道標（戎神社）

写真 208　応其寺

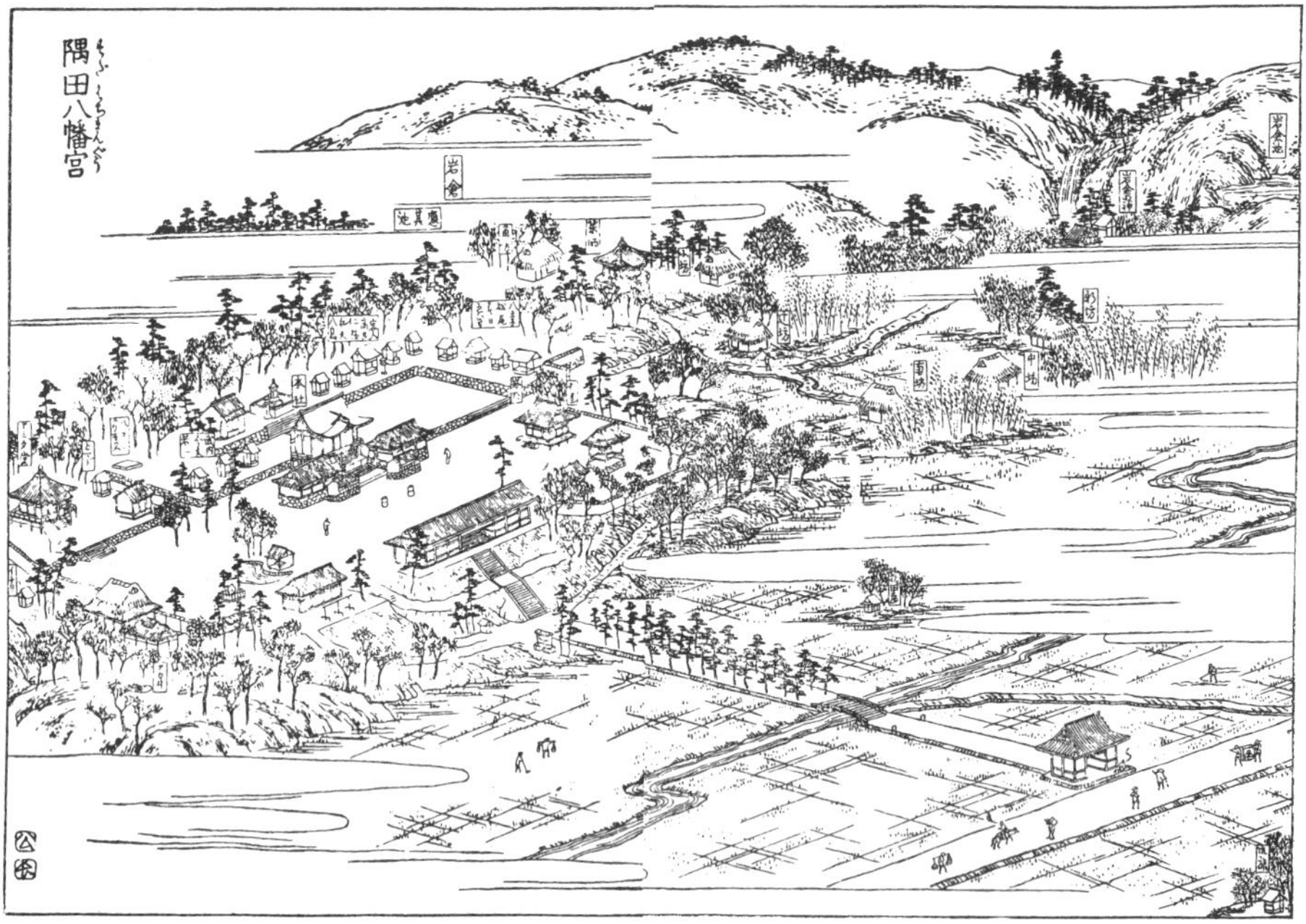

図 44　隅田八幡宮（『紀伊国名所図会』）

図 45　隅田八幡古鏡（『紀伊国名所図会』）

図 46　護国寺（『紀伊国名所図会』）

図 47　闇饅頭屋（『紀伊国名所図会』）

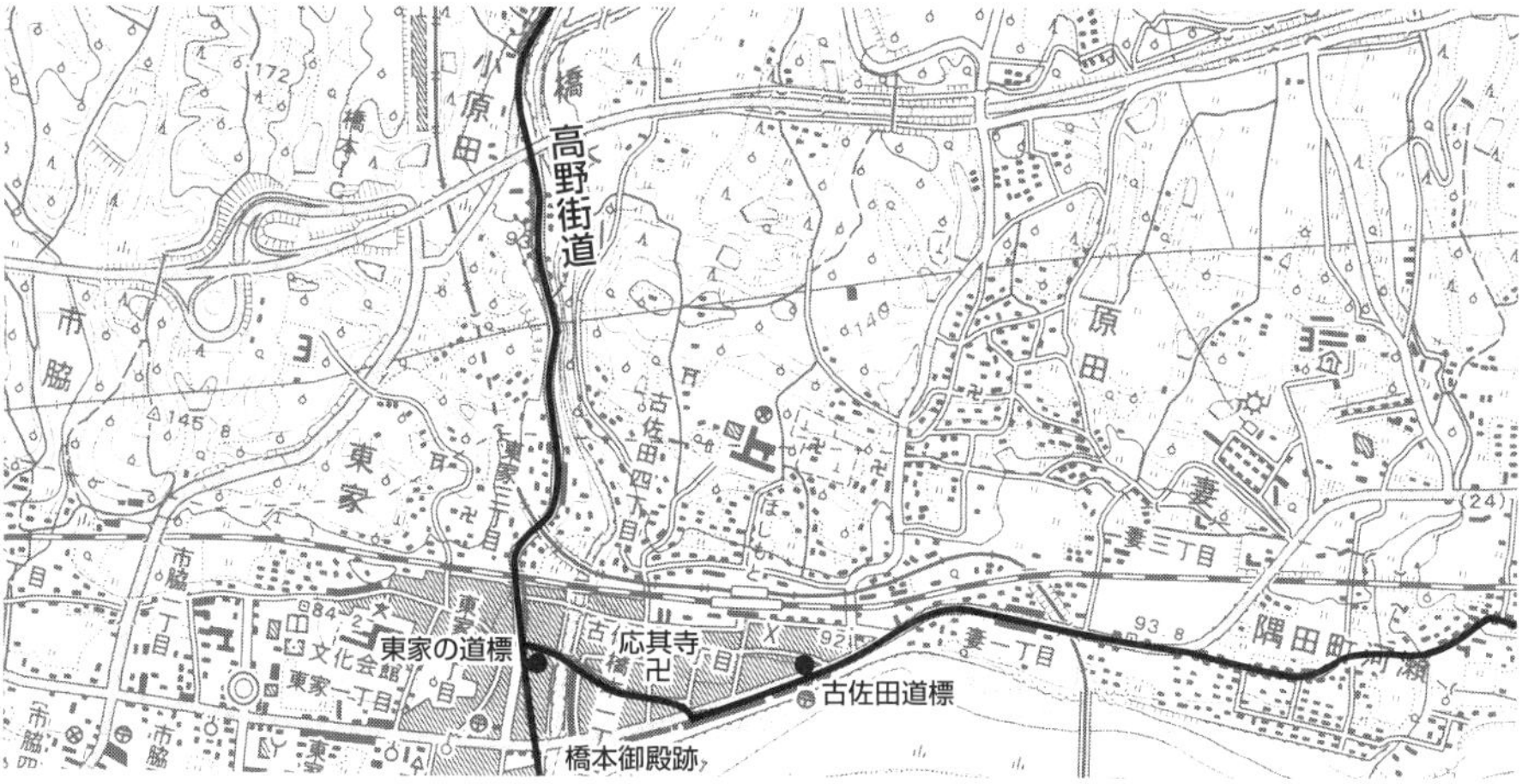

地図51　川瀬から橋本へ

／左　かうや　くまの」とする道標（写真207）が道路拡幅で「当町開祖應其上人旧蹟」という標石とともに移設されている。交差点の西南は紀州藩主の別邸である「橋本御殿跡」。「いたら見てこら　橋本御殿　裏は紀ノ川　舟が着く」と唄われた。街道は北へ入り、応其寺前で左に折れていたとされる。

橋本の町を開いたとされるのが木食《もくじき》応其《おうご》。木食は木食行を修めた者への称号。応其寺は橋本におけるその草庵（写真208）。木食応其は天正十三（一五八五）年の豊臣秀吉の「紀州征伐」に際して、高野山使僧として活躍。その後、秀吉に協力して高野山に金堂や大塔を建立し、高野山の再興にあたり、「興山上人」の号を賜った。秀吉は「高野の木食と存ずべからず、木食が高野と存ずべし」と評したという。伊都郡古佐田村の一部であった荒地をひらいて町を作り、高野往還の宿場町とし、紀ノ川に橋を架けたのが、「橋本」の起り。橋は紀ノ川の出水により、流失したが、町の名として残った。木食は「行基の再来」とも称され、高野豆腐の製法を確立したとも言われる。秀吉の死後、京都東山の阿弥陀ヶ峰における埋葬を取り仕切り、廟所（豊国神社）の建築にも力を注いだという。関ヶ原合戦後は近江飯道寺に隠棲、慶長十三（一六〇八）年、七十三歳で入定。

応其寺から西へ進む。橋本川の松ヶ枝橋東詰めにある太神社のところは、一里塚跡で松の木があったという。橋本川を渡り、西へ行けば「東家《とうげ》の四つ辻」、北から紀見峠を越えて来た高野街道と合流、南すれば、高野山への紀ノ川渡船場である。

七　京大坂道――橋本から高野山へ

橋本から学文路《かむろ》へ

「瞬くひまに橋本と　叫ぶ駅夫に道問えば　紀ノ川渡り九度山を　過ぎて三里ぞ高野まで」と「鉄道唱歌」に歌われた橋本から橋本橋を渡り、西へ進む。ガソリンスタンドから紀ノ川南岸の土手沿いを行くと、宝暦二（一七五二）年の「三軒茶屋の大常夜燈」が南岸の渡し場の位置と「高野山興山寺《こうざんじ》領」であることを示している（写真209）。「興山寺」は、現在の高野山金剛峯寺《こんごうぶじ》の前身寺院。高野山中興開山とされた木食応其上人（興山上人）の開基で行《ぎょう》人方《にんかた》の寺であったが、明治二（一八六九）年に学侶方《がくりょかた》の青巌寺《せいがんじ》と合併して、総本山金剛峯寺として統合された。また、南の賢堂《かしこど》からは、高野山の北東の入口、千手院谷の黒河口《くろこ》（大和口）に至る黒河道が通じている。山道で道が険しく、参詣者の多くは西方の京大坂道を利用したが、河南の大和街道を下って来た大和からの参詣者にとっては高野への近道であった。文禄三（一五九四）年三月、母大政所の三回忌追善供養のため高野参詣した豊臣秀吉がこの道を下山路としたと伝える。

西へ道を進むと、清水小学校の先に西行堂がある。西行法師が留《とど》まった処と伝え、ここに道中安全を守護する清水の「一の地蔵」が祀られている（写真210・211）。ここから桜茶屋まで六か所に六地蔵としての地蔵堂があり、参詣の道しるべともなっている。清水は弘法大師の加持水とされる「清水三井《さんせい》（清水井、薦池井《こもいけ》、石井）」が、その地名の起源とされる。江戸時代には高野山領で、街道沿いに民家が建ち並び、高野山へ物資を伝送する伝馬所が設けられていた。街道沿いには文政十三（一八三〇）年の常夜燈や西国三十三所、弘法大師廿一ケ所供養塔などが立っている。

国道371号線の橋本高野橋をくぐっていくと、「鎌不動」。弘法大師が鎌で彫ったという不動尊が祀られている。県道13号に出たところには南馬場の「二の地蔵」地蔵堂がある（写真212）。

文政四（一八二一）年の「東／高野山女人堂迄三里／地蔵尊　弘法大師御作／弘法大師御母公御廟所／慈尊院村江一里是ヨリ十丁程先別道有」「南／橋本町東家船渡シ江　一里／伊勢江三十六里　吉野江七里／大坂江十二里堺江九里」とする道標が立っている。銘文から両親菩提の為に建立されたものであることがわかる。「道教え」は永代の積善供養行為であり、高野山参りを助けるともなると、その積善功徳ははかり知れないのである。県道13号を進み、土居橋を渡り、学文路小学校から左に入る。突き当りを右にとると、学文路大師堂がある。大師堂前の民家に安政四年の「是ヨリ　高野山女人堂江三里」の里程石があるが、この碑はもと学文路小学校北の土居橋の傍らにあったものだという（写真213）。

学文路《かむろ》大師には能楽「高野物狂《こうやものぐるい》」の高師四郎《たかししろう》（物狂道士）の菩提を弔う「物狂石」、あるいは弘法大師の「大師腰掛岩」と呼ばれる石があり、地蔵石仏が建立され、「かむろ地蔵」となっている。「高野物狂」は高師四郎が、出奔した主君の遺子春満丸《しゅんみつまる》を尋ね歩いたすえ、狂乱して高野山にたどり着き、春満丸に再会するという話。「学文路」は「香室」とも書かれ、梅の名所であったが、物狂道士が学問の教導に力を尽したため、「学文路」と書くよ

地図52　橋本から河根へ

図48　不動坂より学文路迄の図⑤（『紀伊国名所図会』）学文路、西光寺、物狂石、苅萱堂、大師硯水

うになったともされる。高野山登山口で、ここに泊まる参詣者は多く、紀ノ川水運で運ばれた物資を陸揚げし、高野山へ運ぶ拠点としても繁栄した。

県道を横断すると、川沿いの細道が旧道。学文路郵便局前には、高野山領である南馬場と紀州藩領である学文路との境界にもとあったとみられる「是ヨリ南　御国領」「定杭　是ヨリ北　興山寺領」とする境界石が保管されている（写真214）。また、郵便局左には元治元（一八六四）年の「右　京大坂　堺　伊勢　道」の道標があり、さらに県道を渡る手前には宝暦八（一七五八）年の「右ハ　慈尊院みち　是より一里／左ハ　高野みち女人堂迄三里」の道標と享保六（一七二一）年とみられる「南無釈迦牟尼仏」と彫った碑があり、これも左右に「右　ちそんゐんミち　これより□□」「左かうやミち　これより三里」としている（写真215）。いずれの道標も県道沿いにもとあったものらしい。県道を西へ行ったところにある南海電鉄学文路駅の駅舎は風格のある大正十三（一九二四）年の建築である。入場券は「学文（問？）の路」ということで受験生に人気だという。

学文路から河根《かね》へ

学文路から高野山への道は高野山と京、大坂をつなぐ道として「京大坂道」と呼ばれ、利用者が最も多かった。高野山の北の入口、一心谷に至る道で、天正十五（一五八七）年に木食応其上人によって紀ノ川への架橋とともに整備された道だという。学文路からは河根まで、河根から極楽橋まで二つの山越えがあり、最後に不動坂を上り、不動坂口（京口）の不動坂

写真 211　清水の道標地蔵

写真 209　渡し場南岸三軒茶屋の常夜燈

写真 210　一の地蔵堂（西行堂）

写真 212　二の地蔵堂

写真 213　高野山女人堂三里石

写真 214　高野山領
御国領境界石

写真 215　学文路の道標

写真 216　「高野山女人堂迄九拾町」
明治 32 年

写真 217　三の地蔵堂

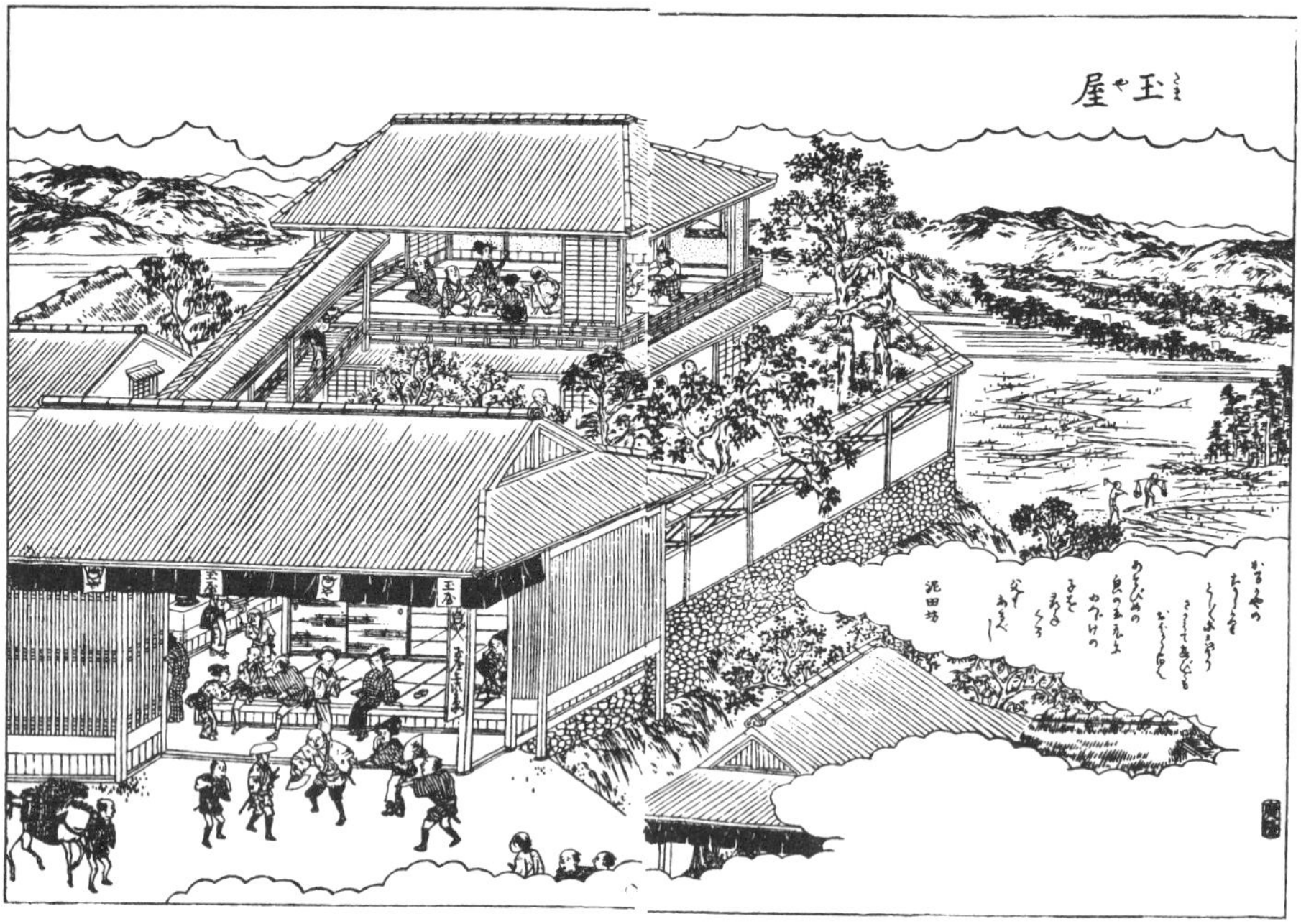

図49　玉屋（『紀伊国名所図会』）

女人堂に到達する。寺社詣は修行だというが、まさに高野参詣最後の修行の道である。

南海高野線の踏切を渡ると、さっそくの坂道。坂道を上ると、右手に石童丸が高野山で父を捜す間、母、千里《ちさと》御前が逗留したという旅籠屋、玉屋の跡がある。

左手には刈萱《かるかや》堂。「刈萱道心・石童丸物語」は説教節、謡曲の「刈萱」、さらには浄瑠璃の「刈萱道心物語」、歌舞伎の「刈萱道心」、滝沢馬琴の読本「石童丸刈萱物語」などに作品化され、よく知られるが、もとは高野山の萱堂聖《かやどうひじり》と呼ばれる聖《ひじり》集団によって生み出され、伝承された物語で、高野聖《こうやひじり》が各地に広めた話がもとになっている。

筑前国刈萱荘の領主、加藤左衛門繁氏は世の無常を感じ、妻子を捨てて出家、寂昭坊等阿法師（刈萱道心）として、源空上人法然のもとで修行し、高野山に入る。その子、石童丸は母、千里御前とともに父を捜し、高野山に居ることを知るが、高野山は女人禁制、山麓に母を残し、石堂丸一人で高野山に父を訪ねる。父は子と知りながら、棄恩入無為の誓によって父であることを名乗らず、尋ねる人はすでに死んだと偽りを言う。石童丸が下山すると、母は長旅の疲れで、すでにこの世に無く、頼る身内を失った石童丸は再び高野山に登り、刈萱道心の弟子となり、親子の名乗りをすることもなく仏に仕えた。刈萱道心はその後、信濃善光寺に赴き、庵を結び、地蔵菩薩像を作って亡くなった。石童丸道念は信濃の方向に紫雲がたなびくのを見て、刈萱道心の往生を悟り、父に倣い地蔵菩薩像を作って亡くなった。この二体の地蔵は親子地蔵として深く信仰されたという。

刈萱堂は高野山内にもあり、高野山の刈萱堂は父子が三十年にわたって修行した地だとされる。これに対し、学文路刈萱堂は如意珠山能満院仁徳寺と呼ばれ、千里御前の菩提を弔い、女人を対象とした絵解き唱道の場であったという。寺宝の「人魚のミイラ」は千里御前が崇拝所持していたものと伝え、不老長寿、無病息災を願う人々の信仰対象であった。現在は庶民信仰資料として和歌山県有形民俗文化財に指定されている。境内の「杖の梅」は弘法大師がここまで突いてきた梅の木の杖が根付いたものとされる。

京大坂道は山道ながら、そのほとんどが舗装されており、極楽橋までは自動車（地元の軽トラック）が通るところも多い。「紀の川フルーツライン」を陸橋で越え、カーブミラーから右へ集落に入ると、道が分岐しており、明治三十二（一八九九）年の「高野山女人堂迄九拾町」の里程石が立っている（写真216）。三六町（丁）が一里なので、九十町は二里一八町ということになるが、町数だとなにやら近いように感じる。左へ道をとると、橋本市から九度山町となり、茂野の「三の地蔵」の地蔵堂がある（写真217）。「ゆめさきトンネル」を右に見て、細い道を上がって行くと、左手に澄尾池があり、その堤には「法花一字一石塔」が立っている。法華経の一字ずつを小石に書いて納めたものである。道を進むと、右手に「大師の硯水」という井戸がある。弘法大師が硯の水を村人に求めた時、遠方まで汲みに行くのを見て水の不便を察し、杖を突き、湧出させた清水だという。分岐を左へ進むと、「高野山女人堂迄八十町」の里程石がある。河根峠の坂を下る途中に「四の地蔵」の地蔵堂（写真218）がある。急坂になり、道角にキリークの種子の下に「右　大坂道／左　まきのお道」とする道標が立つ。ジグザグに下って行くと、眼下に河根の集落が見え（写真219）、下り着いた左手に河根丹生神社と日輪寺がある。

河根丹生神社は丹生都比売《にゅうつひめ》、高野御子大神《こうやのみこのおおかみ》が祭神、この社の別当寺が隣接する日輪寺で、本堂は本地大日堂。神仏習合時代の神社と寺のあり方がよくわかる。日輪寺は仁和寺宮の高野参詣時の休憩所となり、大智山遍照院という山号と院号は仁和寺宮から賜ったと伝えている。

河根には本陣があり、旅籠、茶店が立ち並び、何十挺もの山駕籠が客待ちしていたという。中屋旅館が旧本陣で、

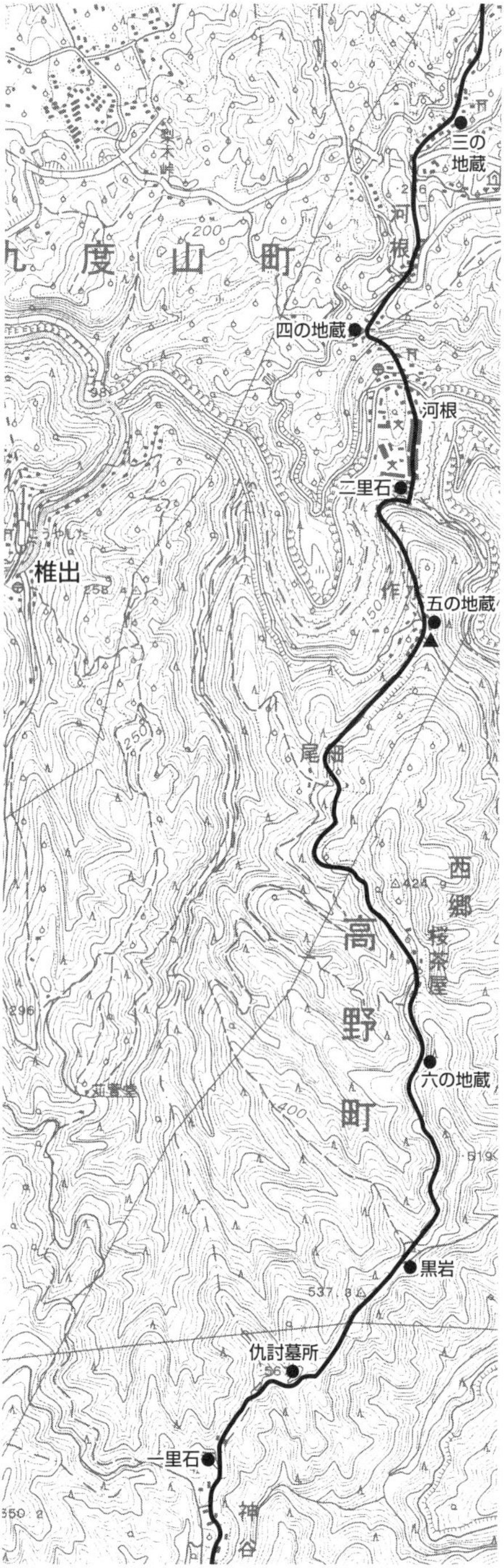

地図53　河根から神谷へ

りっぱな門がある（写真220）。道際に消えかかった案内板のある「塩竈《しおがま》」は塩分を含んだ冷泉が湧く洞窟である。「高野山女人堂迄七十町」の里程石を過ぎ、丹生川に架かる赤い欄干の千石橋を渡る。寛永十一（一六三四）年に架けられ、造営費が千石かかり、橋の名になったという。橋の手前に安政四年の「是より　高野山女人堂江　二里」の里程石が立っている（写真221）。

河根から神谷《かみや》、極楽橋へ

橋を渡れば、九度山町から高野町へ入り、作水《さみず》坂の急坂を登る。坂を登りきると、作水の「五の地蔵」がある（写真222）。文政四（一八二一）年の入母屋屋根にした櫓形の常夜燈が道角にあり、坂道を尾細《おほそ》、桜茶屋と上っていく。桜茶屋に高野六地蔵堂最後の「六の地蔵」がある（写真223・224）。このあたり、かつては桜が多かったのだろうか。車道の坂はなかなか長い。尾根に出ると、道の左手にある大きな岩が黒岩（写真225）。日本最後の仇討「高野の仇討」があった場所だという。文久二（一八六二）年、播州赤穂藩の家老、森主税、村上真輔が暗殺される事件があり、明治四（一八七一）年二月三十日（二十九日ともされる）に村上四兄弟らがここで高野山に向かう敵《かたき》の西川

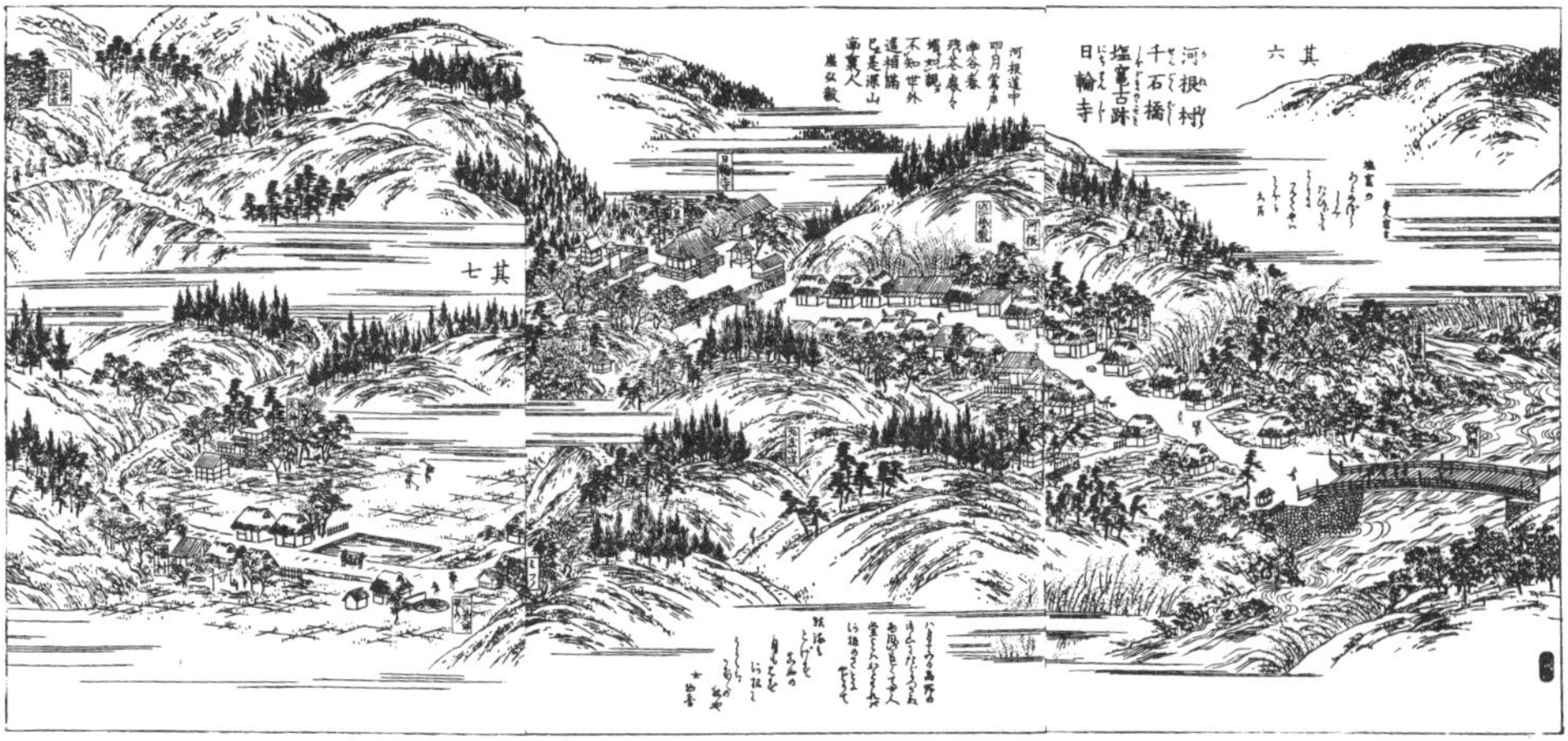

図 50　不動坂より学文路迄の図④（『紀伊国名所図会』）河根村、千石橋、塩竃古跡、日輪寺

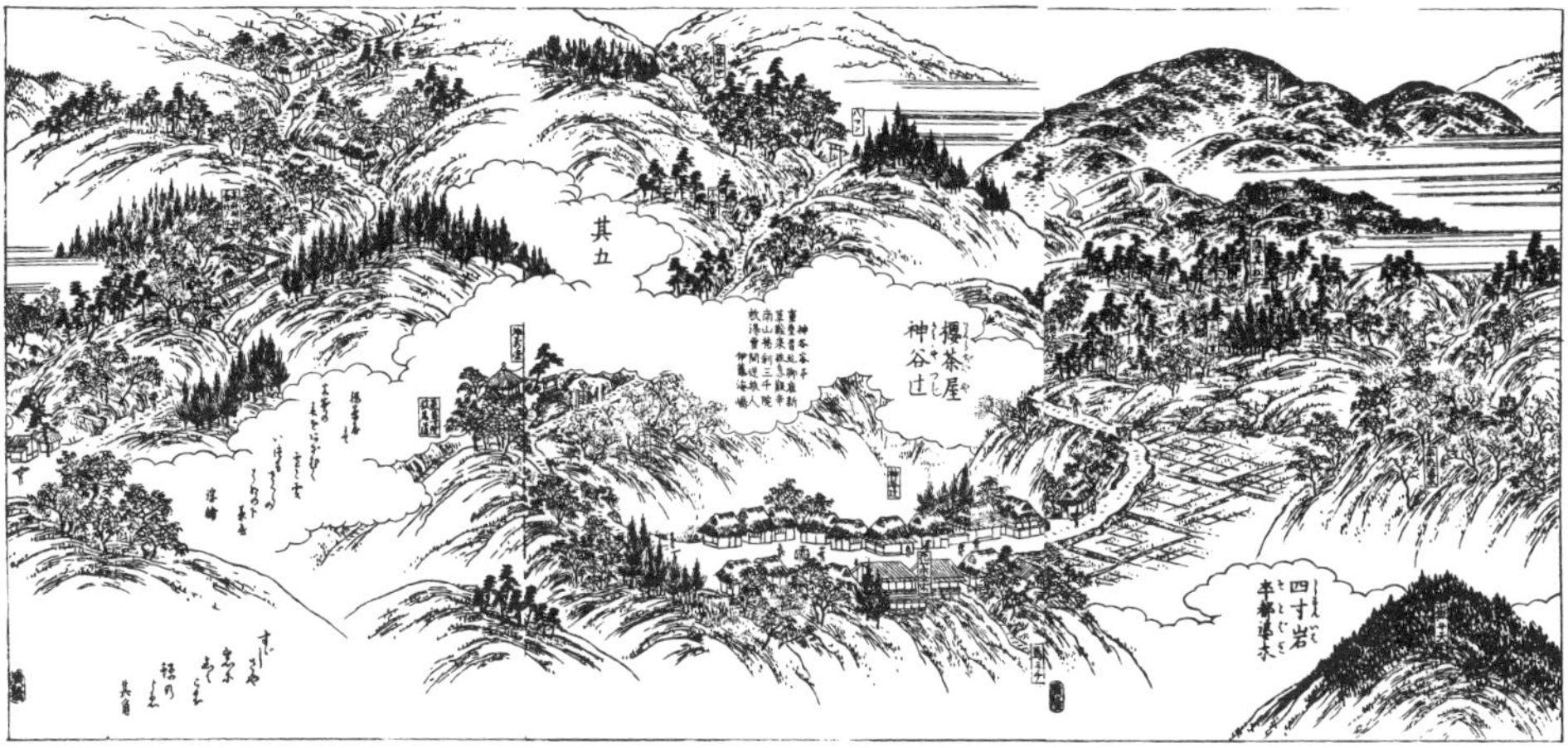

図 51　不動坂より学文路迄の図③（『紀伊国名所図会』）桜茶屋、神谷辻、四寸岩、卒都婆木

写真 219
河根

写真 220　河根中屋本陣

写真 218　四の地蔵堂

写真 222　五の地蔵堂

写真 221　河根千石橋の高野山女人堂二里石

写真 224　六の地蔵堂

写真 223　桜茶屋

写真 225　黒岩

写真 226　神谷

写真 227　高野山女人堂一里石と道標

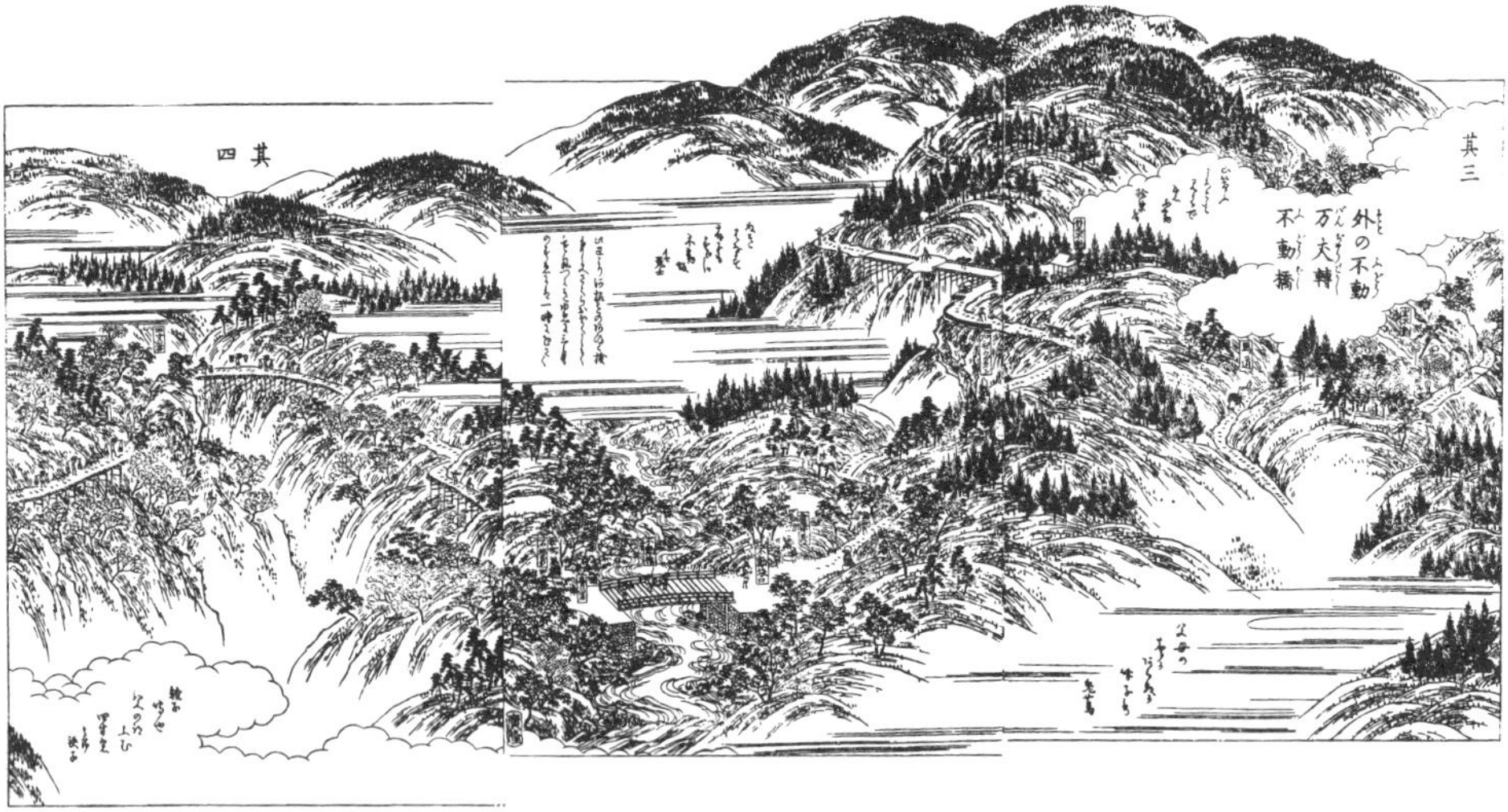

図 52　不動坂より学文路迄の図②（『紀伊国名所図会』）不動橋（極楽橋）、万丈転、外の不動

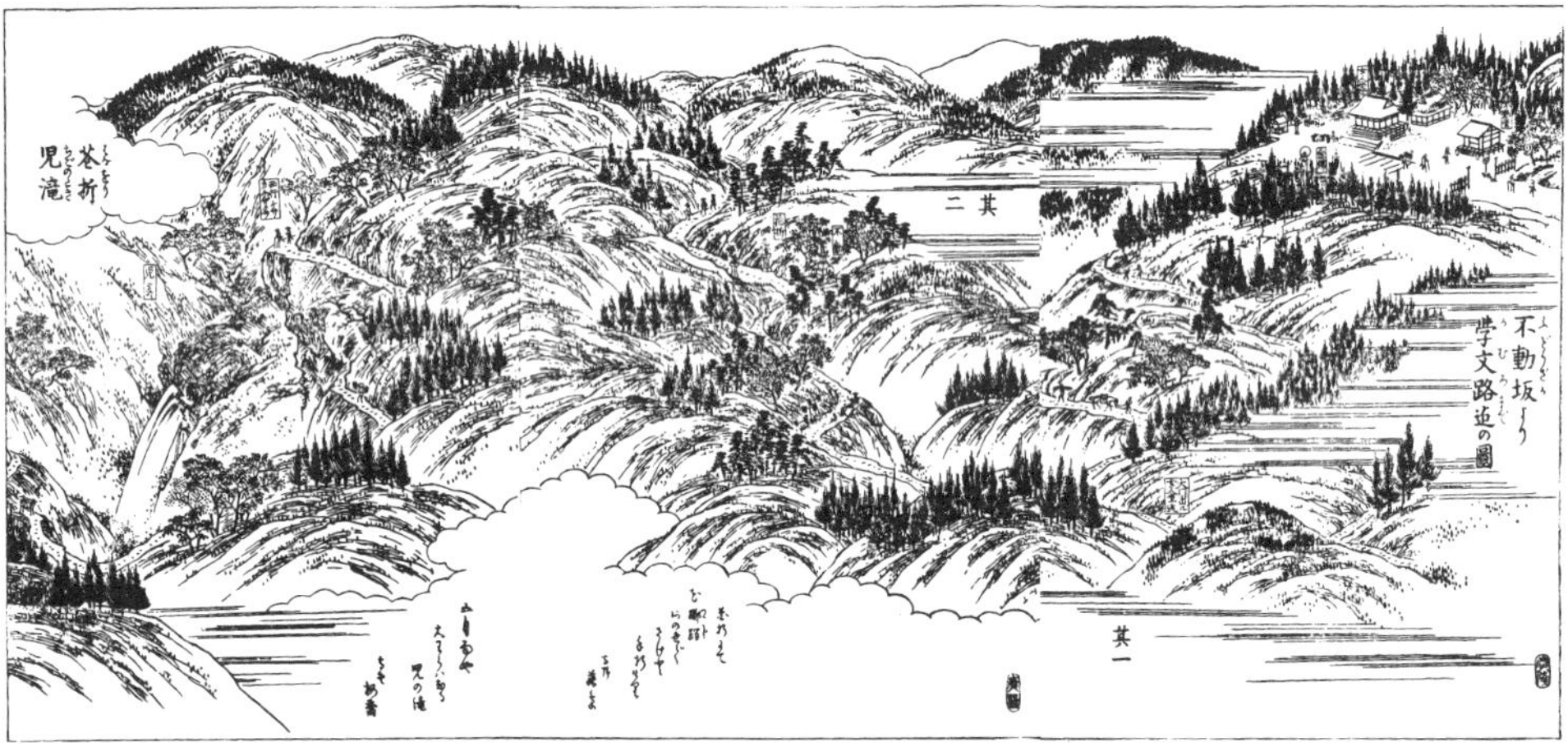

図 53　不動坂より学文路迄の図①（『紀伊国名所図会』）葛折、児滝、不動口女人堂

邦次らを待ち伏せ、これを討ち果たした。この仇討がきっかけで「復讐禁止令」が明治六年に出されたという。五百メートルほど先に「殉難七士の墓」として仇討で討たれた七名の墓がある。

神谷《かみや》（写真226）に入ると、右手に安政四年の「是ヨリ高野山女人堂江一里」の里程石と「左／志そん院弘法大師御母公　廟所／槙尾　大坂こ江　粉河寺　志ん四国道／紀州加田こ江　金毘羅江近みち」「右　京大坂道」「是ヨリ二里麓九度山村□田」とする安政五（一八五八）年の道標、「右　京　大坂道」「是ヨリ　弘法大師御母公慈尊院／左　槙尾道　」とする京三条大橋いせやの道標、明暦の「右　きやうかいどう」とする長脚五輪塔道標など四基の石標が集められている（写真227）。すぐ上には「むすび地蔵」という地蔵堂がある。高野下駅周辺の椎出《しいで》に通じる「長坂道（新高野街道）」との分岐を示しており、長坂道が慈尊院を経由して粉河寺や槙尾山に向かう西国巡礼道でもあったことがわかる。大正十四（一九二五）年に高野登山鉄道が延伸し、九度山駅から高野山駅（現在の高野下駅）が開業すると、椎出は高野山の玄関口となり、多くの参詣者は長坂道をとるようになったが、高野山電気鉄道が昭和三（一九二八）年に神谷駅、四年に極楽橋まで延びると、この長坂道も寂れていった。

道を進むと、左手に大正十三（一九二四）年の「至　高野山／四六〇〇メートル／一里六町」「至　椎出／四四〇〇メートル／一里四町二十間」とする里程標石が立っている。その先には大正十三年の「御成婚記念道標」という道標（写真228）があり、「至　高野山女人堂／四四〇〇メートル／壹里四町二十間」「至　椎出／四六〇〇メートル／一里六町十間／至　高野口　一〇一二〇メートル　二里廿町四十六間」としている。いずれも名古屋の人々が施主で、昭和天皇の御成婚記念事業として大型の「御成婚記念道標」と二〇〇メートルおきに小型の高野山と椎出までの距離を示す里程標石を長坂道に設置したとみられるが、完存はしていないようだ（写真229）。

神谷は西郷《にしごう》村と細川村の出村で、高野山に最も近い宿場町であった。大正末期には旅館十六軒があり、七五〇人以上の宿泊が可能で、芝居小屋や饅頭屋、豆腐屋などもあり、「日が昇ると銭が湧く」と言われるほど栄えたというが、昭和になって鉄道が極楽橋へと延伸し、現在は静かな山村になっている。旧白藤小学校の木造校舎が残され、休憩所ともなっている。

「至　高野山　四二〇〇メートル」、「至　高野山　四〇〇〇メートル」の標石をすぎると、光背に「右　これよ

り　く満《ま》の道」とする「道標地蔵」（写真230）があり、林道と交差する。四差路の奥へ続く細い道が旧街道で、弘法大師の足跡とされる二つの窪みがある岩（「四寸岩」）までは行くことができ、道の途中に「至　高野山　三六〇〇メートル　三十三町」、「至　高野山　三四〇〇メートル　三十一町」と「女人堂迄　二十六丁」の標石もあるのだが、廃道となっており、極楽橋までたどることができない。四差路を右折し、極楽橋へ向かう。石垣の上に廃屋があり、木材運搬トロッコ線の橋をくぐる。右下は南海高野線。下り着いた新極楽橋は渡らず、その手前を左に行くと、極楽橋駅が見える。極楽橋まで鉄道が開通したのは昭和四（一九二九）年、極楽橋から高野山までのケーブルカーはその翌年、昭和五年に開通し、以後、京大坂道の河根や神谷などの宿場は急速に寂れることとなった。

極楽橋から不動坂を経て女人堂へ

極楽橋駅を左に見て、不動川にかかる朱塗りの極楽橋を渡る（写真231）。橋は高野の聖域と俗界の結界である。不動橋とも呼ばれ、ここから不動坂が始まる。坂の登り口には大正九（一九二〇）年の「是ヨリ不動坂　女人堂マデ二十四丁」とする名古屋燈明講が建てた標石がある。「鉄道唱歌」は「木陰をぐらし不動坂　夕露しげき女人堂

地図54　神谷から女人堂へ

見れば心も自ずから　塵の浮世を離れたり」と歌っている。「人々玉の汗を流し　杖の力を借りてよじのぼる」高野山参詣者の前に立ちはだかる最後の難所であったが、大正四（一九一五）年の「高野山開創千百年大法会」に合わせて、大改修され、難所とされた四十八曲り（いろは坂）を通らない緩やかな新道が設けられており、旧道も世界遺産として整備されている。この不動坂の急坂には「腰押《こしおし》」という稼業があり、T字形の棒の横木を参詣者の腰にあて、後から押して登らせ、料金をとっていたという。ケーブルカーの下をくぐると、右手に「いろは坂」を登る旧道。尾根に出るまでの「四十八曲」は整備されているものの、今でも難所である。旧道を上ると、不動坂の名となっている不動堂跡がある。不動堂は女人堂の傍らにあった「錐揉《きりもみ》不動」を「内不動」と呼んだのに対し、「外不動」と呼ばれたという。道を下ると、新道に合流。新道のほうには大正十三年の「至　高野山　二〇〇〇メートル／十八町二十間」の里程標石があり、尾根を回り込むと「一四〇〇メートル／一二町五十間」の里程標石がある。「萬丈が嶽」から左手は「万丈転《ばんじょうころがし》」と呼ばれる深い谷。「谷間を窺うに其深さ　いくばくとしれず」とされ、その昔、高野山で罪を犯した者が簀巻きにされて投げ込まれ、命が助かれば、その罪を許されたともいわれる。修験山伏の刑罰「谷行《たにこう》」と同じで、強制往生、即身成仏である「石子詰め」なども高野山で行われた刑罰だと伝える。東の谷には高野山吉祥院の稚児が身を投げたという「稚児《ちご》の滝（児の滝）」があり、近松門左衛門の『心中万年草』では吉祥院の寺小姓久米之介と神谷宿雑賀屋の娘お梅が身を投げる悲哀の場として登場する。旧道と新道が合流すると、右手に寛政四（一七九二）年の「南無大師遍照金剛」「右　加うや　まきのお□」とする道標が立っている。道の右手には岩壁が続き、不動明王の種子が彫られていたと伝え、「岩不動」と呼ばれる。大正九年に新道沿いに移転した不動堂、「清不動堂《きよめふどう》」があり、その横に旧道が残る（写真232）。「花折坂」は高野山参詣者が高野山奥の院に供える高野槇《こうやまき》などを採った所、「大乗妙典一萬部供養塔」の宝塔、不動石仏、地蔵仏がある。ほどなくバス専用道路に出て、左に行くと、「不動坂女人堂」に到着する（写真233）。

　高野山は明治五（一八七二）年まで山内は女人禁制。女性の参詣は高野山七口の女人堂までとされ、女人堂は女性が参籠する籠《こも》り堂であった。ここまで来た女性は奥の院大師御廟周辺の転軸山・楊柳山・摩尼山、七口の女人堂をつなぐ女人道を巡拝したという。現在、堂が残るのは不動口だけで、堂前の「お竹地蔵」は安政大地震の死者を

写真 229
大正 13 年の里程石

写真 228
神谷の御成婚記念道標

写真 230　神谷の道標地蔵

写真 231　極楽橋

写真 232　清不動堂

写真 233　不動坂女人堂

写真 234　町石道（百七十町付近）

写真 235　安達泰盛の十二町石

図 54　不動坂口女人堂（『紀伊国名所図会』）

図 55　轆轤峠（『紀伊国名所図会』）

弔い、父母菩提のため、江戸飯田町の横山竹が三十年の年期奉公で貯めた浄財で建立したもの。大正十三年の「御成婚記念道標」があり、「至　奥之院　三四九一メートル／三十二町」「至　椎出　九〇〇〇メートル　二里十町二十間／高野口　一四五二〇メートル　三里廿五町六間」としている。

京や奈良に「七口」があったが、「高野七口」は次のとおりである。

大門口（九度山道および麻生津道）・不動坂口（京大坂道・高野街道）・黒河口（久保口、黒河道）・大峰口（奥院口、筒香道・大峰道）・大滝口（熊野道・小辺路）・相ノ浦口（相ノ浦道）・湯川口（龍神口、有田・龍神道）。

このうち、西の大門口が高野山の大門がある正面参道で、鎌倉時代に山麓の慈尊院までの一八〇町の間に一町ごとに町石が建立され、「町石道《ちょういしみち》」と呼ばれている。九度山から紀ノ川を越え、御幸路《みゆきみち》として「御幸辻」へ繋がる。また、東の大峰口は桜峠、天狗木峠、天辻峠を経て大峯山上（奈良県天川村）に通じる道で、『性霊集』に若き日の空海が吉野から「南行一日、西行両日程」にして高野に達したというのはおそらくはこの道であろう。南の大滝口、相ノ浦口、湯川口や黒河口は主に周辺の村々から高野山へ薪炭、野菜など生活物資の搬入（「雑事上り《ぞうじのぼり》」）に不可欠の道であった。

高野山

「弘法大師この山を　開きしよりは千余年　ヒグラシ響く骨堂の　あたりは夏も風寒し」（鉄道唱歌）

高野山は蓮華八葉の峰（今来峰・宝珠峰・鉢伏山・弁天岳・姑射山・転軸山・楊柳山・摩尼山）の峰々に囲まれた標高八〇〇メートルの山中の平坦地。胎蔵界曼荼羅の「中台八葉院」に擬せられる。平安時代の弘仁七（八一六）年に嵯峨天皇から空海（弘法大師）にこの地が与えられ、修禅の道場として高野山が開かれた。高野山真言宗の総本山金剛峯寺、壇上伽藍と弘法大師の墓所である奥の院（御廟）を中心に山上の宗教都市が形成され、「一山境内地」と称される。山内の子院は百十七ヵ寺に及ぶという。年平均気温は一〇・九度、大阪あたりよりも六度近く低いという。冬の寒さは厳しく、一月の平均気温は氷点下となる。山内については多くの解説書、案内書があるところで

図 57　高野山壇上伽藍（『紀伊国名所図会』）

図 56　高野山小田原谷往来（『紀伊国名所図会』）

もあり、山内についてはこれに譲りたい。南海電車でその日のうちに帰宅するのも可能だが、せっかく高野山まで歩いたので、宿坊に一泊し、翌朝、少々距離が長くアップダウンもあるが、高野山から中世以前の高野参詣のメインルートであった「町石道」を九度山、慈尊院へ下山することをお薦めしたい。道も整備され、町石をたどって行けばいいのだが、町石道の案内マップは和歌山県、高野町、九度山町、南海電鉄案内所などで配布されている。

町石道《ちょういしみち》

高野山の政所《まんどころ》（一山の庶務を司る寺務所）があった山麓の九度山の慈尊院から通じる表参道で、弘法大師空海は月に九度この道を下り、慈尊院に住した母の孝養に努めたことから九度山の地名がついたという。山上の壇上伽藍の根本大塔を起点に慈尊院まで約二二キロメートルの道中に胎蔵界一八〇尊になぞらえて一町（約一〇九メートル）ごとに「町石」として花崗岩製の長脚五輪塔（高一丈一尺・幅一尺余）が一八〇基建てられ、根本大塔から奥の院まで約四キロには金剛界三十七尊になぞらえた三十六基の町石が建てられている。また、慈尊院からは一里（三六町）ごとに「里石《りいし》」が四基設置されている。弘法大師が木製卒塔婆を建てたのが、その起りとされ、鎌倉時代、文永二（一二六五）年頃に遍照光院の覺斅《かくきょう》上人が石卒塔婆を発願、勧進して寄進結縁者を集め、二十年の歳月をかけ、弘安八（一二八五）年に完成。寄進者には後嵯峨天皇（奥院二、三、四、三十六町）、北条時宗（十町）、北条政村（五町）、安達泰盛（十二、百五十八、百五十九町・奥院二十二、二十五町）などの有力者の名もあり、全体の八割以上、一五〇基は建立当初のものが残り、江戸時代や大正、昭和に補修、再興されたものもある。石材は摂津の「御影石《みかげいし》」、舟で九度山まで運び、担ぎあげたようだ。奥の院でみられる巨大な江戸時代の五輪塔など内部が繰り抜かれているとはいえ、山上に運びあげる労力がいかほどのものであったかは、実際に歩いて高野山に登るとよくわかる。なお、平安時代の高野御幸では百六十三町石あたりから山腹を行き、笠木坂を登り、八十六町石あたりに出ていたと伝えられている（写真234・235）。

あとがき

情報通信技術が発達した現在、スマホやカーナビで目的地を設定すれば、道案内をしてくれ、目的地にいとも簡単に到達できる。これは確かに便利なことであるのだが、人間が機械の指示に従って動かされているように感じるのは私だけなのだろうか。

かつては、関西圏から東京への出張は「泊付き」であったが、新幹線のスピードアップもあって現在は、日帰りが当たり前、早朝に家を出て、夜遅く帰宅、これでは疲労も溜まる。これが進歩発展なのだろうか。また、事故やなんらかの事情で電車が少し遅れると、世の中にそれほど緊急性をもって電車に乗っている人は少ないとは思うのだが、ともかく無難に「お急ぎのところ誠に申し訳ございません」というお詫びのアナウンスが流される。ともかく移動は早いのが最善という価値観が世の中には、はびこっている。旅の過程を省き、出発地から目的地へ早く移動することは、それほど善いことなのだろうか。そんなに生きることを急いでどうするのだろうか。

デジタル地図の普及で紙地図の売り上げは激減、国土地理院の地形図を置いてあった大型書店も減り、「二万五千分の一の地形図」を知らない若い書店員さんもいるのには驚いた。地図を眺めていると、さまざまな情報が読み取れ、頭の中に現地の風景が浮かんでくる。また、地図を見ながら旧街道を歩くと、もうそろそろ川があるはずだとか、国道に出るはずだ、駅まではもう少しだとか思考力を働かせることにもなる。そのためにも本書には二万五千分の一の地形図に旧街道の全行程を記入することにした。機械による目的地までの誘導は人間の思考力の衰えを招くといってもよい。途中のことがわからないので、間違った誘導でも、どこで間違ったのか気が付かない。自分が今、何処にいるのかがわからない。これは社会の動きを知らずに生きて行くことと同じで、非常に危険なことだといえる。辞書でものを調べることは目的とする用語だけでなく、調べる過程で目に入る事項を知ることが重要だと言われる。旅も同じこと、目的地への最短時間での移動はネット検索と変わらない。目的地に至る過程で知り得るさまざまなことを大切にしたい。どうぞ地図を見ながら、自分が今、どこにいるのか確認しながら、先へ進んでいただきたい。

正確な地図も無い江戸時代の人々は、道を尋ね、道標や道標地蔵に導かれて、人任せでなく、自分で判断し、進路を決めて自分の足で旅をした。

道問えば一度に動く田植え笠
ひんぬいた大根で道を教えられ

という川柳があるが、街道歩きが沿道の歴史や文化を知るだけにとどまらず、人とのふれあいのきっかけとなり、人の教えを受けてありがたいと感謝するなど、さまざまな思いを浮かべながら、高野への道を歩いていただければ幸いである。

本書は近畿を横断して伊勢神宮をめざした『伊勢旧街道を歩く』の姉妹編というべきもので、今回は近畿地方を南北に縦断して高野山をめざす旅とした。本書をつくるきっかけともなった高野街道見て歩きをご一緒した「旧街道を歩く会」のメンバー諸氏、出版にあたり、今回も東方出版会長の今東成人氏の恩情と細部にわたりお世話いただいた北川幸氏に深く感謝申し上げたい。

参考文献

大阪府教育委員会『歴史の道調査報告書第二集　高野街道』一九八八
和歌山県教育委員会『歴史の道調査報告書Ⅳ　高野参詣道2』一九八一
『歴史の道シリーズ1　いまに生きる大和の古道 - 下ッ道』㈶環境文化研究所　一九八〇
『大阪府の地名Ⅰ・Ⅱ』日本歴史地名大系　平凡社　一九八六
『和歌山県の地名』日本歴史地名大系　平凡社　一九八三
『奈良県の地名』日本歴史地名大系　平凡社　一九八一
愛甲昇寛『高野山町石の研究』　高野山大学密教文化研究所　一九七三

掲載地形図（国土地理院25000分の1）一覧

京都東南部・宇治・田辺・奈良・大和郡山・桜井・畝傍山・京都西南部・淀・枚方・生駒山・信貴山・大和高田・御所・五條・大阪東南部・堺・古市・富田林・岩湧山・橋本・高野山
※25000分の1地形図は1センチが250メートル、本書掲載地図の縦方向で一里八丁ほどになる。

七　京大坂道

地図一覧

森下　恵介（もりした　けいすけ）
1957年奈良県生まれ。立命館大学文学部史学科卒
元奈良市埋蔵文化財調査センター所長
現在　奈良県立橿原考古学研究所共同研究員
　　　京都橘大学非常勤講師
編著書
『今昔奈良名所』奈良新聞社　2017
『吉野と大峰　山岳修験の考古学』東方出版　2020
『大和の古墳を歩く』同成社　2020
『伊勢旧街道を歩く』東方出版　2022　　など

２頁の地図作成　河本佳樹
地図１～54街道作図　亜細亜印刷㈱

高野街道を歩く

2023年７月20日　初版第１刷発行

著　者——森下恵介

発行者——稲川博久

発行所——東方出版㈱
〒543-0062　大阪市天王寺区逢阪２-３-２
Tel. 06-6779-9571　Fax. 06-6779-9573

装　幀——森本良成

印刷所——亜細亜印刷㈱

乱丁・落丁はおとりかえいたします。
ISBN978-4-86249-442-9

伊勢旧街道を歩く　森下恵介　2545円

吉野と大峰　山岳修験の考古学　森下恵介　3800円

大安寺伽藍縁起并流記資財帳を読む　大安寺歴史講座1　菅谷文則著・大安寺編　1500円

大安寺の歴史を探る　大安寺歴史講座2　森下恵介著・大安寺編　1400円

大安寺国家筆頭大寺へのあゆみ　大安寺歴史講座3　木下正史著・大安寺編　1500円

奈良時代の大安寺　資財帳の考古学的探究　大安寺歴史講座4　上原眞人著・大安寺編　1800円

私の法隆寺物語　髙田良信　2700円

四天王寺聖霊会の舞楽　増補版　南谷美保　3000円

和歌山県の祭りと民俗　和歌山県民俗芸能保存協会編　2200円

＊表示の値段は消費税を含まない本体価格です。